# FINALE

# STEPHANIE GARBER

# FINALE

UM LIVRO DA TRILOGIA

## CARAVAL

2ª edição

TRADUÇÃO: **Lavínia Fávero**

 GUTENBERG

EDITORA RESPONSÁVEL
*Flavia Lago*

EDITORAS ASSISTENTES
*Natália Chagas Máximo*
*Samira Vilela*

PREPARAÇÃO DE TEXTO
*Fernanda Marão*

REVISÃO FINAL
*Claudia Barros Vilas Gomes*

CAPA ORIGINAL
*Alexandra Allden*

ADAPTAÇÃO DE CAPA
*Alberto Bittencourt*

DIAGRAMAÇÃO
*Waldênia Alvarenga*

**Dados Internacionais de Catalogação na Publicação (CIP)**
**Câmara Brasileira do Livro, SP, Brasil**

Garber, Stephanie
    Finale / Stephanie Garber; tradução Lavínia Fávero. -- 2. ed. -- São Paulo: Gutenberg, 2025. -- (Trilogia Caraval; 3)

    Título original: *Finale*

    ISBN 978-85-8235-836-8

    1. Fantasia 2. Ficção norte-americana I. Título II. Série.

22-124020            CDD-813

Índices para catálogo sistemático:
1. Ficção : Literatura norte-americana 813

Aline Graziele Benitez - Bibliotecária - CRB-1/3129

A **GUTENBERG** É UMA EDITORA DO **GRUPO AUTÊNTICA**

**São Paulo**
Av. Paulista, 2.073 . Conjunto Nacional
Horsa I . Salas 404-406 . Bela Vista
01311-940 . São Paulo . SP
Tel.: (55 11) 3034 4468

www.editoragutenberg.com.br
SAC: atendimentoleitor@grupoautentica.com.br

**Belo Horizonte**
Rua Carlos Turner, 420
Silveira . 31140-520
Belo Horizonte . MG
Tel.: (55 31) 3465 4500

*Para Sarah e Jenny:*
*Não preciso mais de ingressos para entrar no*
*Caraval porque vocês fizeram muitos dos*
*meus sonhos se tornarem realidade.*

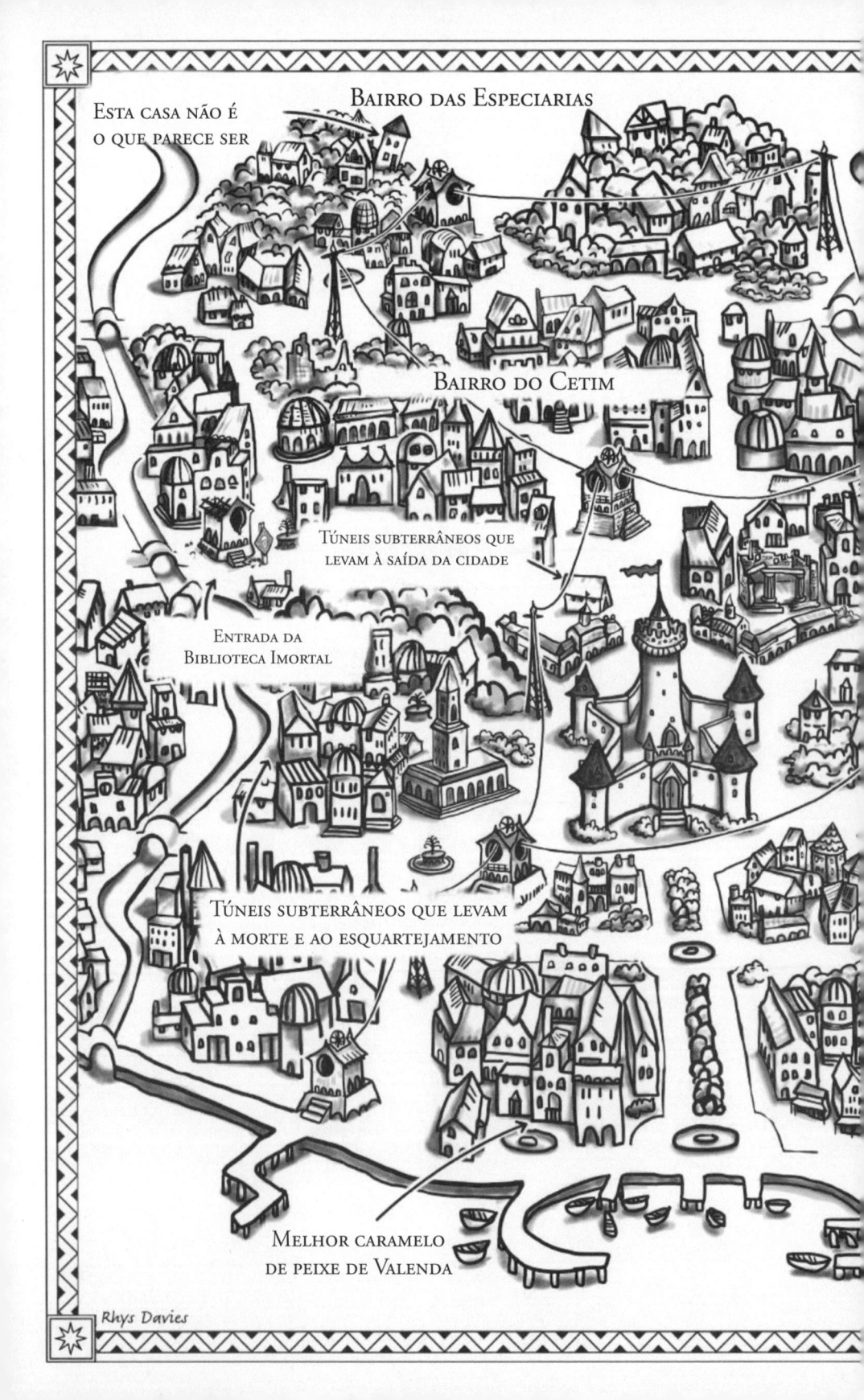

Bairro das Especiarias

Esta casa não é
o que parece ser

Bairro do Cetim

Túneis subterrâneos que
levam à saída da cidade

Entrada da
Biblioteca Imortal

Túneis subterrâneos que levam
à morte e ao esquartejamento

Melhor caramelo
de peixe de Valenda

Rhys Davies

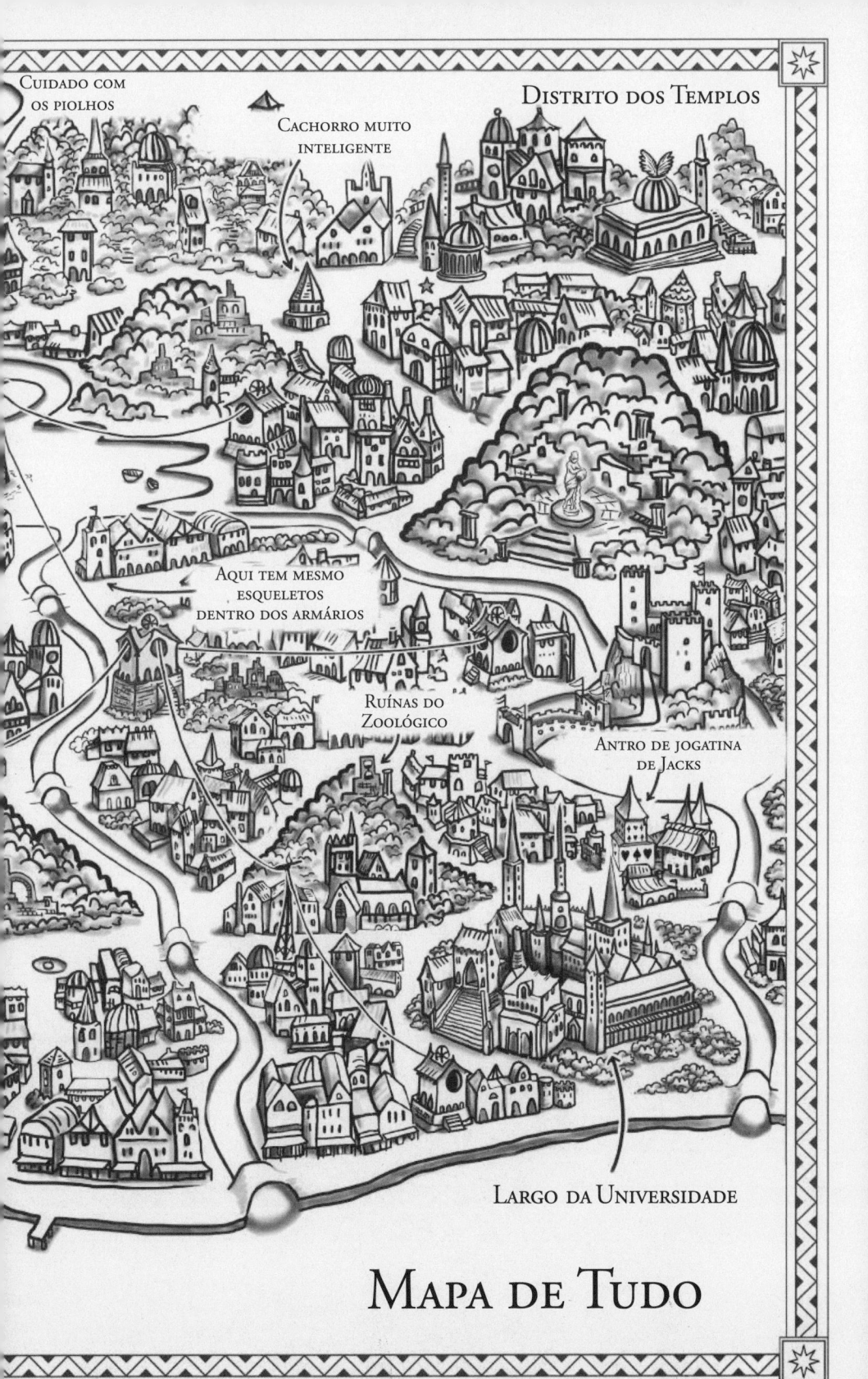

CUIDADO COM OS PIOLHOS

Cachorro muito inteligente

DISTRITO DOS TEMPLOS

AQUI TEM MESMO ESQUELETOS DENTRO DOS ARMÁRIOS

RUÍNAS DO ZOOLÓGICO

ANTRO DE JOGATINA DE JACKS

LARGO DA UNIVERSIDADE

MAPA DE TUDO

*Toda história tem quatro partes: o começo, o meio, o quase-final e o verdadeiro final. Infelizmente, nem todo mundo consegue ter um* gran finale *para sua história. Muita gente desiste na parte em que as coisas vão de mal a pior e quando a situação parece irremediável, sem esperança. Mas é justamente aí que mais precisamos ter esperança. Só quem é perseverante consegue encontrar o verdadeiro final de sua história.*

# Antes do começo

O quarto de Scarlett Dragna era um palácio de puro maravilhamento e magia de faz de conta. Se uma pessoa que perdera a capacidade de imaginar o observasse naquele momento, poderia achar que tudo aquilo era apenas uma confusão de vestidos: trajes de baile vermelho-granada espalhados pelos tapetes cor de marfim e vestidos cerúleos pendurados nas colunas da cama de dossel de ferro balançando suavemente no ritmo de uma lufada de vento salgado que entrava pelas janelas abertas. Sentadas na cama, as irmãs não perceberam a brisa nem a pessoa que entrou no quarto com ela. Esse novo personagem entrou de fininho, silencioso como um ladrão, sem fazer nenhum barulho, e se aproximou de onde as filhas brincavam distraidamente.

Scarlett, a mais velha, endireitava a anágua rosa-pétala que colocara nos ombros, como se fosse uma capa. E a irmã mais nova, Donatella, amarrava uma faixa de renda cor de creme no rosto, como se fosse um tapa-olho. Suas vozes eram alegres, agradáveis e claras como a manhã, como só as vozes das crianças conseguem ser. O som dessas vozes, por si só, era a mágica que derretia a luz dura do sol a pino em fragmentos de caramelo luminoso que se concentravam ao redor da cabeça das irmãs, como uma auréola de poeira estelar.

As meninas pareciam seres angelicais. Até que Tella declarou:

– Sou pirata, não princesa.

A boca da mãe das meninas titubeava entre sorrir e desaprovar. A filha mais nova era tão parecida com ela... Tella tinha a mesma veia rebelde e o mesmo espírito aventureiro. Era uma dádiva de faces opostas, que sempre deixara a mãe cheia de esperança. E também medo de que Tella cometesse os mesmos erros que ela.

– Não – disse Scarlett, sendo mais voluntariosa que de costume. – Pode ir devolvendo, a coroa é minha! Não posso ser rainha sem coroa.

A desaprovação venceu quando a mãe se aproximou da cama. Normalmente, Scarlett era menos briguenta que Tella. Só que as duas meninas torciam os lábios, teimosas, e cada uma segurava uma das pontas de um colar de pérolas.

– Procure outra coroa, esse é meu tesouro de pirata!

Tella deu um puxão fabuloso, e as pérolas voaram pelo quarto.

*Pof!*

*Pof!*

*Pof!*

A mãe pegou uma das pérolas no ar e a segurou entre dois dedos hábeis e delicados. A esfera minúscula era rosada como as bochechas das filhas, que ficaram coradas, agora que tinham, finalmente, tirado a atenção do colar e visto que ela estava ali.

Os olhos castanhos de Scarlett já estavam embaçando: a menina sempre foi mais sensível do que a irmã.

– Ela quebrou minha coroa.

– O verdadeiro poder de uma rainha não está na coroa, meu amorzinho. Fica aqui.

A mãe colocou a mão no coração da filha. Ela então se virou para Tella, que disse:

– Você vai me dizer que não preciso de tesouro para ser pirata? Ou que meu maior tesouro está bem aqui?

A menina, então, pôs a mãozinha em cima do coração, imitando a mãe.

Se fosse Scarlett a fazer aquilo, a mãe acharia que o gesto tinha sido sincero. Mas conseguia ver a traquinagem nos olhos de Tella. A menina tinha uma faísca que poderia tanto atear fogo ao mundo inteiro quanto dar a luz de que ele tanto necessita.

– Na verdade eu ia dizer que seu maior tesouro está sentado bem na sua frente. Não há nada mais precioso do que o amor de uma irmã.

A mãe segurou a mão das filhas e as apertou.

Se houvesse um relógio no quarto, teria parado. De vez em quando, certos minutos ganham alguns segundos a mais. São momentos tão preciosos que o universo se expande para criar lugar para acomodá-los, e esse foi um deles. É raro as pessoas terem o privilégio de viver instantes como esse. E há quem nunca os viva.

Aquelas menininhas ainda não sabiam, porque a história delas ainda não havia começado, não de verdade. Mas, logo, logo, a história das duas alçaria voo. E, quando isso acontecesse, as irmãs precisariam de todos os instantes fortuitos de ternura possíveis.

# O COMEÇO

# Donatella

A primeira vez em que Lenda apareceu nos sonhos de Tella, parecia ter acabado de sair de uma das histórias que as pessoas contavam sobre ele. Quando era Dante, sempre se vestia em tons de cinza e preto, como a rosa que tinha tatuada no dorso da mão. E naquela noite, como Lenda, ele usava uma casaca vermelho-sedução, transpassada com abotoamento duplo e forro dourado. O visual era arrematado por um lenço também vermelho amarrado no pescoço e a cartola, que era sua marca registrada.

Cachos pretos e lustrosos apareciam por baixo da aba do chapéu, ocultando os olhos preto-carvão que brilharam quando Lenda olhou para Tella. Os olhos do Mestre do Caraval reluziam mais do que as águas iluminadas pelo crepúsculo que cercavam o bote íntimo em que os dois estavam. Não era o olhar frio e sem emoção que ele havia lançado para a jovem há duas noites, pouco depois de tê-la libertado de uma carta de baralho e a abandonado de forma insensível. No sonho, Lenda sorria como um príncipe malvado, que havia fugido das estrelas e estava pronto para levá-la aos céus.

Donatella sentiu um frio inconveniente na barriga. Lenda continuava sendo o mais belo mentiroso que ela já vira na vida. Mas Tella não permitiria que o Mestre do Caraval a enfeitiçasse, como havia feito durante o jogo. Ela deu um tapa na cartola, derrubando-a da bela cabeça do rapaz e fazendo a minúscula embarcação em que estavam balançar.

Lenda pegou o chapéu com facilidade. Os dedos se moveram tão depressa que Tella poderia ter pensado que o Mestre do Caraval havia previsto sua reação, caso não estivesse sentado bem na frente dela, tão perto que a garota percebeu um músculo estremecer em seu maxilar barbeado. Os dois podiam até estar em um sonho, no qual o céu brilhante ganhava lúgubres contornos roxos, como se houvesse pesadelos à espreita. Só que Lenda foi incisivo, feito pinceladas precisas, e vibrante como uma ferida recém-aberta.

— Achei que você ia ficar mais feliz em me ver — disse ele.

Tella lançou seu olhar mais fulminante. A mágoa que sentia desde a última vez que o vira ainda estava muito em carne viva para conseguir disfarçar.

— Você foi embora. Você me abandonou naquela escadaria, sem conseguir me mexer. Jacks me carregou no colo até o palácio.

Os lábios de Lenda se retorceram com desgosto.

— Então você não vai me perdoar?

— Você ainda não me pediu desculpas.

Se tivesse pedido, Donatella teria perdoado. *Queria* perdoá-lo. Queria acreditar que Lenda não era tão diferente de Dante e que ela era mais do que um mero peão que o Mestre do Caraval queria manipular no jogo. Queria acreditar que Lenda a abandonara naquela noite porque estava com medo. Mas, em vez de demonstrar remorso pelo que havia feito, parecia irritado por Tella ainda estar brava com ele.

A escuridão do céu se intensificou, porque nuvens roxas se contorceram e cortaram a lua crescente ao meio, dividindo-a em dois pedaços que ficaram flutuando no céu, feito um sorriso partido.

— Eu tinha um compromisso.

As esperanças de Tella se esvaíram com o tom de pura frieza do rapaz.

O ar ficou cheio de fuligem: fogueiras queimavam mais acima e se esfacelavam em faíscas brilhantes de um vermelho-romã, trazendo a lembrança da queima de fogos que ocorrera havia duas noites.

Donatella ergueu a cabeça e viu as faíscas formarem os contornos do palácio de Elantine – que agora era o palácio *de Lenda*. Na verdade, admirava o fato de o Mestre do Caraval ter convencido Valenda de que era o verdadeiro herdeiro do trono do Império Meridiano. Só que, ao mesmo tempo, a farsa a fez recordar que a vida de Lenda consistia em joguinhos e mais joguinhos. Tella não sabia se ele queria o trono pelo poder, se queria o prestígio de ser imperador ou se simplesmente queria fazer a apresentação mais grandiosa de que o império já tivera notícia. E talvez jamais soubesse.

– Você não precisava ter ido embora daquele jeito tão frio e cruel – ela argumentou.

Lenda respirou fundo e uma súbita investida de ondas bravias atingiu o bote. A embarcação balançou e foi se encaminhando por um canal estreito, que os levou até um mar reluzente.

– Já disse que não sou o herói da sua história, Tella.

Só que ele não se afastou. Pelo contrário: foi chegando mais perto de Donatella. A noite ficou mais quente quando Lenda olhou nos olhos de Tella como a garota gostaria que o Mestre do Caraval tivesse olhado na última vez que se despediram. O rapaz tinha cheiro de magia e de coração partido, e algo nessa combinação a fez pensar que, apesar do que dizia, Lenda queria ser o herói dela.

Ou, quem sabe, apenas quisesse que Donatella continuasse a desejá-lo.

O Caraval podia até ter terminado, mas lá estava Tella dentro de um sonho com Lenda, flutuando em águas de poeira estelar e madrugada enquanto fogos de artifício continuavam caindo das alturas como se os céus quisessem coroá-lo.

Donatella tentou desligar os fogos de artifício – aquele era o sonho era *dela*, afinal de contas. Mas, pelo jeito, era Lenda quem mandava ali. Quanto mais a garota resistia, mais encantado o sonho ficava. O cheiro do ar ficou mais adocicado, as cores avivaram, e sereias com tranças tropicais verde-petróleo e caudas cor-de-rosa peroladas saíram da água, saudaram Lenda e tornaram a mergulhar.

– Você é tão convencido… Nunca te pedi para ser meu herói.

Há duas noites, tanto Tella quanto Lenda fizeram sacrifícios: a jovem optou por viver aprisionada dentro de um Baralho do Destino, em parte para garantir a segurança do Mestre do Caraval, e Lenda libertou os Arcanos para salvar a vida de Donatella. Foi a coisa mais romântica que alguém já fizera por ela. Só que Tella queria mais do que atitudes românticas. Queria o verdadeiro Lenda.

Mas nem sequer sabia se um verdadeiro Lenda existia. E, se existisse, duvidava que o Mestre do Caraval permitiria que alguém se aproximasse dele ao ponto de vê-lo.

Lenda colocou a cartola de volta na cabeça e ficou mesmo bonito, tanto que quase doía só de olhar. Mas também ficou parecendo muito mais um Lenda idealizado do que uma pessoa de verdade ou com o Dante que Tella conheceu e pelo qual se apaixonara.

A garota sentiu um aperto no coração. Nunca quis se apaixonar por ninguém. E, naquele momento, o odiou por fazê-la sentir *tantas* coisas por ele.

O último dos fogos de artifício explodiu no céu, tingindo toda aquela paisagem de sonho com o tom mais brilhante de azul que Donatella já vira na vida. Parecia a cor dos desejos que se realizam e das fantasias que se tornam realidade. E, ao caírem, os fogos tocaram uma música tão doce que as sereias teriam ficado com inveja.

Lenda estava tentando deslumbrá-la. Só que o deslumbramento é bem parecido com o romance – fantástico enquanto dura, mas nunca dura para sempre. E Tella continuava querendo mais. Não queria se tornar mais uma garota sem nome das muitas histórias que as pessoas contam a respeito do Mestre do Caraval, alguém que acreditou em tudo o que ele disse só porque Lenda chegou perto dela dentro de um bote e lhe lançou um olhar repleto de estrelas.

– Não vim aqui para brigar com você. – Nessa hora, ele levantou a mão, como se quisesse encostar em Tella. Mas aí seus dedos compridos se dirigiram à parte mais baixa do bote e ficaram mexendo a esmo naquelas águas cor de meia-noite. – Queria saber se você recebeu minha mensagem e perguntar se quer receber o prêmio por ter vencido o Caraval.

Donatella fingiu pensar, porque sabia cada palavra da carta de cor. Ao desejar feliz aniversário e oferecer o prêmio, o Mestre do Caraval fez Tella ter esperança de que Lenda ainda gostasse dela. Disse que estaria esperando quando a garota resolvesse aparecer para pegar o prêmio. Mas não disse que sentia muito por tê-la magoado de tantas maneiras.

– Eu li a mensagem. Mas não estou interessada no prêmio. Cansei de joguinhos.

Lenda deu risada, uma risada grave e dolorosamente conhecida.

– Qual foi a graça?

– Você fingir que nossos joguinhos chegaram ao fim.

## 2

# *Donatella*

Lenda mais parecia uma tempestade que acabara de acordar. O cabelo fora bagunçado pelo vento, os ombros retos estavam cobertos de neve, e os botões da casaca eram de gelo. Ele foi se aproximando, atravessando uma floresta de um azul gélido, que era pura geada.

Tella estava com um manto de pele azul-cobalto nos ombros. E o fechou, para se proteger do frio.

— Você está com cara de quem quer me enganar — falou.

Lenda retorceu os lábios, em um sorriso dissimulado. Na noite anterior, o Mestre do Caraval mais parecia uma ilusão. Mas, naquela noite, estava mais parecido com Dante, vestido com seus característicos tons de cinza e preto. Só que Dante costumava ser quentinho, e Donatella supôs que aquela temperatura gélida do sonho refletia o verdadeiro humor de Lenda.

— Só quero saber se você deseja receber o prêmio por ter vencido o Caraval.

Tella podia até ter passado metade do dia acordada imaginando qual seria o prêmio, mas se obrigou a segurar a curiosidade. Quando Scarlett venceu o Caraval, ganhou o direito a ter um desejo realizado. Isso até que seria útil para Tella, mas a garota tinha a sensação de que Lenda lhe reservava ainda mais do que isso. E, sendo assim, poderia ter dito que sim... caso não tivesse percebido que essa era a resposta que Lenda ansiava ouvir.

# Donatella

Todas as noites, Lenda a visitava em sonho, feito um vilão de livro de história infantil. Noite após noite após noite após noite. Sem exceção. Já fazia quase dois meses que ele aparecia e, assim que recebia a mesma resposta para sua pergunta, desaparecia.

Naquela noite, os dois estavam em uma versão de outro mundo da taverna que havia dentro da Igreja de Lenda. Inúmeros retratos do Mestre do Caraval, na visão de diversos artistas, observavam Lenda e Donatella com ar de superioridade, enquanto um pianista espectral tocava uma melodia silenciosa e fregueses em duas dimensões – feito fantasmas – dançavam em volta da dupla.

Tella estava sentada em uma poltrona cor de bruma da floresta tropical que parecia uma concha, e Lenda estava de frente para ela, esparramado em um divã capitonê verde como os cubos de açúcar que não parava de rolar entre os dedos ágeis.

Depois daquela primeira noite, no bote, ele não usou mais a cartola nem a casaca vermelha, confirmando as suspeitas de Tella de que esses dois acessórios faziam parte da fantasia e não da pessoa real que Lenda era. O rapaz voltara a vestir apenas roupas pretas – e ainda ria e sorria com facilidade, como Dante.

Só que, nos sonhos, ao contrário de Dante – que sempre inventava alguma desculpa para pôr as mãos em Donatella –, Lenda nunca, jamais, encostava em Tella. Se os dois estavam em um balão, era um balão tão grande que não havia perigo de a garota esbarrar nele. Se estavam passeando por um jardim de cascatas, Lenda ficava bem na beirada do caminho, onde não havia risco de os braços dos dois se roçarem. Donatella não sabia se aqueles sonhos em comum chegariam ao fim caso os dois se encostassem ou se o fato de Lenda não encostar nela era só mais uma das muitas maneiras que o Mestre do Caraval tinha de continuar no controle da situação. Mas isso a deixava infinitamente frustrada. Donatella queria estar no controle da situação.

Tomou um gole de seu drinque verde borbulhante. Tinha alcaçuz demais para seu gosto, mas gostava de ver que Lenda dirigia o olhar para os lábios dela sempre que bebia. O Mestre do Caraval até podia ficar sem encostar em Donatella. Isso, contudo, não o impedia de olhar.

Os olhos do rapaz estavam vermelhos, ainda mais vermelhos do que nas noites anteriores. Os Dias de Luto pela Imperatriz Elantine terminariam em dois dias. Ou seja: a contagem regressiva para a coroação oficial de Lenda estava prestes a começar. Dali a doze dias, ele seria coroado imperador. A jovem pensou que Lenda poderia estar exausto por causa dos preparativos para a cerimônia. De vez em quando, ele comentava assuntos do palácio, dizia que o conselho imperial o deixava frustrado. Só que dessa vez estava calado. E Tella tinha a impressão de que, se perguntasse alguma coisa, estaria entregando pontos de bandeja, naquele joguinho que estava se desenrolando entre os dois. Porque aquilo, definitivamente, era um jogo. E dar ao rapaz a impressão de que ainda se preocupava com ele ia contra as regras. Assim como um encostar no outro.

– Você está com cara de cansado – comentou Donatella, em vez de fazer perguntas. – E precisa cortar esse cabelo: está meio que caindo nos olhos.

O Mestre do Caraval retorceu um dos cantos da boca e perguntou em um tom sarcástico:

– Se minha cara está tão ruim assim, por que você não para de olhar?

– Só porque não gosto de você não significa que você não seja bonito.

– Se você realmente me odiasse, não me acharia nada atraente.

– Nunca disse que tenho bom gosto.

Tella engoliu o que restava do drinque.

Lenda voltou a olhar para os lábios dela, sem parar de rolar os cubos de açúcar cor de absinto entre os dedos compridos. As tatuagens que ele tinha nos dedos haviam sumido, mas a rosa preta continuava no dorso da mão. Sempre que Donatella a via, tinha vontade de perguntar por que o Mestre do Caraval a deixara ali, já que se livrara das outras tatuagens, como as belas asas que tinha nas costas, e se era por isso que o rapaz não cheirava mais a nanquim. Também estava curiosa para saber se Lenda ainda tinha a marca feita a ferro e fogo pelo Templo das Estrelas, simbolizando a dívida vitalícia que tinha com eles. A dívida que contraíra por causa de Tella.

Mas essa pergunta, sem dúvida, contaria como se importar com Lenda.

Ainda bem que admirá-lo não ia contra as regras tácitas estabelecidas entre os dois. Se fosse, ambos já teriam perdido aquele jogo há muito tempo. Tella tentava ser um pouco mais discreta, mas ele não. O Mestre do Caraval olhava para ela descaradamente.

Só que, naquela noite, ele parecia estar distraído. Não fizera nenhum comentário sobre o traje dela – Lenda controlava o local dos sonhos, mas Tella escolhia o que ia vestir. Tinha escolhido um vestido esvoaçante, de um fantástico tom de azul, com alcinhas de pétalas de flores, corpete de fitas e saia coberta de borboletas batendo as asas. Donatella gostou da ideia de que aquela roupa a deixava parecendo a rainha da floresta.

Lenda nem sequer percebeu quando uma das borboletas saiu do vestido e pousou em seu ombro. Não parava de dirigir o olhar para o pianista fantasmagórico. E será que era só impressão dela ou a taverna parecia mais melancólica do que os cenários dos sonhos anteriores?

A garota poderia jurar que, até pouco tempo, o divã onde o Mestre do Caraval estava esparramado tinha um tom vivo e horroroso de verde. Mas a cor tinha desbotado, assumindo um tom claro, de vidro marinho. Tella tinha vontade de perguntar se havia algo de errado. Só que – de novo –, se perguntasse, daria a impressão de que estava preocupada com ele.

– Você não vai me fazer aquela pergunta hoje?

Ríspido, Lenda dirigiu o olhar para Donatella e respondeu:

– Sabe, uma hora dessas eu posso parar de perguntar e resolver que não vou mais te dar o prêmio.

– Isso seria maravilhoso. – Nessa hora, Tella soltou um suspiro, e várias borboletas da saia levantaram voo. – Aí, eu poderia, finalmente, ter uma boa noite de sono.

O Mestre do Caraval retrucou, falando mais baixo, com sua voz grave:

– Você ficaria com saudade se eu parasse de te visitar.

– E você se acha grande coisa mesmo.

O rapaz parou de rolar os cubos de açúcar e virou o rosto, mais uma vez preocupado com o músico que estava no palco. A melodia se aventurara pelo tom errado, transformando-se em uma canção dissonante e nada encantadora. No salão, os dançarinos-fantasma reagiram tropeçando nos pés de seus pares. E foi aí que um estrondo retumbante os fez congelar.

O pianista se debruçou sobre o instrumento, feito uma marionete cujos fios foram cortados.

O coração de Tella bateu loucamente. Lenda sempre controlava os sonhos dela, de um jeito frustrante. Mas a jovem ficou com a impressão de que aquilo não tinha sido feito por ele. A magia que pairava no ar não tinha o aroma da magia do Mestre do Caraval. Toda magia tem um cheiro adocicado, mas aquele era adocicado demais, quase podre.

Donatella tornou a ficar de frente para Lenda, mas o Mestre do Caraval não estava mais esparramado no divã: estava de pé, bem diante dela.

– Tella – falou, com uma voz mais ríspida do que o normal –, você precisa acordar...

As últimas palavras da frase viraram fumaça. Em seguida, Lenda virou cinzas, e o restante do sonho ardeu em chamas, chamas verdes e venenosas.

Quando Donatella acordou, sentiu um gosto de fogo na boca e estava com uma borboleta morta na palma da mão.

# *Donatella*

Na noite seguinte, Lenda não a visitou em sonho.

# Donatella

Quando Tella acordou, os aromas inebriantes de castelos de favos de mel, tortas de pau de canela, barrinhas de aveia com pedaços de chocolate e licor de pêssego flutuavam pela janela entreaberta, polvilhando o minúsculo quarto do apartamento com açúcar e sonhos. Mas ela só conseguia sentir o gosto do pesadelo que, na noite anterior, deixara em sua boca um sabor de fogo e de cinzas.

Havia algo de errado com Lenda. De início, Donatella não quis acreditar. Quando o último sonho que teve com ele foi consumido pelas chamas, pensou que aquela cena poderia ter sido mais uma das jogadas do Mestre do Caraval. Mas, na noite seguinte, ao procurar por ele em seus sonhos, só encontrou fumaça e cinzas.

A garota se sentou na cama, jogou os lençóis finos para o lado e se arrumou rapidamente. Era contra as regras fazer qualquer coisa que desse a impressão de que se preocupava com Lenda. Mas, se fosse até o palácio só para dar uma espiada, sem falar com ele, Lenda jamais ficaria sabendo. E, caso o rapaz realmente estivesse encrencado, Tella não queria nem saber se estava ou não indo contra as regras.

— Por que você está se arrumando com essa pressa toda, Tella?

Donatella levou um susto: o coração foi parar na boca quando viu a mãe entrando no quarto. Mas era Scarlett. Tirando a mecha branca no cabelo castanho-escuro, a irmã era igualzinha a Paloma, mãe das duas. Alta como ela, com os mesmos olhos grandes e castanho-claros, a mesma pele cor de oliva, um pouco mais escura do que a de Tella.

Olhou um pouco mais adiante de onde a irmã estava, para o quarto ao lado. Como era de se esperar, a mãe das duas ainda estava presa em um torpor encantado, imóvel feito uma boneca na cama de metal opaco, deitada por cima da colcha desbotada pelo sol.

Paloma não se mexia. Não falava. Não abria os olhos. Estava menos pálida do que quando havia chegado ali. Sua pele tinha adquirido um certo brilho, mas os lábios continuavam com aquele tom perturbador de vermelho-conto-de-fadas.

Todos os dias, Tella passava pelo menos uma hora observando a mãe com toda a atenção, torcendo para ver um pestanejar ou algum outro movimento além do subir e descer de seu peito ao respirar. É claro que, assim que Paloma acordasse, os demais Arcanos imortais, que Lenda havia libertado do Baralho do Destino, também acordariam – como avisara Jacks, o místico Príncipe de Copas.

Ao todo, eram trinta e dois Arcanos. Oito lugares místicos, oito objetos místicos e dezesseis imortais místicos. Como boa parte das pessoas do Império Meridiano, Tella acreditou por toda a vida que esses seres ancestrais eram apenas mitos. Mas a garota aprendera, fazendo negócios com Jacks, que eles estavam mais para deuses perversos. E, às vezes, Donatella pensava de forma egoísta: não ligava nem um pouco se eles despertassem, desde que sua mãe também acordasse.

Paloma passou sete anos presa nas cartas com os demais Arcanos, e Tella não havia se esforçado tanto para libertá-la só para ver a mãe dormir.

– Você está bem, Tella? – perguntou Scarlett. – Por que está toda arrumada?

– Pus o primeiro vestido que vi pela frente.

Que, por acaso, também era o mais novo. Donatella o vira na vitrine de uma loja na rua da pensão e gastara quase toda a sua mesada da semana nele. O modelito era do seu tom preferido de hortênsia, com decote coração. Tinha uma faixa larga, amarela, e a saia, abaixo dos joelhos, era composta por centenas de plumas. E pode ser que as plumas a tenham feito recordar de um carrossel de sonhos que Lenda criara para ela, dois meses atrás. Mas a garota tentou se convencer de que havia comprado o vestido só porque, com aquele traje, parecia que descera do céu em uma nuvem.

Tella deu para a irmã seu sorriso mais inocente e respondeu:

– Só vou dar uma voltinha no Festival do Sol.

Scarlett espremeu os lábios, como se não soubesse direito o que responder. Mas estava visivelmente aflita. Seu vestido encantado ficara com um tom desgraçado – e roxo era a cor da qual ela menos gostava –, com um corte fora de moda, ainda mais antigo do que boa parte da mobília que abarrotava o apartamentinho das duas.

– Mas hoje é o *seu* dia de ficar cuidando de Paloma – advertiu Scarlett até que com certa calma na voz.

– Juro que volto antes da hora em que você tem que sair. Sei que esta tarde é muito importante para você. Mas preciso dar uma saída.

Tella queria deixar por isso mesmo. A irmã não compreendia sua relação com Lenda, e Donatella admitia que era mesmo complicada. Às vezes, tinha a impressão de que o Mestre do Caraval era seu inimigo. Outras, de que era seu amigo. Outras ainda, de que era alguém que ela havia amado. E, muito de vez em quando, de que era alguém que ainda amava. Mas, para Scarlett, Lenda era o mestre do jogo, um mentiroso que usava as pessoas como apostadores jogam cartas. Não sabia que o rapaz visitava Tella em sonho todas as noites: sabia apenas que aparecia de vez em quando. E acreditava que a versão de Lenda que a irmã continuava encontrando não era o verdadeiro Lenda, porque ele só a visitava em sonhos.

Donatella não acreditava que Lenda atuava quando estava com ela. Mas sabia que ele estava escondendo certas coisas. Fazia a mesma pergunta todas as noites, mas começou a ficar com a impressão de que aquela pergunta era apenas uma desculpa para o Mestre do Caraval aparecer em seus sonhos para vê-la – uma distração, uma forma de esconder o verdadeiro motivo pelo qual só a procurava daquela forma. Infelizmente, Tella ainda não sabia se Lenda a visitava porque realmente se importava com ela ou se era porque estava fazendo mais um de seus joguinhos.

Scarlett ficaria chateada se descobrisse que o Mestre do Caraval aparecia todas as noites nos sonhos da irmã. Mas Donatella se sentia na obrigação de contar a verdade para ela. Scarlett estava esperando há semanas por aquele dia: precisava saber por que Tella, de repente, queria sair de casa, justo naquele dia.

– Preciso ir ao palácio – disse Donatella, apressada. – Acho que aconteceu alguma coisa com Lenda.

O vestido de Scarlett ficou com um tom ainda mais escuro de roxo.

– Você não acha que teríamos ficado sabendo se algo tivesse acontecido com o futuro imperador?

– Não sei. Só sei que ele não apareceu no meu sonho ontem à noite.

Scarlett apertou os lábios e comentou:

– Isso não quer dizer que ele está correndo perigo. Lenda é imortal.

– Tem alguma coisa errada – insistiu Tella. – Até hoje, ele nunca *deixou* de aparecer.

– Mas eu achei que ele só te visitava...

– Eu menti – interrompeu Donatella. Não tinha tempo para ouvir um sermão. – Desculpe, Scar, mas eu sabia que você não ia gostar. Por favor, não tente me impedir. Não fiz nenhuma objeção a esse encontro de hoje com Nicolas.

– Nicolas nunca me tratou mal – retrucou Scarlett. – Ao contrário de Lenda, sempre foi gentil e estou esperando há meses para conhecê-lo pessoalmente.

– Eu sei. E prometo que volto antes das duas da tarde para ficar cuidando da mamãe.

Bem nessa hora, o relógio badalou, anunciando as onze da manhã. Ou seja: Tella tinha exatamente três horas para ir ao palácio e voltar. Precisava sair naquele exato momento.

Abraçou a irmã e disse:

– Obrigada por compreender.

– Não falei que compreendo – retrucou Scarlett, mas disse isso abraçada na irmã.

Assim que Scarlett a soltou, Tella calçou um par de sapatilhas com fitas que prendiam nos tornozelos e foi até o quarto da mãe, esgueirando-se pelo tapete desbotado.

Ela beijou a testa fria de Paloma. Era raro sair do lado da mãe. Desde que se mudaram do palácio e foram morar naquele apartamento, tentava ficar com ela o tempo todo. Queria estar presente quando a mãe acordasse. Queria que o primeiro rosto que Paloma visse fosse o seu. Não tinha esquecido que a mãe prometera entregá-la para o Templo das Estrelas. Mas, em vez de continuar brava por causa dessa traição, estava decidida a acreditar que havia uma explicação para isso e que a descobriria quando a mãe acordasse de seu sono encantado.

– Eu te amo e volto logo.

Donatella aventou a possibilidade de dar um jeito de ser presa.

Não queria ser presa, mas essa poderia ser a maneira mais rápida de entrar no palácio. Havia turistas demais em Valenda, vindos de toda parte do império, para o Festival do Sol. Lotavam as linhas das carruagens aéreas e entupiam as ruas e calçadas, obrigando a garota a ir para o palácio por uma rota mais longa e contornar o delta que levava ao mar.

O Festival do Sol ocorria todos os anos, no primeiro dia da Estação Quente. Mas, naquele ano, estava especialmente turbulento, já que também marcava o fim dos Dias de Luto e o início da contagem regressiva para a coroação de Lenda, que ocorreria em dez dias. Só que Scarlett, Tella e os artistas de Lenda eram os únicos que o conheciam como Lenda. O resto do império o conhecia como *Dante Thiago Alejandro Marrero Santos*.

Ainda doía um pouco só de pensar no nome "Dante".

Para Donatella, Dante mais parecia um personagem de uma história inventada por Lenda. Só que esse nome sempre a pinicava feito um espinho, uma lembrança de que havia se apaixonado por uma ilusão – e que seria uma grande tolice voltar a confiar nele. Mas, apesar disso, Donatella ainda se sentia compelida a procurá-lo, a ignorar o festival e toda aquela empolgação que deixava as ruas em polvorosa.

Com o final dos Dias de Luto, as bandeiras pretas que assombravam a cidade tinham sido removidas. Os vestidos retos e austeros foram substituídos por trajes em tons de azul-céu, laranja-açafrão e verde-menta. Cores, cores por todos os lados, acompanhadas pelas mais deliciosas das fragrâncias – citrino cristalizado, gelo tropical e açúcar aromatizado de limão. Mas Tella não teve coragem de parar em nenhuma das barraquinhas montadas na rua para comprar alguma das delícias ou as sidras importadas e borbulhantes.

Apertou o passo e...

Parou de supetão perto de um pavilhão de carruagens que tinha as janelas tapadas com tábuas. Aquilo fez com que a multidão a empurrasse, de forma que Tella bateu o ombro em uma porta de madeira cheia de farpas. O que a fez parar foi a visão de uma mão tatuada com uma rosa preta. *A tatuagem de Lenda.*

A doçura do ar se tornou amarga.

Donatella não conseguia ver o rosto da pessoa que se movimentava no meio da multidão, mas tinha os mesmos ombros largos de Lenda, o mesmo cabelo castanho-escuro, a mesma pele tom de bronze. E, só de vê-lo, a garota sentiu um frio na barriga – apesar de ter cerrado os punhos.

*Era para ele estar correndo perigo!*

Tella imaginou que Lenda estava doente, ferido ou correndo algum perigo mortal. Mas aquela pessoa parecia estar completamente ótima. Talvez um pouco mais do que ótima: era alta, palpável e mais *real* do que o Lenda que havia aparecido em seus sonhos. Com certeza era o Mestre do Caraval. E, mesmo assim, observando os movimentos confiantes daquele homem em meio à multidão, ele não parecia ser completamente real. Mais parecia outra encenação.

Como herdeiro do trono, não era para Lenda estar circulando pelas ruas vestido de plebeu, de calça marrom esfarrapada e camisa rústica. Deveria estar cavalgando no meio daquela confusão em um régio corcel negro, com um diadema de ouro na cabeça e acompanhado por um destacamento de guardas.

Mas não havia nenhum guarda com ele. Na verdade, parecia que Lenda estava fazendo de tudo para desviar das patrulhas imperiais.

O que será que ele estava aprontando? E por que tinha desaparecido dos sonhos de Donatella de um jeito tão dramático se não havia nada de errado?

O homem não diminuiu o passo confiante quando entrou nas ruínas dilapidadas que cercavam o Bairro do Cetim, uma área repleta de arcos deteriorados, mato e degraus tão altos que pareciam ter sido construídos para gigantes e não para seres humanos. Tella correu para não o perder de vista. Porque, é claro, estava seguindo aquele vulto.

A jovem se esgueirou pelos rochedos maiores e correu para atravessar o terreno acidentado, tomando cuidado para que os guardas não a vissem enquanto Lenda subia, subia e subia os degraus.

A doçura do ar deveria ter ficado mais suave à medida que ela foi se afastando das barraquinhas de doces. Mas, a cada degrau que subia, o gosto açucarado que sentia na boca ficava mais denso e frio. Quando Tella encostou os dedos em um portão de ferro enferrujado que havia se soltado das dobradiças, a pele ficou azul de tão gelada.

Ainda via o sol que ardia sobre o festival, mas o calor do astro não penetrava naquele lugar. Donatella ficou com os braços arrepiados só de imaginar, mais uma vez, qual seria o joguinho de Lenda.

Ela já estava quase no topo das ruínas. Diante dela, havia uma coroa despedaçada gigante, formada por colunas de granito branco que se tornara acinzentado por décadas de chuva e abandono. Mas Tella conseguiu visualizar como aquela construção decrépita era séculos antes. Viu colunas de um branco perolado, mais altas que os mastros dos navios, segurando painéis de vitral encurvados que projetavam arco-íris iridescentes em uma grande arena.

Só não conseguia mais enxergar Lenda. Ele havia desaparecido, assim como o calor.

A respiração de Tella formava nuvens de fumaça ao redor de sua boca. Ela ficou em alerta, prestando atenção em todos os ruídos, tentando ouvir passos ou o timbre grave da voz de Lenda. Será que o Mestre do Caraval estava ali para se encontrar com alguém? Mas os únicos sons que Donatella ouviu foram o bater dos próprios dentes. Esgueirou-se pela coluna mais próxima e…

O céu escureceu, e as ruínas que a rodeavam sumiram de vista.

Tella congelou.

Um instante depois, seus olhos piscaram e piscaram mais, até sua visão se acostumar com aquela nova cena. Pinheiros. Montinhos de neve. Raios da luz que refletia nos olhos de animais. Um ar mais gelado que a geada e as maldições.

Não estava mais em uma das muitas ruínas de Valenda – estava em uma floresta em plena Estação Fria. Donatella tremia de frio e cruzou os braços nus contra o peito.

A luz vinha da lua mais cheia que a garota já vira na vida. E brilhava em um tom de safira, contrastando com aquela noite estranha. E, daquela lua, jorravam estrelas prateadas, feito uma cascata.

Na última edição do Caraval, Lenda encantara as estrelas, para que formassem novas constelações. Mas o próprio Lenda havia lhe dito que não possuía tal poder fora do Caraval. E aquilo não parecia com os sonhos que a jovem tivera com ele. Se fosse um sonho, Lenda já estaria vindo na direção dela, dando aquele seu sorriso de anjo caído que fazia Tella dobrar os dedos dos pés dentro dos sapatinhos, fingindo não ser afetada por aquela visão.

E, em seus sonhos, nunca fazia tanto frio. Às vezes, Donatella sentia a geada roçando em seu cabelo ou um beijo de gelo na nuca, mas nunca chegou a tremer de frio. Se isso tivesse acontecido, simplesmente imaginaria uma pele pesada e ela apareceria cobrindo seus ombros. Mas, ali, só podia contar com as mangas finas e curtas do vestido que usava.

Os dedos dos pés já estavam meio congelados, e anéis gélidos do cabelo loiro haviam grudado em seu rosto. Mas não queria voltar. Queria saber por que Lenda sumira de seus sonhos, por que a assustara tanto e por que, naquele momento, os dois estavam em outro mundo.

Até supôs que o Mestre do Caraval havia entrado em alguma espécie de portal que levava para sua ilha particular e não para outra dimensão. Só que as estrelas que se derramavam de uma rachadura na lua a fizeram perceber que não era isso. Ela jamais vira nada parecido em seu mundo.

Não deveria ter acreditado naquilo de jeito nenhum, só que se tratava de Lenda. Lenda fazia pessoas voltarem à vida. Lenda roubava reinos com suas mentiras. Lenda manipulava as estrelas. Se existisse alguém capaz de transitar entre um mundo e outro, esse alguém era Lenda.

E não era só isso: havia trocado de roupa como em um passe de mágica. Quando Tella avistou novamente sua silhueta escura em meio aos galhos nevados, o Mestre do Caraval não parecia mais um plebeu, parecia o Lenda dos primeiros sonhos, a versão que usava um fraque fino, feito sob medida, complementado por uma meia capa cor de asa de corvo, uma cartola sofisticada e botas lustrosas que permaneceram intocadas depois de pisar na neve.

Donatella até pensou em sair de seu esconderijo no meio das árvores e confrontá-lo, mas ele deu mais alguns passos e se encontrou com a mulher mais deslumbrante que a garota já vira na vida.

## Donatella

Tella sentiu o estômago doer.

A mulher era muito diferente de Tella. Era um pouco mais velha, o suficiente para ter mais aparência de mulher do que de garota. Também era mais alta do que Donatella, esbelta, tinha um cabelo liso vermelho-fogo que ia até a cintura fina, delineada por um espartilho de couro preto. O vestido que usava também era preto, sedoso e justo, com fendas nas laterais, deixando à mostra as pernas compridas e adornadas com meias-calças transparentes bordadas de rosas.

Donatella até achou que as meias-calças não eram grande coisa, mas a mulher também tinha rosas pretas tatuadas nos braços, como a rosa tatuada no dorso da mão de Lenda.

Tella a odiou instantaneamente.

E também pode ter odiado Lenda.

Rosas não são flores raras, mas ela duvidava que aquelas tatuagens iguais eram mera coincidência.

– Você voltou, Lenda. Seja bem-vindo.

Até a voz da mulher era a antítese da voz de Tella: levemente rouca, com um sotaque sedutor, que a jovem não soube dizer de onde era. A mulher não sorriu. Mas, quando olhou para Lenda, lambeu os lábios, o que os deixou com um tom mais escuro de vermelho, igual ao do cabelo.

Tella resistiu ao impulso de fazer uma bola de neve e atirar na cara dela.

Será que era essa a pessoa que Lenda visitava durante o dia enquanto Tella ficava limitada aos sonhos? O Mestre do Caraval sempre dava a entender que estava ocupado com assuntos do império quando ambos estavam acordados, mas Tella já deveria saber que não podia acreditar nele.

– Que bom ver você, Esmeralda.

O tom de voz dele gelou até o sangue de Tella. Quando falava com ela, Lenda usava um tom grave e baixo. Que, não raro, também era de deboche. Aquele novo tom era mais carnal e um tanto cruel, uma voz que não sabia fazer joguinhos. E Lenda estava usando esse tom com a mesma facilidade com a qual debochava de Donatella em sonho. E, por um instante de indecisão, ela se perguntou se aquele Lenda cruel era a encenação – ou se a verdadeira encenação era o Lenda sedutor que via quando dormia.

– É melhor sairmos desse frio – disse a mulher, dando o braço para o Mestre do Caraval.

Tella ficou esperando que ele se afastasse da mulher, que demonstrasse um pingo de constrangimento. Mas, em vez disso, Lenda a puxou mais para perto de si, não hesitando em tocá-la – sendo que, nos últimos dois meses, não havia encostado um dedo em Donatella.

A garota fervilhava de raiva e tremia de frio. Foi seguindo a dupla, esgueirando-se atrás deles. Até que chegaram a uma cabana de dois andares que estava iluminada e aquecida por uma lareira. A luminosidade atravessava as janelas e se derramou porta afora quando a mulher a abriu.

Tella sentiu o calor antes que fechassem a porta atrás deles e a deixassem, mais uma vez, ser envolvida pelo frio. Deveria ter ido embora naquele momento. Mas, pelo jeito, era masoquista. Porque, em vez de dar meia-volta e se poupar de ser ainda mais torturada, enfrentou o fosso de rosas espinhosas que rodeava a casa, sacrificando as plumas indefesas da saia, e se agachou na janela mais próxima, para ouvir a conversa dos dois.

Se Lenda estivesse apaixonado e com outra pessoa, ela queria saber de tudo. Talvez, aquela mulher fosse o motivo para Lenda tê-la abandonado na entrada do Templo das Estrelas.

Donatella ficou esfregando as mãos na tentativa de não virar um bloco de gelo e esticou a cabeça o suficiente para espiar pela janela coberta de neve. A cabana tinha o calor afetuoso de uma carta de amor escrita à mão: a lareira de pedra ocupava uma parede inteira, e havia uma floresta de velas penduradas no teto.

O lugar parecia um esconderijo perfeito para escapadas românticas. Mas, enquanto espiava pela janela, Tella não viu beijos nem abraços. Esmeralda ficou sentada na soleira da lareira ardente, como se aquele fosse seu trono, e Lenda ficou de pé diante dela, como se fosse um súdito leal.

*Interessante.*

Talvez as tatuagens iguais não significassem o que Tella achava que significavam. Só que, mesmo assim, ela continuava perturbada. Sempre imaginou que Lenda não obedecia a ninguém a não ser ele mesmo. E, por mais fascinante que aquela mulher fosse, Tella não gostou de Esmeralda. E tampouco gostou da postura de Lenda, que estava com o corpo inclinado na direção dela, com a cabeça levemente baixa.

– Preciso da sua ajuda, Esmeralda. Os Arcanos se libertaram do Baralho do Destino onde você os aprisionou – declarou o Mestre do Caraval.

*Por todas as deusas.*

Donatella tornou a se agachar e respirou o ar congelante suspirando de dor, porque bateu as costas na parede gelada da casa. De súbito, ela soube exatamente quem era aquela mulher. Antes de serem libertados por Lenda, os Arcanos foram aprisionados dentro de um Baralho do Destino pela mesma bruxa que concedeu ao Mestre do Caraval os poderes que ele possuía. A mesma bruxa com a qual Lenda estava conversando naquele exato momento.

Não era para menos que ele estava tratando aquela mulher como se fosse uma rainha. Esmeralda era sua criadora. Quando lançou o feitiço que aprisionou os Arcanos nas cartas, roubou metade dos poderes desses seres místicos. E, séculos depois, quando Lenda a procurou, a bruxa os conferiu ao Mestre do Caraval. Na verdade, Donatella não sabia muito mais a respeito da feiticeira. Mas não era para Esmeralda ser tão jovem nem tão alta nem tão atraente.

– Não consegui destruir os Arcanos. Sinto muito. Mas estou pagando por esse erro – disse Lenda. Sua voz saiu pela janela entreaberta logo acima de Tella. – Desde o momento em que eles foram libertados, minha magia enfraqueceu. Por ora, os Arcanos ainda estão adormecidos, mas acho que já recuperaram alguns poderes. Mal consigo fazer um simples truque de ilusionismo.

Tella resistiu ao ímpeto de se levantar e dar mais uma espiada. *Será que ele estava falando a verdade?* Se os Arcanos tivessem mesmo conseguido roubar a magia de Lenda, isso explicaria por que o Mestre do Caraval havia sumido de modo tão violento do sonho de Donatella. E explicaria por que não havia aparecido na noite anterior. Mas ela acabara de vê-lo fazer um feitiço, ali mesmo na floresta, quando mudou de roupa. E, pelo que percebeu, o rapaz não teve nenhum problema para fazer isso.

Claro que aquele era um truque de ilusionismo simples, e Donatella não estava perto dele ao ponto de poder tocar nas roupas. Em um dos primeiros sonhos que teve com o Mestre do Caraval, Lenda explicou como seus poderes funcionavam.

– Existem duas formas de magia. Quem tem poderes mágicos consegue, normalmente, manipular pessoas ou manipular o mundo. Só que eu posso fazer as duas coisas e criar feitiços realistas, muito mais convincentes do que os truques de ilusionismo comuns. Se eu fizer chover, você não vai apenas ver a chuva: sentirá as gotas empapando as roupas e a pele. Se eu quiser, sentirá que se molhou até os ossos.

E aí começou a chover no sonho. Quando acordou, horas depois, a camisola fininha que usava estava salpicada de gotas de chuva, e os cachos estavam empapados – demonstrando que aqueles sonhos não eram fruto de sua imaginação, mas encontros reais com Lenda, e que os poderes de ilusionismo dele se estendiam muito além dos sonhos.

O Mestre do Caraval podia estar dizendo a verdade quando falou que os Arcanos tomaram parte de sua magia, mas aquela não era a verdade absoluta. Talvez ele ainda conseguisse criar ilusões, mas essas ilusões não tinham mais o poder de enganar as pessoas ao ponto de fazê-las acreditar que eram reais.

Donatella recordou da borboleta morta que estava em sua mão quando acordou no dia anterior. Pensando bem, tinha visto a borboleta, mas não a sentira. As asas delicadas do inseto não roçaram a sua pele e, no instante em que a colocou na mesinha de cabeceira, ela sumiu.

– Os Arcanos não deveriam ter recobrado a sua magia – censurou a bruxa. – A menos que tenha sido *você* quem os libertou das cartas.

– Eu jamais faria isso. Acha que sou tolo? Estou tentando destruir aquele baralho desde o dia em que você me criou.

Lenda disse isso com um tom ríspido, como se realmente tivesse se ofendido. Mas Tella sabia que *aquilo* era mentira. Ele tinha contado uma mentira deslavada para a mulher que o havia criado. O Mestre do

Caraval queria destruir as cartas. Porém, quando teve a oportunidade, não fez isso: ele libertou os Arcanos para salvar a vida de Donatella.

– Ainda quero deter os Arcanos. Mas, para isso, preciso da sua magia emprestada.

– Não é possível deter os Arcanos com magia. Por isso avisei que você deveria destruir o Baralho do Destino. O Arcanos são imortais, como você. Se matar um Arcano, ele até morre. Mas, em seguida, simplesmente volta à vida.

– Mas eles têm que ter alguma fraqueza.

A voz de Lenda voltou a soar com aquele tom de quem está pronto para destruir e roubar. O Mestre do Caraval queria a magia de Esmeralda e queria saber qual era a fraqueza que poderia matar os Arcanos.

Deveria ser um alívio para Tella saber que Lenda estava procurando um modo de destruí-los – ela também não queria que os Arcanos vivessem –, mas um pressentimento terrível ganhou vida dentro dela quando ouviu o ruído decidido das botas de Lenda.

Imaginou que ele tinha se aproximado de Esmeralda.

A garota cerrou os punhos congelados, tentando resistir ao ímpeto crescente de espiar pela janela para ver se Lenda estava fazendo algo além de apenas se aproximar da bruxa a fim obter a informação que queria. Será que estava encostando nela? Será que estava abraçando a cintura marcada da mulher ou olhando para Esmeralda do mesmo jeito que, às vezes, olhava para Tella?

Quando a mulher tornou a falar, seu tom voltou a ser sedutor.

– Os Arcanos que foram aprisionados têm, sim, uma desvantagem. A imortalidade desses seres depende do Arcano que os criou: a Estrela Caída. Se você matar a Estrela Caída, os Arcanos que ele criou passarão de imortais a atemporais. Algo muito parecido com o que acontece com seus artistas. No caso dos Arcanos, eles ainda possuirão magia e nunca irão envelhecer. Mas, ao contrário de seus artistas, se eles morrerem, não poderão voltar à vida, como acontece aos artistas durante o Caraval. Se deseja destruir todos os Arcanos, primeiro é preciso matar a Estrela Caída.

– E como faço isso?

– Acho que você já sabe. Você e a Estrela Caída têm a mesma fraqueza.

Seguiu-se um silêncio tão profundo que Tella jurou que dava para ouvir os flocos de neve caindo nas rosas que a cercavam. A bruxa havia acabado de comparar Lenda à Estrela Caída, duas vezes. A primeira foi quando comparou os Arcanos criados pela Estrela Caída com os artistas de Lenda. E a segunda quando falou que Lenda e a Estrela Caída tinham a mesma fraqueza.

*Será que isso significava que Lenda é um Arcano?*

Donatella recordou de algo que vovó Anna costumava dizer sempre que contava a história de como Lenda fora criado.

"Certas pessoas, provavelmente, diriam que ele é um vilão. Outras, diriam que a magia que Lenda possui faz dele quase um deus."

No tempo deles, os Arcanos também eram chamados de deuses cruéis, caprichosos e terríveis, e foi por isso que a bruxa havia aprisionado esses seres místicos nas cartas.

Ficou arrepiada só de pensar que Lenda poderia ser como eles. Durante a última edição do Caraval, quase morreu no contato que teve com Arcanos como a Rainha Morta-Viva, Vossas Aias e o Príncipe de Copas. Não queria que o Mestre do Caraval pertencesse à mesma categoria. Mas ela não podia negar o fato de que ele era imortal e mágico – e que isso o tornava mais próximo de um Arcano do que de um ser humano.

Desesperada, Tella tentou ouvir qual era a tal fraqueza. Só que Lenda não a revelou.

– Deve existir outra maneira.

– Se existe, você terá que descobrir sozinho. Ou pode ficar aqui comigo. Os Arcanos não sabem que vim para este mundo. Se ficar aqui, será como na época em que te ensinei a dominar seus poderes.

Ela ronronou. Literalmente *ronronou*.

Tella realmente odiava aquela mulher.

Espinhos escuros arrancaram as plumas congeladas da saia de Tella, que perdera a luta com o autocontrole e levantara para espiar mais um pouco pela janela. Imediatamente ela se arrependeu do que fez.

Lenda estava de joelhos diante da bruxa, que passava a mão no cabelo castanho-escuro dele, com movimentos possessivos que iam da cabeça até o pescoço, como se o Mestre do Caraval lhe pertencesse.

– Não sabia que você era tão sentimental – comentou Lenda.

– Só quando se trata de você.

Esmeralda enroscou os dedos no lenço do pescoço dele e puxou o rosto do Mestre do Caraval para perto do seu.

– Gostaria de poder ficar aqui, Esmeralda. Mas não posso. Preciso voltar e destruir os Arcanos. E preciso de seus poderes para fazer isso. – Ele se levantou bem na hora em que a bruxa estava chegando mais perto, parecendo que ia beijá-lo. – Só quero pegar seus poderes emprestados.

– Ninguém nunca quer apenas pegar poderes emprestados.

O tom da bruxa voltou a ser mordaz, mas Tella não saberia dizer se foi por causa do pedido que Lenda fez ou porque ele não quis beijá-la.

O Mestre do Caraval deve ter pensado que Esmeralda tinha ficado contrariada porque ele não quis beijá-la: deu um passo à frente, pegou na mão da mulher e deu um beijinho casto.

– Você me criou, Esmeralda. Se não consegue confiar em mim, ninguém mais consegue.

– Ninguém mais *deveria* confiar em você.

Só que, depois de dizer isso, os lábios da bruxa, de um vermelho intenso, finalmente esboçaram um sorriso. Um sorriso de mulher que estava dizendo "sim" para um homem ao qual não conseguia resistir.

Donatella conhecia aquele sorriso, porque já dera o mesmo sorriso para Lenda.

A bruxa ia entregar seus poderes para o Mestre do Caraval.

Tella deveria ter dado as costas, deveria ter voltado para o próprio mundo antes que Lenda a surpreendesse ali e a visse tremendo – não só de frio, mas por causa de todos os sentimentos que a garota tinha por ele e gostaria de não ter mais. No entanto continuava ali, paralisada.

A bruxa pronunciou palavras em uma língua que Donatella jamais ouvira na vida enquanto Lenda bebia o sangue dela direto do pulso. Bebeu, bebeu e bebeu mais. Roubou, roubou e roubou mais.

As bochechas do Mestre do Caraval foram ficando coradas, e sua pele cor de bronze começou a brilhar, enquanto a dura beleza da bruxa diminuía. O cabelo cor de fogo da mulher desbotou até ficar laranja, o preto das tatuagens acinzentou. Quando Lenda tirou os lábios do pulso de Esmeralda, a feiticeira se encolheu e se apoiou nele: parecia que os braços e as pernas da mulher estavam sem os ossos.

– Isso exigiu mais de mim do que eu esperava – comentou a bruxa, baixinho. – Você pode me levar no colo até o quarto, lá em cima?

– Sinto muito – respondeu Lenda. Mas, pelo tom de voz, não sentia nem um pouco. Foi um tom cruel, sem a costumeira sensualidade que o suavizava. E aí falou alguma coisa tão baixo que Donatella não conseguiu ouvir.

A bruxa perdeu ainda mais suas cores; sua pele, já empalidecida, ficou branca como pergaminho.

– Você... só pode estar... brincando...

– E por acaso, desde que você me conhece, já me viu levar alguma coisa na brincadeira? – Ele então pegou a bruxa no colo e a apoiou no ombro com a facilidade de um jovem que risca um item de sua lista de tarefas.

Tella se afastou da janela, cambaleando nas pernas semi-inertes e deixando um rastro de plumas flutuando no ar. Sabia que o Mestre do Caraval fora sincero todas as vezes que disse não ser o herói da história da garota. Mas um lado dela não perdia a esperança de que Lenda provasse o contrário. Donatella queria acreditar que ele realmente gostava dela, que era uma exceção na vida de Lenda. Só que não podia deixar de temer que acreditar naquilo, na verdade, significava que Lenda é que era a exceção na vida dela, que o desejo que sentia por aquele rapaz era a fraqueza que poderia destruí-la, caso não a superasse.

Se Lenda estava disposto a trair a confiança da mulher que o criou, estaria disposto a trair a confiança de qualquer pessoa.

Donatella se desvencilhou das rosas, saiu correndo de seu esconderijo debaixo da janela e voltou para a floresta. Foi meio que se arrastando pela trilha, enveredando-se no meio das árvores, e só olhou para trás quando estava bem escondida em um bosque de pinheiros.

O Mestre do Caraval saiu da cabana carregando Esmeralda no ombro. Naquele momento, Tella não teve mais a impressão de que Lenda era seu inimigo, nem seu amigo nem o rapaz que um dia amou: teve a impressão de que aquele homem era igualzinho ao Lenda de todas as histórias que contavam a respeito dele, as histórias que ela nunca quis acreditar.

# Scarlett

Os sentimentos de Scarlett eram uma confusão de tons que rodopiavam ao redor dela, formando guirlandas de empolgação verde-água, nervosismo cor de calêndula e frustração cor de biscoito de gengibre. Desde que a irmã saíra, não parava de zanzar de um lado para o outro pelo apartamento. De alguma maneira, tinha certeza de que Tella não voltaria na hora, mas também estava torcendo para que a irmã provasse o contrário.

Ela parou por um momento e se olhou no espelho mais uma vez, só para ter certeza de que o vestido não refletia sua ansiedade. A renda rosa clara do traje parecia estar mais desbotada, mas, naquele espelho, tudo parecia perder o brilho.

O apartamento que Scarlett e Tella alugaram era uma tapeçaria puída de objetos que envelheciam. Ambas haviam concordado em sair do palácio. Scarlett queria ser independente. Donatella disse que também queria. Só que Scarlett achou que a irmã mais nova também queria se afastar de Lenda depois de ter sido abandonada por ele no fim do Caraval.

Donatella havia implorado para alugarem um apartamento mais moderno no requintado Bairro do Cetim. Mas Scarlett sabia que o dinheiro que tinham não podia durar apenas uma estação. Chegaram a um meio-termo e alugaram um conjunto de pequenos cômodos na parte mais afastada do Bairro do Cetim, onde a moldura dos espelhos estava mais para amarela do que dourada, as cadeiras eram forradas com um veludo falso que pinicava, e tudo tinha um cheiro de giz, feito porcelana lascada. Donatella vivia reclamando, mas morar em um local mais modesto permitiria que os recursos que tinham durassem mais. Por uma quantia significativa do dinheiro que Tella roubara do pai, conseguiram garantir o apartamento até o final do ano. Scarlett não sabia o que fariam depois disso, mas essa não era sua maior preocupação.

O relógio bateu três horas.

Ela olhou pela janela. Ainda não havia nenhum sinal de Tella em meio às pessoas que chegavam para se divertir durante o feriado, e a carruagem terrestre de Scarlett já a esperava. Não havia muitas em Valenda, porque as pessoas preferiam pegar as carruagens aéreas às que sacolejavam pelas ruas. Mas o ex-noivo de Scarlett, o conde Nicolas d'Arcy – ou simplesmente Nicolas, como começara a chamá-lo –, morava em um palacete no campo, fora dos limites da cidade, bem distante dos pavilhões de carruagens aéreas. Sabendo disso, a garota havia reservado o meio de transporte com uma semana de antecedência. Só não sabia que o festival atrairia uma multidão tão grande.

As pessoas já estavam gritando, pedindo para o cocheiro que viera buscá-la sair dali. O homem não esperaria por muito tempo. Se ele fosse embora, Scarlett ficaria ilhada e perderia a oportunidade de, por fim, conhecer Nicolas pessoalmente.

Ela retorceu os lábios ao entrar no quarto em que Paloma dormia. *Sempre dormindo. Sempre dormindo, sempre, sempre dormindo.*

Scarlett tentava não ficar ressentida. Sabia que a mãe não pretendia abandonar as filhas para sempre e que ficara presa em um Baralho do Destino amaldiçoado durante os últimos sete anos. Isso fazia a garota ter mais compaixão por ela. Só que, antes de qualquer coisa, não conseguia perdoar a mãe por tê-las deixado com o maldito pai das duas. Jamais conseguiria ver Paloma do mesmo modo que Tella via.

Para falar a verdade, Donatella provavelmente ficaria furiosa quando voltasse e visse que não havia ninguém cuidando de Paloma. Vivia dizendo que não queria que a mãe acordasse e percebesse que estava sozinha. Mas Scarlett duvidava que Paloma fosse acordar naquele dia. E, se Tella estava tão preocupada assim, deveria ter voltado na hora.

Abriu a porta principal do apartamento, já prestes a chamar uma criada e pedir para ficar de olho na mãe. Só que uma das criadas já estava lá, de as bochechas avermelhadas e sorrindo de orelha a orelha.

– Boa tarde, senhorita. – A criada fez uma meia mesura rápida. – Vim informar que tem um cavalheiro esperando pela senhorita na saleta do primeiro andar.

Scarlett olhou por cima do ombro da jovem. Conseguia ver o batente de madeira arranhado, mas sua visão não alcançava o andar de baixo.

– E por acaso o cavalheiro disse o nome?

– Falou que é uma surpresa. Ele é muito bonito.

A jovem criada ficou enrolando uma mecha de cabelo no dedo, constrangida, como se o tal jovem atraente estivesse parado diante das duas.

Scarlett ficou em dúvida e pesou suas opções. Talvez fosse Nicolas, que viera lhe fazer uma surpresa. Mas isso não era muito a cara dele. O conde era tão formal que não quis conhecê-la pessoalmente durante os Dias de Luto: pediu que ela esperasse até aquele dia para que os encontros entre eles começassem de fato.

Poderia ser outra pessoa, mas Scarlett não queria que fosse essa pessoa, muito menos naquele dia. Tinha jurado que não pensaria naquele rapaz. E, se fosse *mesmo* Julian, estava chegando com cinco semanas de atraso. Scarlett até pensou que ele tinha morrido e pediu para a irmã perguntar do paradeiro dele para Lenda. O Mestre do Caraval apenas confirmou que o irmão ainda estava vivo, mas não disse onde ele estava e nem por que não entrava em contato com Scarlett.

– Você poderia me fazer um favor? – perguntou para a criada. – Minha mãe ainda não está se sentindo muito bem. Não precisa de nada, mas odeio deixá-la sozinha. Enquanto eu estiver fora, você pode vir dar uma olhada nela a cada meia hora, só para ver se, por acaso, acordou?

Dito isso, Scarlett deu uma moeda para a garota. Em seguida, foi descendo as escadas pé ante pé, sem fazer barulho, com o coração na boca, torcendo, contra todo o bom senso, que Julian, finalmente, estivesse de volta com tanta saudade quanto ela estava do rapaz. Conseguiu descer sem fazer barulho. Mas, no instante em que entrou na saleta, paralisou. Do outro lado do recinto, Julian a olhou nos olhos.

De repente, tudo ficou mais quente do que estava. As paredes da saleta ficaram menores e mais abafadas como se tivesse entrado sol demais pelas janelas, cobrindo todas as estantes e as cadeiras caindo aos pedaços com aquela espécie de luz vespertina meio enevoada, que deixava o mundo inteiro fora de foco, menos ele.

Que estava perfeito.

Scarlett poderia muito bem acreditar de que Julian acabara de fugir de um quadro recém-pintado. As pontas de seu cabelo castanho-escuro estavam molhadas, seus olhos cor de âmbar brilhavam, e seus lábios se entreabriram, dando um sorriso devastador.

Aquele era o rapaz dos sonhos de Scarlett.

É claro que, provavelmente, ele também devia ser a estrela dos sonhos de metade das garotas do continente.

Todos os sentimentos de poucos minutos antes se transformaram em chamas de um tom explosivo de tangerina. Julian não conseguia ver as cores que Scarlett via, mas a jovem não queria revelar o que sentia dando outros sinais. Não queria que as pernas ficassem bambas nem que as bochechas ficassem vermelhas. E, apesar disso, não conseguiu impedir que o coração batesse acelerado ao vê-lo, como se Scarlett estivesse se preparando para ir atrás dele caso Julian fugisse. Coisa que ele tinha feito.

Parecia que ele estava chegando de um lugar ainda mais quente do que a saleta. As mangas da camisa, que costumavam ser impecáveis, estavam arregaçadas com capricho, deixando à mostra os braços esbeltos. O antebraço exibia uma bandagem branca e larga, que contrastava com o tom da pele – que estava muito mais bronzeada do que o costumeiro tom de dourado. Julian tinha tomado sol no último local para o qual Lenda o mandara, fosse qual fosse. A barba aparada com capricho estava mais densa e comprida do que Scarlett recordava e cobria parte da fina cicatriz que ia do maxilar até o canto do olho. Não estava de casaca, mas usava um colete cinza com botões prateados reluzentes, no mesmo tom dos pespontos em linha metalizada das laterais da calça azul-escura, que estava por dentro das botas de couro novinhas em folha. Da primeira vez que viu Julian, o rapaz parecia um patife miserável. Naquele momento, se apresentava como um perfeito cavalheiro.

– Oi, Carmim.

O vestido reagiu na mesma hora. Scarlett tentou impedir, com a força do pensamento, que o traje se transformasse, para não revelar os sentimentos dela. Só que aquela roupa sempre teve uma quedinha por Julian. Da primeira vez que a vestiu, quando estavam na ilha particular de Lenda, ficou com vergonha de se trocar na frente de Julian e um tanto decepcionada porque o vestido mais parecia um trapo deprimente. E aí, quando o colocou, se virou para o espelho e olhou para Julian, o trapo havia se transformado em um modelito de renda com cores sedutoras. Como se soubesse, sabe-se lá como, que aquele era o rapaz cujo coração ela precisava conquistar.

Scarlett não conseguia ver o próprio reflexo naquele momento, mas sentia que o vestido estava se transformando. O ar quente atingiu seu colo, porque o decote ficou maior. A saia ficou mais justa, realçando seus quadris, e a cor do tecido ficou mais intensa, no tom ávido de rosa dos lábios que anseiam por beijos.

Julian deu um sorriso lupino, fazendo-a lembrar da noite em que a sequestrou da ilha de Trisda, onde ela morava. Mas, apesar do olhar de cobiça, não fez menção de se aproximar. Apoiou o cotovelo em uma cristaleira rachada bem na hora em que um raio de sol atravessou a janela, tingindo todos os contornos do rapaz de dourado e fazendo-o parecer ainda mais intocável.

Scarlett teve vontade de correr para abraçá-lo, mas não saiu do lugar.

– Quando você voltou? – perguntou, friamente.

– Faz uma semana.

*E só apareceu agora?*

Foi isso que teve vontade de perguntar. Mas recordou que ela mesma tinha erguido uma barreira entre os dois quando falou para Julian que queria conhecer pessoalmente o ex-noivo.

Julian disse que compreendia e que queria que Scarlett fizesse tudo o que sentisse necessidade de fazer. Mas saiu de Valenda a mando de Lenda para cumprir mais uma tarefa para o irmão.

– Não vou conseguir escrever para você, mas só vou ficar fora uma semana – prometera.

Uma semana se transformou em duas, depois três, aí quatro e, em seguida, cinco semanas se passaram sem nem um bilhete para dizer que ainda estava vivo. Scarlett não sabia se Julian tinha feito isso porque desistira de ficar com ela ou se era porque se esquecera da garota de tão ocupado que estava trabalhando para Lenda.

O rapaz massageou a própria nuca, com uma cara constrangida. E, quando fez isso, Scarlett reparou, de novo, no curativo que ele tinha no braço.

– Você se feriu? – *Foi por isso que não apareceu?* – O que aconteceu com o seu braço?

– Não foi nada – resmungou Julian.

Só que Scarlett poderia jurar que o rapaz corou. Nem sabia que isso era possível. Ele não tinha vergonha de nada. Andava pelo mundo com a mais absoluta autoconfiança. Mas suas bochechas estavam, sim, coradas. E ele estava evitando olhar nos olhos de Scarlett.

– Desculpe por não ter vindo antes.

– Não tem problema. Tenho certeza de que você estava muito ocupado, cumprindo as ordens de Lenda. – Nessa hora, dirigiu o olhar, mais uma vez, para aquele curativo misterioso e, em seguida, olhou nos olhos dele, que continuavam evitando encará-la. – Que bom que você passou aqui. É muito bom ver você. – Ela estava se coçando para falar mais, mas o relinchar dos cavalos na rua a lembraram de que precisava sair antes que colocasse tudo a perder com Nicolas. – Eu adoraria ficar conversando. Mas, infelizmente, eu já estava de saída.

Julian se afastou da cristaleira e disse:

– Se está indo para o festival, posso ir com você.

Uma frase educada de um amigo. Só que os sentimentos que Scarlett nutria por Julian sempre foram profundos demais para uma amizade, mesmo da primeira vez que conversou com ele e não gostou nem um pouco do rapaz. Scarlett e Julian jamais poderiam ser amigos. Ela precisava de algo a mais ou teria que desistir dele.

– Não vou para o festival. Por fim vou conhecer Nicolas pessoalmente.

Julian murchou por um segundo. Se Scarlett tivesse tirado os olhos dele por um instante sequer, não teria percebido. Quase imediatamente depois de ouvir o que ela havia dito, Julian passou por Scarlett, dirigindo-se à porta da pensão. A garota achou que o rapaz estava indo embora, abrindo mão dela e encerrando a história entre eles para sempre.

Só que, em vez disso, Julian abriu um sorriso tão agradável que chegava a ser estranho.

– Perfeito – falou, todo contente, como se Scarlett tivesse acabado de informar que os dois comeriam bolo de coco no jantar. – Posso ser seu acompanhante. Moças direitas não visitam cavalheiros desacompanhadas.

– Não preciso de acompanhante.

– Você já tem um?

Scarlett olhou feio para ele e respondeu:

– Nós dois nunca precisamos de um.

– Exatamente.

Com um sorriso presunçoso, Julian passou por Scarlett, foi até a carruagem que estava à espera e abriu a porta. Só que, em vez de esperá-la entrar, logo se acomodou no veículo.

As emoções de Scarlett estavam em polvorosa quando entrou na carruagem e se sentou na frente dele. Julian podia até ter começado a usar roupas de cavalheiro, mas ainda se comportava como um patife. A jovem teria compreendido aquele comportamento frustrante se o rapaz tivesse feito o mínimo de esforço para entrar em contato com ela nas últimas cinco semanas. Ou se tivesse tentado lutar por ela, depois que Scarlett declarou que queria dar mais uma chance para Nicolas. Mas, pelo jeito, Julian só queria lutar contra Scarlett.

— Se você estiver tentando sabotar meu encontro... — falou em tom de acusação.

— Eu poderia dizer que jamais faria isso, mas estaria mentindo.

Julian se esparramou no assento, ocupando o espaço da maneira que, pelo jeito, os rapazes sempre faziam. Como as ruas de Valenda não foram projetadas para o tráfego de carruagens, os veículos não eram muito grandes, e aquela carruagem era especialmente estreita: os dois mal cabiam lá dentro. Só que o rapaz abriu os braços no assento de brocado e esticou as pernas, ocupando mais da metade do espaço.

Scarlett segurou um dos joelhos dele, bateu no outro e apontou para a porta quando a carruagem começou a sacolejar pela rua.

— Saia, Julian.

— Não. — Nessa hora, ele tirou os braços do assento e inclinou o corpo para frente. — Não vou sair, Carmim. Já passamos muito tempo longe um do outro.

Ele colocou a mão em cima da mão de Scarlett e a prendeu em cima do seu joelho.

A garota tentou se desvencilhar, mas fez isso sem a menor convicção, porque, na verdade, estava torcendo para que Julian a segurasse.

E ele a segurou. Entrelaçou os dedos bronzeados nos dela e apertou sua mão como jamais havia apertado, como se quisesse compensar por todas aquelas semanas impedido de encostar em Scarlett.

— Enquanto estava viajando, tentei lembrar de cada palavra que você já disse para mim. Pensei em você a cada hora de cada dia em que estive fora.

Scarlett resistiu à vontade de sorrir. Era tudo o que queria ouvir. Mas Julian sempre sabia, melhor do que ninguém, o que dizer. Só não era muito bom no quesito cumprir o que dizia.

— Então por que você não me escreveu?

– Você falou que precisava de um tempo para conhecer seu conde.

– Não queria tanto tempo assim. Passei cinco semanas sem ter notícias suas. Achei que tinha esquecido de mim ou virado a página.

Ela tentou dizer isso sem que parecesse uma acusação ou que estava desesperada. Teve a impressão de não ter conseguido. E, apesar disso, a expressão séria de Julian continuou impassível. Os olhos do rapaz estavam com o mais lindo dos tons de castanho e exalavam um calor maior do que a luz que atravessava as janelas da carruagem.

– Eu nunca vou virar a página, Carmim.

Então pegou a mão dela e a colocou sobre o próprio coração.

O coração de Scarlett reagiu batendo acelerado e fora do ritmo. Mas o coração de Julian continuou batendo regularmente, sem acelerar, debaixo da mão dela.

– Cometi muitos erros. Eu te dei um tempo porque achei que você precisava disso. Mas me dei conta, no mesmo instante em que te vi hoje, que me enganei. Então, estou aqui com você, dentro desta carruagem, disposto a ir aonde você for, mesmo que seja para ver você com outro homem.

Scarlett voltou à realidade de supetão. Por um instante, se esquecera de Nicolas.

– E se eu não quiser que você me veja com outro homem?

– Também não fico muito empolgado com essa ideia.

Julian falou em um tom de deboche, mas seus dedos ficaram tensos, bem na hora em que a carruagem passou por uma rua acidentada. Estavam se aproximando dos limites da cidade, chegando mais perto do palacete de Nicolas.

– Se você realmente quiser que eu vá embora, saio da carruagem e volto andando para o palácio. Mas deveria saber que também estou aqui porque não confio nesse conde.

– E confia em mim?

– Incondicionalmente. Confiaria até minha própria vida a você. Mas conheço seu pai e tenho dificuldade de confiar em quem é capaz de fazer um trato com ele.

– Nicolas não é assim.

Da primeira vez que Scarlett escreveu para Nicolas, depois de descobrir que não o conhecera de verdade durante o Caraval, o conde estava fora do continente, em luto *por ela*. O pai da garota havia mentido que

Scarlett e a irmã tinham morrido em um acidente. D'Arcy não fazia ideia de que Marcello Dragna era um homem tão terrível.

E Nicolas era bem diferente do pai de Scarlett. Fazia desenhos de plantas e contava histórias engraçadas do cachorro, que se chamava Tora. Gostava de seguir as regras, assim como Scarlett: acreditava nas tradições, tanto que esperou até aquele dia para conhecê-la pessoalmente. O conde não oferecia nenhum perigo. A jovem não conseguia imaginar o conde partindo o coração dela. Julian, por sua vez, já partira seu coração duas vezes. E, por mais que não fosse fazer isso de novo de propósito, Scarlett sabia que, uma hora ou outra, aquele rapaz machucaria seu coração.

Na primeira vez que escreveu para Nicolas, Scarlett só queria conhecê-lo pessoalmente, para matar a curiosidade. Só que, aí, Julian ficou fora por tanto tempo, que as cartas de Nicolas preencheram o vazio que ele deixara. As cartas eram a certeza em meio a instabilidade de Julian.

Como fazia parte da trupe do Caraval, o rapaz era atemporal. Poderia morrer e continuaria morto caso alguém o matasse fora do período do jogo. Mas jamais ficaria velho enquanto fosse um dos artistas de Lenda. Scarlett jamais poderia pedir para ele renunciar a isso.

Ela não sabia se Lenda continuaria realizando os jogos, já que estava prestes a se tornar imperador. Mas, tendo em vista que Julian simplesmente sumira por semanas a fio, era óbvio que Lenda ainda o controlava. O futuro que Scarlett e Julian poderiam ter juntos estava predestinado a ter fim. E, mesmo sabendo de tudo isso, ela não conseguia reunir forças para soltar a mão do rapaz.

— Não quero que você volte andando para o palácio – disse. – Mas, se estragar o encontro, juro pelas estrelas que nunca mais falo com você. O conde precisa acreditar que você é só um acompanhante. Podemos falar que é meu primo.

— Isso só vai funcionar se não tiver problema de ele pensar que você tem um relacionamento inapropriado com seu primo.

Julian se aproximou de súbito e deu um beijo rápido no pescoço dela. Scarlett sentiu que suas bochechas ficaram vermelhas e falou:

— Não ouse fazer nada desse tipo!

O rapaz se recostou novamente e caiu na gargalhada: riu tanto que sacudiu a carruagem.

— Só estava brincando, Carmim. Mas agora estou tentado a pôr em prática o que acabei de falar.

# Scarlett

S carlett sentiu gotas de suor se acumulando entre os dedos dos pés enquanto um servo a levava por um corredor revestido de lambris detalhados, com sancas bem largas.

Ela reparou algumas rachaduras nas sancas, o que fez Scarlett parar para pensar. Nicolas nunca comentou nada a respeito, mas, a certa altura, ela achou que o conde só queria sua mão em casamento por causa da riqueza dela. Acontece que Scarlett havia rompido relações com o pai. Se d'Arcy algum dia resolvesse pedi-la em casamento, seria apenas por causa da própria garota.

Então as palmas das mãos dela também começaram a suar, ainda mais que os dedos dos pés. Scarlett teve vontade de secá-las no vestido, mas seria pior deixar manchas gritantes no tecido rosa escuro.

Ela respirou fundo várias vezes para tentar se acalmar. O servo abriu a porta que dava para um jardim que se esparramava por um solário com teto de vidro.

– Vossa Excelência encontrará a senhorita aqui.

Assim que Scarlett passou pela porta, viu beija-flores coloridos voejando de planta em planta, imitando o estado caótico do seu estômago. Tudo ali tinha cheiro de pólen, de flor e de romance ainda por desabrochar.

Nicolas tinha enviado para ela o desenho de um buquê de flores híbridas e contou que gostava de fazer experiências no jardim. A jovem achou que o conde havia escrito isso só para impressioná-la. Mas era óbvio que alguém ali brincava com as plantas. Um mundo de cachos de margaridas-de-Valenda brancas sustentados por ramos de um azul aveludado; lírios-aranha prateados que brilhavam sob a luz e girassóis de caules amarelos com pétalas verde-jade.

Não muito longe da porta, uma mesa de cobre dispunha um buquê de lírios de um rosa bem vivo, um jarro de limonada com menta, sanduíches de pão de sementes e tortinhas minúsculas cobertas de ameixas brancas. Tudo muito gentil, sem ser exagerado.

Julian olhou para o pequeno banquete com desconfiança, como se a limonada estivesse envenenada e os sanduíches tivessem lâminas no recheio.

– Ainda dá tempo de ir embora.

– Estou exatamente onde quero estar – declarou Scarlett. Em seguida, sentou-se na beirada de uma das grandes cadeiras de cobre e completou: – Mas fique à vontade para ir embora quando quiser.

– Não me diga que você gostou mesmo deste lugar. – Julian dirigiu o olhar para uma faixa do teto de vidro repleta de joaninhas. – Tem alguma coisa de errado aqui. Até os insetos querem fugir.

– *Hãn-hãn* – pigarreou alguém. – Vossa Excelência, o conde Nicolas d'Arcy.

Scarlett ficou sem ar.

Passos de botas, entrecortados, mais pesados do que ela esperava, se seguiram ao anúncio do servo.

Scarlett achava que já havia imaginado o ex-noivo de todas as maneiras possíveis. Imaginara o conde baixinho, alto, magro, gordo, velho, jovem, careca, cabeludo, bonito, sem graça, branco, negro, taciturno, alegre. Já o imaginara usando sobretudos acinturados e extravagantes e fraques austeros, enquanto tentava imaginar qual seria a primeira coisa que ele diria quando a conhecesse.

Também havia imaginado o que ela diria para o conde. Mas suas palavras se emaranharam quando o rapaz se aproximou e pegou na sua mão.

Nicolas era uma montanha. Aquela mão grande poderia ter esmigalhado a mão de Scarlett quando a segurou. O conde era quase trinta centímetros mais alto do que ela – e tinha pernas musculosas, braços robustos e um cabelo castanho tão grosso que uma mecha grande escapava para sua testa, apesar ser visível que d'Arcy tinha tentado domá-lo.

A madeixa caída o deixava com aparência de garoto, intensificada pelos óculos levemente tortos.

Scarlett poderia ter imaginado que um justiceiro teria a aparência de Nicolas caso a identidade secreta em questão fosse a de um cavalheiro botânico.

O conde chegou escoltado por um enorme cachorro preto, do tamanho de um pônei. *Tora.* Scarlett ouvira falar muito do cachorro pelas cartas de Nicolas. Quando viu a garota, o cão balançou o rabo e ficou com as orelhas para trás visivelmente empolgado. Mas não saiu do lado do dono: ficou sentado, bem obediente, enquanto o conde beijava a mão dela com seus lábios carnudos.

Também era visível que o vestido de Scarlett tinha gostado de Nicolas. O decote generoso ganhou um bordado de pedras preciosas brutas, que disparavam faíscas de luz por todo o solário.

— Que maravilhoso poder, por fim, conhecê-lo pessoalmente — foi o que ela conseguiu dizer.

O conde deu um sorriso, largo e sincero, e falou:

— Fico tentado a dizer que você é ainda mais bonita do que eu imaginava. Mas odiaria se você achasse que não sou nem um pouco original.

— Tarde demais — retrucou Julian, fingindo tossir.

Uma ruga se formou entre as sobrancelhas grossas de Nicolas quando percebeu que Scarlett estava acompanhada.

— E o senhor seria?

— Julian — respondeu ele, estendendo a mão.

D'Arcy não soltou a mão de Scarlett e comentou:

— Não sabia que Scarlett tinha um irmão.

— Não sou irmão dela. — Julian falou isso com um tom de simpatia. Mas Scarlett sentiu uma onda de pânico roxo-hematoma, porque reparou que os olhos do rapaz tinham um brilho de pura traquinagem. — Não sou nem parente dela. Sou um artista, e Scarlett foi minha *parceira* durante todo o Caraval.

Ele enfatizou a palavra "parceira", e Scarlett sentiu vontade de esganá-lo. Julian escolhera justo *aquele momento* para começar a falar a verdade.

Não que Nicolas tenha demonstrado alguma preocupação. O sorriso largo do jovem conde permaneceu em seu devido lugar enquanto ele fazia carinho em Tora com a mão livre.

Só que Julian não parou por aí.

– Não me surpreende que Scarlett não tenha comentado a meu respeito. No início do Caraval, acho que ela não gostava muito de mim. Mas, aí, nos colocaram no mesmo quarto...

– Pode parar, Julian – interrompeu a garota.

O sorriso de Nicolas finalmente se desfez. Ele soltou a mão da jovem, como se segurá-la fosse um erro.

– Não é nada disso. Eu e Julian somos apenas *amigos* – corrigiu ela, optando por não usar a palavra "quarto". – Julian conheceu meu pai durante o Caraval e ficou com receio de que você fosse parecido com ele. Quis vir comigo hoje porque gosta de me proteger. Mas, evidentemente, ter permitido que ele me acompanhasse foi um erro.

Scarlett lançou um olhar de censura para Julian.

Que fez cara de desentendido, deu de ombros e enfiou as mãos nos bolsos.

– Por favor, Nicolas...

– Tudo bem, Scarlett. – A voz do conde ficou mais grave, mas as rugas de braveza em torno de boca sumiram. – Não posso dizer que fiquei feliz com isso. Mas, depois de descobrir quem seu pai realmente é e de saber do *noivo* que você conheceu durante o Caraval, sou capaz de entender.

Em seguida, d'Arcy se virou para Julian, e Scarlett ficou olhando para os dois. Finalmente, apertaram as mãos.

– Obrigado por ter cuidado dela durante o jogo – disse o conde.

– Eu sempre cuido dela.

– Mesmo quando não há necessidade de seus cuidados?

Julian empertigou os ombros e endireitou a postura e respondeu:

– Essa decisão deixo nas mãos de Scarlett.

– Pare, Julian – censurou a garota.

– Não tem problema. – Nessa hora, Nicolas coçou a orelha do cão. – Não me importo com essa concorrência. Na verdade, prefiro saber quem mais está tentando ganhar seu coração.

– Eu não colocaria a situação dessa forma – retrucou Julian. – Ganhar implica que isso é um jogo.

– Falei no sentido figurativo.

– Eu sei – disse Julian, dando um sorriso irônico. – Jogos são minha especialidade. Mas acho que você não falou no sentido figurativo. Quer ganhar o coração dela provando que é o melhor.

– E por acaso não é isso que você quer? – perguntou Nicolas.

Scarlett poderia jurar que ele estufou o peito para dizer isso.

Pareciam dois pavões se enfrentando. A garota imaginou a emoção dos rapazes rodopiando em tons orgulhosos de verde-petróleo e azul-cobalto. Ou será que estava de fato vendo os sentimentos dos dois?

Scarlett sempre via as próprias emoções em cores, mas só vira os sentimentos de outra pessoa uma única vez. Aconteceu durante o Caraval, depois que ela e Julian beberam o sangue um do outro. Foi a maior intimidade que Scarlett já tivera com alguém na vida e, depois disso, conseguira ver de relance os sentimentos do rapaz. Mas aquilo não durou muito, assim como o vislumbre do orgulho dos rapazes, o que a fez pensar que era coisa da cabeça dela já que não bebera sangue de ninguém.

Julian e Nicolas ainda estavam se encarando. Não era a cena que Scarlett havia imaginado. Era para *ela* que o conde deveria estar olhando. Deveria estar fazendo elogios e tentando agradá-la, não discutindo com o artista.

– Não preciso provar nada – declarou Julian. – Não estou tentando ganhar o coração de Scarlett. Estou oferecendo o meu, assim como tudo que o acompanha, na esperança de que o aceite e decida ficar com ele.

Aquelas palavras devem ter sido uma das coisas mais lindas que Julian já tinha falado para ela. Talvez Scarlett tivesse aceitado o coração do rapaz caso ele tivesse se dado ao trabalho de olhar para ela durante seu belo discurso. Mas os cavalheiros estavam tão envolvidos em sua disputa que pareciam ter esquecido que a dama estava ali.

– Fico feliz que não se trate de um jogo para você, Julian, mas talvez devesse ser. Talvez devêssemos transformar essa situação em uma competição – falou Scarlett.

Na mesma hora em que pronunciou essas palavras, sentiu gosto de erro. Mas ficou com uma sensação de triunfo ao ver os olhares confusos dos dois cavalheiros. Julian e Nicolas não falavam mais como se Scarlett não estivesse presente: olhavam para ela como se fosse a única presença no recinto.

– Era comum nos primórdios do Império Meridiano – prosseguiu a garota. – As donzelas de família rica ou nobre organizavam uma série de desafios, para que seus pretendentes pudessem demonstrar suas habilidades. Quem terminasse antes ou se saísse melhor nesses desafios ganhava a mão da dama em casamento.

Nicolas passou a mão na boca, como se tentasse esconder sua expressão. Mas Scarlett percebeu que ele ficou intrigado.

– Não deveria ser um jogo – declarou Julian.

– Está com medo de perder?

Dessa vez, com certeza, Nicolas estufou o peito.

Julian resmungou alguma coisa disfarçadamente. Estava com uma postura tensa, os dentes cerrados, o que transformava a cicatriz que ia do maxilar até o olho em uma linha branca e saliente.

– Não transforme isso em um jogo, Carmim.

Se ele não tivesse dito isso, Scarlett poderia ter mudado de ideia. Pensara naquele desafio mais para que ficassem chocados e parassem com aquela briguinha ridícula. Mas, se voltasse atrás, daria a impressão de que estava fazendo isso por Julian e não por si mesma.

E ela sempre tinha a sensação de que estava cedendo à pressão quando se tratava de Julian.

O artista era como o sol no auge da parte mais chuvosa da Estação Fria: quando aparece, seu calor é glorioso e maravilhoso. Mas não dava para contar com ele. Tinha sumido por cinco semanas, voltado à vida de Scarlett há poucas horas e já estava causando caos.

A jovem admitia que, às vezes, gostava da rebeldia que o artista levava ao seu mundo. Mas não tinha gostado da atitude dele, porque ele agia para que as coisas saíssem do jeito que ele queria e não por causa dela. Julian havia dito, dentro da carruagem, que estava ali porque não confiava no conde. Só que Nicolas era botânico, tinha um cachorro – só de olhar para ele, ficava óbvio que não tramara nenhum plano perverso contra Scarlett. Julian só não queria que ninguém mais fizesse planos com Scarlett.

– Se você não quiser, não precisa jogar. Mas acho que vai ser divertido. Já estou decidida.

– E desde quando você se decide assim tão rápido? – questionou Julian.

– Desde cinco semanas atrás.

E o sorriso que ela deu foi um ponto de exclamação.

Julian fez cara de quem queria continuar argumentando. E provavelmente teria continuado se Nicolas não estivesse ali. O artista se contentou com espantar uma pobre joaninha com mais força do que seria necessário.

O sorriso de Nicolas ficou mais largo, como se ele já estivesse ganhando a disputa.

E isso deixou Scarlett um pouco nervosa. Mas, depois do que acabara de dizer para Julian, não podia voltar atrás. E, apesar de ser um pouco assustador, também era divertido estar no controle da situação, como jamais estivera.

– Vou começar com um desafio simples. A disputa ficará mais difícil a cada desafio, até que um de vocês dois desista ou não consiga cumprir um dos desafios.

– Qual é o primeiro desafio? – perguntou Nicolas.

Scarlett tentou lembrar do que havia lido nos livros de história. Mas era ela quem comandava aquele jogo e podia fazer o que bem entendesse.

– Vocês têm que me trazer um presente daqui a três dias. Mas tem que ser um presente que nunca deram para ninguém.

– Quem trouxer o melhor presente ganha um prêmio? – perguntou Julian.

– Sim. Vou dar um beijo no vencedor de cada desafio. E, no fim do jogo, me caso com o vencedor.

Era o tipo de coisa que Tella teria dito. Uma ousadia que fez Scarlett se sentir ousada também.

Só que sentimentos não duram para sempre, e os resultados daquela disputa durariam.

# 9

## *Scarlett*

Scarlett tentou não se arrepender da decisão de oferecer a própria mão em casamento como prêmio de um jogo. E, pelo jeito, Julian estava escondendo seu descontentamento com o modo como a visita ao palacete de Nicolas terminara. Depois de a garota ter explicado as regras do jogo, convenceu os dois cavalheiros a se sentarem para tomar o chá e comer as guloseimas que o conde havia preparado. Mas é claro que isso virou outra disputa: quando falaram de viagens, a conversa se transformou em uma batalha para ver quem tinha viajado mais. Quando falaram de livros, a conversa virou uma competição para ver quem era mais culto. E, quando pararam de conversar, os dois ficaram se encarando. Até que Scarlett declarou que estava na hora de ir embora.

Na carruagem, Julian se sentou com a cabeça encostada na janela, a perna dobrada em cima do joelho e começou a cantarolar baixinho. Scarlett sabia que o rapaz não estava tão indiferente à situação quanto dava a entender. Mas a melodia que cantarolava era marcante e relaxante e tornava a série de fazendas exuberantes ainda mais bonita, enquanto a carruagem sacolejava lentamente pelas estradas de terra.

— Agora você também canta? — perguntou Scarlett. — Nunca ouvi ninguém cantarolar de um jeito tão musical.

Julian ergueu um dos cantos da boca, esboçando um sorriso sarcástico.

— Tenho muita prática. Por anos, Lenda me deu apenas papéis de menestréis, que só falavam cantando.

A garota deu risada e indagou:

– E o que você fez para merecer isso?

O artista deu de ombros e respondeu:

– Meu irmão é ciumento. Acho que ficou incomodado por eu estar chamando tanta atenção durante os jogos. Tentou me transformar em uma piada. Mas não há quem não goste de um belo rapaz com uma voz bonita.

Scarlett revirou os olhos, mas o mundo ficou mais encantador, sim, quando Julian voltou a cantarolar. Ela olhou pela janela quando a carruagem se aproximou de uma casa de campo tão bem cuidada que chegava a ser impecável. Era da cor dos pêssegos do Festival do Sol, com detalhes de um branco iluminado, e cercada por margaridas indolentes que a fizeram pensar em uma renda viva.

Parecia que até a família que estava na frente da casa fazia pose para foto. Deviam estar comemorando o festival dando um jantar ao ar livre. Na grama, uma mesa comprida, com toalhas floridas e farta dava a impressão de que estavam servindo um banquete. A família de cinco pessoas estava de pé em volta dessa mesa, e todos bebiam de cálices de barro, como se alguém tivesse acabado de fazer um brinde. Scarlett olhou para a mais nova das crianças, uma menina de tranças compridas, que iam até a metade das costas. Segurava o cálice com as duas mãos, sorrindo, como se aquela fosse a primeira vez que bebia vinho. Era o tipo de sorriso que devia doer se alguém sorrisse desse jeito por muito tempo.

Só que o sorriso não mudou. *Nada mudou.*

Um arrepio de aflição cor de laranja azeda percorreu a pele de Scarlett, porque a carruagem passou lentamente pela casa, e nenhum dos participantes da festa baixou o cálice nem fez qualquer movimento.

Scarlett poderia ter pensado que a família era um conjunto de estátuas incrivelmente realistas se não houvesse plumas de pavor roxo-fantasma rodopiando em volta da silhueta petrificada daquelas pessoas. Plumas essas que, com certeza, não eram coisa da cabeça dela. A jovem conseguia ver os sentimentos da família de forma tão vívida que seu coração disparou ao sentir o assombro que o grupo estava vivenciando.

– Tem alguma coisa errada – disse. Em seguida, abriu a janelinha e gritou para o cocheiro: – Pare a carruagem!

– O que foi? – perguntou Julian.

– Não sei, mas tem alguma coisa errada.

Scarlett escancarou a porta assim que a carruagem parou. E atravessou o gramado correndo, seguida por Julian.

De perto, a cena parecia ainda menos natural. As únicas coisas que se mexiam eram as folhas de grama, conforme recebiam as pisadas de Scarlett, e as formigas, que zanzavam pelo banquete do Festival do Sol enquanto a família permanecia petrificada naquele brinde sem fim, com os lábios entreabertos de um jeito estranho e os dentes manchados de roxo escuro da bebida que estavam tomando.

– Lenda faria algo assim? – perguntou Scarlett.

– Não. Ele pode até ser cruel, mas não é tão cruel assim. – Julian verificou o pulso da menina mais nova, franziu o cenho e declarou: – Ela ainda está viva.

O rapaz também verificou a pulsação das outras pessoas, e a família permaneceu misteriosamente imóvel.

– Quem seria capaz de fazer algo assim? – Scarlett examinou a mesa em busca de um frasco de veneno escondido no meio da comida. Mas tudo parecia absolutamente normal: pão ázimo, feijão-de-metro, espigas de milho colorido, cestos de frutinhas silvestres típicas da Estação Quente, tortas de porco decoradas com treliças de massa e…

Scarlett congelou quando viu algumas espátulas de passar manteiga fincadas na mesa. Eram de metal opaco e fino, o tipo de talher que não corta e, mesmo assim, alguém teve força suficiente para atravessar o tecido com a ponta de cada uma delas, prendendo um bilhete na mesa.

– Venha ver isso, Julian.

A garota inclinou o tronco por cima da comida com todo o cuidado, sem coragem de encostar nas faquinhas nem no bilhete, que leu em voz alta.

— Nem sequer rima direito — resmungou Julian.

— Não é disso que estou falando — sussurrou Scarlett. Ela não sabia se as estátuas podiam ouvir. Mas, caso pudessem, não queria assustá-las, revelando seus pensamentos. — Você viu o nome assinado no bilhete? Existe um Arcano que se chama O Envenenador.

Como "Envenenador" não é exatamente o mesmo que "Veneno", talvez aquilo não fosse obra de um Arcano. Mas, caso fosse, era um sinal terrível.

Até recentemente, Scarlett nunca dera muita atenção aos Arcanos — os seres místicos e ancestrais pelos quais a irmã sempre fora obcecada. Mas, depois que os Arcanos foram libertados do Baralho do Destino amaldiçoado em que estavam aprisionados, ela crivou Tella de perguntas e também começou a estudá-los.

Os Arcanos eram tão antigos que as pessoas acreditavam que eles eram mitos, que só existiam como imagens desenhadas nos Baralhos do Destino usados para ler o futuro. Só que eles não eram meras imagens desenhadas, eram reais. E, por séculos, sofreram a maldição de estarem confinados a um Baralho do Destino. Não havia muita informação disponível sobre o que exatamente podiam fazer com seus poderes, mas o nome "O Envenenador" parecia meio autoexplicativo.

— Você acha que isso quer dizer que os Arcanos podem ter começado a despertar?

– Não achávamos que eles acordariam assim, tão depressa. – Julian soltou o nó do lenço que levava amarrado no pescoço e completou: – Pode ser só uma pegadinha, por causa do Festival do Sol.

– E quem faria uma pegadinha dessas?

– O Príncipe de Copas pode parar o coração das pessoas – arriscou Julian.

– Mas o coração deles ainda está batendo.

Não foi Scarlett quem conferiu a pulsação da família, mas imaginou que o coração daquelas pessoas batia acelerado. O dela também. Conseguia sentir o próprio coração acelerando, porque as plumas de pânico roxo que aquelas pessoas exalavam começaram a espiralar, feito fumaça de uma fogueira cada vez maior.

– Acho que devemos fazer o que o bilhete pede e confessar as últimas mentiras que contamos em voz alta – disse a jovem. – Mesmo que voltemos para a cidade em tempo de encontrar um boticário aberto, tenho a sensação de que ele não terá condições de ajudar essas pessoas.

E Scarlett não podia deixar que ficassem daquele jeito.

Julian sacudiu a cabeça e olhou mais uma vez para a família petrificada.

– Eu deveria ter concordado com aquela mentira e dito que era seu primo.

– Por que você está dizendo isso?

– Porque a última mentira que contei, contei para você.

O rapaz passou a mão no cabelo e, quando olhou para a garota novamente, o cabelo ficou caído por cima de seus olhos nervosos e arrependidos.

Um pressentimento terrível se acendeu dentro de Scarlett. As mentiras contadas por Julian já haviam separado os dois antes. Pelo jeito, mentir era um hábito do qual o artista não conseguia se livrar, talvez por fazer parte da trupe do Caraval há tanto tempo. Mas, como ele havia demonstrado tanta sinceridade naquele dia, Scarlett começou a ter esperança de que Julian pudesse ter mudado. Mas talvez estivesse enganada.

– Desculpe, Carmim. Menti quando falei que fiquei cinco semanas viajando para te dar um tempo. Viajei porque fiquei bravo por você querer conhecer o conde pessoalmente. E achei que, estando fora, você teria mais vontade de ficar comigo.

*E tinha funcionado.* A ausência de Julian *deixou* Scarlett com vontade de ficar com ele – e com ódio também. E, naquele momento, isso quase a deixou com vontade de rir. Sempre ficava magoada quando Julian mentia, porque isso a fazia acreditar que o fato de o rapaz mentir queria dizer que não gostava dela. Mas tudo o que o rapaz fizera naquele dia provava que ainda gostava de Scarlett. E não conseguia ficar brava com Julian por tê-la manipulado, já que fizera a mesma coisa com o rapaz.

– Você é terrível – disse Scarlett. – Mas eu também sou. Acho que a disputa da conquista entre você e Nicolas não será nem um pouco divertida. Quanto mais penso nisso, mais fico nervosa. Só propus esse jogo para testar você e me vingar por ter me abandonado.

O sorriso de Julian voltou imediatamente.

– Por acaso isso quer dizer que você vai cancelar a disputa?

Do outro lado da mesa, alguém tossiu. Engasgos, cuspidas, chiados e o estilhaçar de cálices caindo no chão se seguiram, e a família começou a se mexer novamente.

– Ah, muito obrigado!

– Benditos sejam!

– Vocês nos salvaram!

Scarlett e Julian foram imediatamente cercados por um abraço tamanho família, porque o pequeno clã veio expressar sua gratidão. O corpo das pessoas tremia e estava quente por ter ficado no sol. A menina mais nova, das tranças, pode ter abraçado Julian por um pouquinho mais de tempo do que os demais, acometida por uma paixonite instantânea pelo rapaz.

– Achei que, com certeza, iríamos ficar assim para sempre – disse a mulher robusta que Scarlett supôs ser a mãe.

– Passou um monte de gente, mas ninguém parou – comentou um dos filhos.

– Podem nos dar alguma informação de quem fez isso com vocês? – perguntou Julian.

– Ah, sim – responderam todos ao mesmo tempo.

E, aí, a expressão tensa deles ficou vazia.

– Bom, a pessoa era...

– Acho que...

Várias pessoas da família tentaram responder à pergunta, mas ninguém conseguiu: parecia que alguém havia roubado as lembranças deles.

Scarlett pensou em revelar o que havia comentado com Julian sobre a possibilidade de que os Arcanos estivessem acordando e que Veneno, na verdade, fosse o Envenenador. Mas aquela família já tinha sofrido o suficiente naquele dia. Não havia necessidade de Scarlett apavorá-los com suas suspeitas.

— Convidaríamos vocês para jantar conosco — falou o homem que parecia ser o pai da família. — Mas acho que nenhum de nós vai conseguir comer depois disso.

— Não tem problema — respondeu Scarlett. — Ficamos felizes por ajudar.

Ela e Julian deixaram que todos os abraçassem mais uma vez e voltaram para a carruagem. Se aquela cena realmente fosse obra de um Arcano, os dois precisavam avisar...

— Espere! — gritou a menina mais nova, das tranças. E veio correndo pelo gramado. Scarlett achou que, talvez, a criança quisesse dar um beijinho de despedida em Julian, mas foi na direção dela que a menina correu. — Quero te dar um presente por você ter parado para nos ajudar.

Então pôs a mão no bolso do avental, com um ar solene, e tirou dele uma chave feia, coberta de arranhões e de uma ferrugem branca esverdeada, da cor dos segredos enterrados que não deviam vir à tona.

— Não precisa — disse Scarlett. — Pode ficar com ela.

— Não — insistiu a menina. — Essa chave não é apenas o que parece ser. Assim como minha família, que parecia um monte de estátuas quando você passou de carruagem. Não sei o que ela faz, mas encontrei hoje de manhã na beira do poço. Não havia nada lá e, de repente, essa chave apareceu. Acho que é mágica e quero que você fique com ela, porque acho que você também é mágica.

A menina entregou o presente para Scarlett, que ficou com os olhos cheios de lágrimas, de tão preciosa que era aquela criança.

— Obrigada — falou, fechando a mão com a chave dentro.

Só depois que Scarlett entrou na carruagem e olhou para o presente novamente que percebeu que o objeto havia se transformado: de um pedaço de metal velho e enferrujado, virou uma chave cristalina com o brilho da poeira estelar e da feitiçaria.

# Donatella

Quando Tella se aproximou da pensão, estava com a visão embaçada e os braços e as pernas tremendo. Transitar entre dois mundos a deixara com a sensação de ser uma folha de papel molhado torcida por mãos calejadas.

Não sabia quanto tempo ficara ausente. A julgar pela quantidade de bandeirolas amassadas e de doces derretidos nas ruas, supôs que tinha ficado fora de casa por várias horas. As crianças que pela manhã corriam de um lado para o outro com cataventos em forma de sol dormiam nos braços dos pais cansados, as jovens damas que usavam vestidos simples os trocaram por roupas mais elegantes e justas, e uma nova rodada de vendedores ambulantes circulava pelos arredores. As comemorações estavam acabando e, ao mesmo tempo, recomeçando – o festival continuaria por toda a noite sem fim, a noite tomada pela luz do sol.

Donatella estava mais do que atrasada para encontrar a irmã.

Diminuindo o passo, entrou na pensão decrépita. Não queria ver a expressão de decepção de Scarlett. Sentia-se péssima por tê-la decepcionado e faltado com a palavra. Mas não se arrependia de ter seguido Lenda – foi bom vê-lo sem que ele tivesse ideia de que estava sendo observado. Ela deveria tê-lo procurado na vida real há semanas, mas gostava demais dos sonhos. Nos sonhos, ele chegava tão perto de ser perfeito... Talvez fosse por isso. Nos sonhos, Lenda era alguém que Tella desejava – alguém de quem ela gostava e com quem se preocupava. Mas, na vida real, era alguém em quem ninguém deveria confiar.

A garota abriu a porta com toda a delicadeza e foi entrando lentamente no cômodo aquecido pela luz do sol que ficara presa ali.

– Scar – arriscou, hesitante.

– Donatella... é você?

A pergunta era quase um sussurro, em uma voz tão baixa que mais parecia um pensamento. E, mesmo assim, a voz era inconfundível, conhecida – apesar de Donatella só tê-la ouvido uma única vez nos últimos sete anos.

Ela correu até o quarto da mãe e parou de supetão quando a viu sentada na cama.

O mundo parou de girar. Os ruídos do festival que chegavam da rua sumiram. O apartamento decadente se dissipou.

*Beijos nas pálpebras. Porta-joias trancados. Cochichos alegres. Vidros de perfume exóticos. Histórias contadas à noite. Esgares à luz do dia. Risos encantados. Canções de ninar. Xícaras de chá de violeta. Sorrisos misteriosos. Gavetas cheias de cartas. Despedidas silenciosas. Cortinas esvoaçantes. Aroma de lírios.*

Centenas de lembranças perdidas voltaram à tona, e todas pareciam apagadas e intangíveis comparadas à realidade miraculosa da presença de Paloma.

A mãe de Tella parecia uma versão um pouco mais velha de Scarlett, mas seu sorriso não tinha a bondade do sorriso da filha. Quando os lábios esboçavam um esgar, ficavam iguais ao do cartaz de "Procurada" de Paradise, a Perdida, que a garota havia visto. Era o mesmo sorriso encantador e enigmático que Donatella recordava ter ensaiado quando era menina.

– Por que não me surpreende você estar com cara de quem acabou de sair de uma briga? – perguntou a mãe.

O sorriso de Paloma esmaeceu, mas o som de sua voz era o som mais doce que Tella já ouvira na vida.

– Só briguei com uma roseira – respondeu a filha.

Ela correu para a cama e abraçou a mãe. Na lembrança de Donatella, Paloma tinha um cheiro diferente – o aroma adocicado da magia se entranhara nela –, mas a garota nem ligou. Aninhou a cabeça no ombro da mãe e ficou abraçada, bem apertado, ao corpo macio dela, talvez um pouco apertado demais.

A mãe também abraçou a filha, mas só por um instante. E aí se encolheu, recostada na cabeceira de matelassê, respirando com dificuldade e já fechando as pálpebras.

– Desculpe – disse Tella, afastando-se da mãe imediatamente. – Não queria machucar você.

– Você nunca vai me machucar com um abraço. Só estou... – A testa de Paloma enrugou debaixo das mechas soltas do cabelo cor de mogno. Parecia que ela estava tentando recuperar um pensamento perdido. – Acho que só preciso comer alguma coisa, meu amorzinho. Você pode buscar alguma coisa?

– Vou chamar uma das criadas – disse Tella, já pegando a sineta.

– Eu... eu... acho...

Os olhos de Paloma se fecharam completamente.

– Mãe!

– Estou bem. – Ela entreabriu os olhos. – Só me sinto muito fraca e estou com fome.

– Já volto com alguma coisa para você comer – prometeu Tella.

Odiou ter que sair do lado da mãe, mas não queria que ela esperasse nem o tempo de a criada subir e descer a escada. E ainda bem que ela resolveu descer: quando entrou correndo na cozinha, ela estava vazia. Pelo jeito todos estavam no Festival Solar.

A despensa também estava às moscas. Ninguém impediu Donatella de pegar uma bandeja e começar a empilhar comida em cima dela. A garota saqueou as melhores frutas de uma pilha de pêssegos rechonchudos e damascos cor do sol. Pegou um pedaço de queijo duro e meio filão de pão de sálvia. Foi mordiscando a comida enquanto pegava, seu apetite havia voltado, tamanha a empolgação. A mãe, por fim, havia acordado e ficaria bem assim que comesse.

Tella pensou em fazer um chá, mas não queria esperar a água ferver. Em vez disso, procurou uma garrafa de vinho. Nunca serviam bebida alcoólica na pensão, mas tinha certeza de que deveria haver alguma coisa guardada. Localizou uma garrafa de Borgonha dentro de um armário e pegou duas tortinhas de chocolate para a sobremesa.

Estava orgulhosa do banquete que preparara e subiu as escadas com todo o cuidado.

Chegando perto, estranhou a porta entreaberta. Poderia jurar que a tinha fechado. Com o cotovelo, empurrou a porta para terminar de abri-la e, com o movimento, perdeu um pêssego, que fugiu da bandeja. A fruta caiu no chão com uma pancada seca quando Tella entrou no quarto.

O cômodo estava mais frio do que quando saíra há pouco, e também mais silencioso. *Silencioso demais.* O único ruído que se ouvia era o zumbido de uma mosca que se dirigia ao banquete roubado que Donatella tinha em mãos.

– Voltei!

A garota tentou não ficar nervosa com a ausência de resposta. Ficar ansiosa era o papel da irmã. Mas não conseguia se livrar daquela crescente sensação aflitiva.

Um damasco caiu no chão, porque Tella apressou o passo.

E, aí, a bandeja inteira ameaçou cair de suas mãos trêmulas.

A cama estava vazia.

O quarto estava deserto.

– Paloma? – chamou.

Não conseguiu reunir forças para dizer a palavra "mãe". Doía demais chamar, como ela fazia quando era pequena, e não obter resposta. Donatella tinha jurado que nunca mais iria fazer isso. Só que chamar a mãe pelo nome e não obter resposta também doía.

Com um nó na garganta, Tella tentou gritar os dois nomes da mãe:

– Paloma! Paradise!

Absolutamente nada.

A garota pôs a bandeja em cima da cama, correu até o outro quarto e depois foi até o quarto de banho. Ambos estavam vazios.

A mãe havia sumido.

As pernas de Tella se esqueceram de funcionar. Voltaram cambaleando, trôpegas, para o quarto e aí ficaram completamente bambas, obrigando a jovem a se segurar na cabeceira da cama que estava mais perto.

Donatella só conseguia ouvir a mosca zumbindo em volta da comida abandonada em cima da cama enquanto tentava entender o que poderia ter acontecido. A mãe estava fraca. Confusa. Será que tinha se levantado para procurar a filha e se perdido? Tella só precisava encontrá-la e…

Seus pensamentos foram interrompidos quando viu algo em cima da cômoda que havia ao lado da cama. Um bilhete.

Donatella se afastou da cama, trôpega. Pegou o bilhete com os dedos trêmulos. A letra era apressada e oscilante.

Meus amores,

Mil desculpas por sair assim, mas eu sabia que, se esperasse mais, seria muito difícil ir embora. Por favor, me perdoem e não me procurem mais. Tudo o que sempre quis foi protegê-las, e, se eu ficar, apenas farei com que vocês duas corram mais perigo.

Se estou acordada, os Arcanos também devem estar despertando, e Valenda inteira está em perigo. Enquanto estiverem nesta cidade, vocês não estarão em segurança. Precisam se afastar o máximo possível dos Arcanos. Saiam de Valenda imediatamente.

Os Arcanos são cruéis, exatamente como as histórias contam. Quem os criou fez isso motivado pelo medo, e o medo é uma das coisas que alimenta o poder deles. É por isso que os Arcanos tentarão infligir o máximo de medo que puderem. Lutem contra a sensação do medo caso cruzem com eles e fiquem em segurança, meus amores.

Se eu puder, darei um jeito de encontrar vocês novamente.

Com mais amor do que vocês imaginam,

Mamãe

– Não!

Tella rasgou um pedaço dos lençóis da cama e o apertou contra os olhos, como se fosse um lenço. Suas lágrimas eram quentes e cheias de raiva. Não duraram muito, mas doeram. Como a mãe podia ter feito uma coisa daquelas? Não só tinha ido embora, como tinha enganado a filha para fazer isso. Não estava com fome nem fraca. Queria fugir – ir embora de novo.

Donatella fechou a mão, amassando o bilhete, e se arrependeu logo em seguida. Se não encontrasse mais a mãe, aquilo seria tudo que teria dela.

Não. Não podia pensar assim. Vencera a morte. Encontraria a mãe e a traria de volta. O que estava escrito no bilhete não tinha importância. Havia decidido, há muito tempo, que jamais tomaria decisões motivada pelo medo. O medo é um veneno que as pessoas confundem com proteção. Tomar decisões para garantir a própria segurança pode ser igualmente traiçoeiro. O pai contratara guardas terríveis para garantir a própria segurança, a segurança de seu dinheiro e de seus bens. A irmã quase havia se casado com alguém que nunca vira pessoalmente para garantir a segurança de Tella. Mas Tella não se importava com a própria segurança – desde que a mãe estivesse com ela.

Uma vozinha na cabeça de Tella, em segundo plano, a alertou de que aquela era uma ideia temerária. Paloma havia pedido às filhas que saíssem da cidade e evitassem os Arcanos. Só que Donatella era parcialmente responsável pela libertação daqueles seres místicos.

E não tinha sacrificado tanta coisa nem se esforçado tanto para ser abandonada pela mãe novamente.

Quando Tella saiu de casa, o sol ainda brilhava com força, os ambulantes ainda lotavam as calçadas, e as ruas ainda estavam cobertas por um carnaval de gostosuras comidas pela metade. Mas, por baixo do aroma de açúcar quente e dos vestígios perdidos da comemoração, a garota sentiu um outro aroma, bem mais adocicado do que o daqueles prazeres baratos: *magia*.

Donatella reconheceu o aroma; ela o havia sentido nos sonhos que tivera com Lenda. E também o sentiu impregnado na mãe quando a abraçou. O cheiro mágico era fraco, mas deixara rastros suficientes para que pudesse segui-lo no meio da multidão.

– Com licença…

– Desculpe, senhorita.

Não foram poucas as pessoas inebriadas que esbarraram em Tella enquanto ela seguia os rastros do aroma mágico pelas ruas lotadas. Até que, quando percebeu, estava perto do Largo da Universidade, em outro dos conjuntos de ruínas de Valenda.

A garota não havia passado muito tempo naquela parte da cidade. Não conhecia aquelas ruínas. Eram muito mais intrincadas do que a arena ancestral à qual chegara quando seguira Lenda naquele mesmo dia. Aquelas passarelas, arcos e galerias pareciam ter sido usadas para abrigar algum tipo de comércio. Quando começou a subir a trilha íngreme que levava até elas, Donatella realmente torceu para que não levassem a outros portais.

Ela deveria ter trocado de calçado quando ainda estava em casa. As sapatilhas delicadas estavam completamente arruinadas depois de Tella ter andado na neve e corrido pela cidade abafada. Ficou mais fácil de andar depois que as tirou.

Os degraus de granito estavam quentes por causa do sol. E, apesar disso, Tella sentiu algo gelado roçar em sua nuca e percorrê-la, formigando feito perninhas de aranha.

Ela se arriscou a olhar disfarçadamente para trás.

Não havia ninguém. Não havia guardas parados entre as árvores que a ladeavam. Na verdade, parecia que não havia guarda nenhum ali.

A sensação incômoda de estar sendo observada se intensificou, assim como o pulsar da magia. Além do cheiro, Donatella também sentia a magia em si, mais forte do que quando seguira Lenda. Ela pulsava ao redor da garota, como se os degraus tivessem um coração.

*Tum.*

*Tum.*

*Tum.*

A magia pulsava sob os pés descalços enquanto ela continuava subindo os degraus das ruínas – que, de repente, não pareciam mais ruínas.

No lugar dos arcos caindo aos pedaços, Tella viu curvas novinhas em folha adornadas com relevos de quimeras vermelhas, parecidas com as que vira no Baile Místico, pintadas em cores vivas. O painel também exibia cordeiros prateados com cabeça de lobo, cavalos azuis com asas de dragão de veias esverdeadas, falcões com chifres escuros de carneiro e...

Donatella se assustou: viu, no alto da escada, integrantes da guarda imperial de Lenda. Sete deles. Estavam esparramados, feito soldadinhos de chumbo que alguém derrubou.

Ela desceu um degrau, de costas, e bateu o calcanhar em uma pedra. Até aquele momento, não havia lhe ocorrido que, talvez, os rastros de aroma mágico que estava seguindo podiam não pertencer à mãe. Se todos os Arcanos tivessem despertado, um deles poderia ter feito aquilo.

Só que os guardas não pareciam estar mortos.

Donatella poderia até estar enganada, mas parecia que os guardas estavam dormindo.

Ela chegou mais perto, pé ante pé, e pressionou o pescoço de um dos guardas com o dedo. Pensou ter sentido a pulsação, bem na hora em que pegadas apressadas romperam o silêncio.

Será que pertenciam à mãe ou a algum Arcano?

Tella sentiu um frio na barriga. Antes de os Arcanos terem sido libertados das cartas, o feitiço que os aprisionava começara a perder a força. Versões fantasmagóricas da Rainha Morta-Viva e de Vossas Aias tinham escapado temporariamente das cartas e quase a mataram. Mas tinha sobrevivido e preferia enfrentá-las novamente a correr o risco de perder a mãe mais uma vez.

A jovem seguiu as pegadas que desciam pela escada estreita até chegar a um labirinto de celas mal iluminadas, cujas grades eram de um branco perolado. Eram quase bonitas, mas ela odiava gaiolas: a cada jaula que via, seus pés descalços corriam mais rápido.

Só diminuiu aquele passo dolorido quando o corredor se abriu em uma caverna muito iluminada por tochas, que fedia a enxofre e a umidade de água corrente. Aquilo poderia muito bem ser um cenário elaborado para uma peça histórica, a mais bela das câmaras de tortura ou o centro de treinamento de um circo ancestral.

Cordas vermelhas cruzavam o teto, sem rede de proteção. Círculos pintados, que mais pareciam pranchas da morte decoradas com facas, giravam ao redor de seus eixos. Mais adiante das rodas, buracos flamejantes tomavam o chão, com chamas cujas pontas tinham um tom vibrante de laranja. Esses buracos ardiam feito lagos de fogo, debaixo de pontes suspensas e estreitas. Em um canto, um carrossel de granito, coberto de peças pontiagudas de metal, rodopiava.

Bem no meio de tudo, dividindo o chão ao meio, havia um rio vermelho. A mãe de Tella estava do outro lado desse rio. Mas não parecia, nem de longe, a mulher fraca que Donatella abraçara naquela mesma tarde.

# Donatella

Paloma parecia uma versão malvada de Scarlett. Tella não sabia onde a mãe havia encontrado roupas novas, mas estava usando um casaco de couro que ia até o chão, com mangas curtas que deixavam luvas longas, vermelho-granada, à mostra. O espartilho era do mesmo vermelho. Na parte de baixo, usava ceroulas justas, branco-osso, por dentro de botas de couro preto que iam até os joelhos. Tinha uma adaga embainhada, presa na panturrilha, e um cordão prateado fino enrolado na outra coxa, feito uma cobra de estimação.

Sua aparência era bela e brutal; parecia uma criminosa que acabara de fugir de um cartaz de "Procurada" — um mito que havia se libertado de uma história para dar a ela um final diferente. E Donatella estava desesperada para fazer parte deste final.

— Por favor, não fuja. Fique com a gente! — gritou.

Em seguida, começou a correr em disparada pela caverna. Pulou o córrego vermelho, parou nos braços da mãe e abraçou Paloma com todas as suas forças. Daquela vez, quem sabe, se a abraçasse bem apertado, a mãe não iria se desvencilhar. Tella também queria um final diferente. Queria um final com a participação da mãe e da irmã, todas sorrindo, dando risada e fazendo planos maravilhosos para o futuro.

— Não era para você estar aqui — disse Paloma, com um tom ríspido, mas sem soltar a filha. Acariciou os cachos volumosos de Donatella com uma ternura que, em suas lembranças, jamais conseguira capturar.

– Eu sabia que você seria destemida – prosseguiu Paloma. – Mas, Donatella, você precisa ir embora. Se você não for, esta luta vai te destruir.

Dito isso, baixou os braços.

– Não! – Tella segurou os pulsos da mãe. E os seguraria pelo resto da vida caso fosse necessário. – O seu lugar é ao meu lado, ao lado de Scarlett. Não sei o que você acha que precisa fazer. Mas, por favor, volte para nós.

– Não posso. – Nessa hora, Paloma tentou se desvencilhar da filha, mas Donatella não a soltou. – Você precisa sair daqui: é perigoso.

– Minha vida tem sido perigosa desde que você foi embora!

Os olhos castanhos de Paloma ficaram vidrados e, por fim, seu tom ficou mais suave.

– Odeio saber que você passou por tantas experiências dolorosas. Mas apenas trarei mais dor à sua vida. Hoje eu sou o perigo, Donatella. Estou aqui porque preciso matar uma pessoa.

– Não! – protestou a garota, apesar de ter sentido o sangue se esvair de seu rosto. – Você só está dizendo isso para me convencer a ir embora.

– Bem que eu gostaria. Mas há certas coisas do meu passado que preciso resolver e não vou correr o risco de permitir que você e Scarlett se envolvam nisso. Cometi incontáveis erros. Mas você e sua irmã são as únicas coisas que fiz que trouxeram algo de melhor a este mundo.

O sorriso desafiador voltou ao rosto de Paloma, e Tella teve esperança de que, talvez, a mãe não quisesse realmente fazer aquilo. Só precisava convencê-la disso.

– Volte comigo só para se despedir de Scarlett – suplicou Donatella. – Ela também sentiu a sua falta!

– Bem que eu gostaria. – Nessa hora, Paloma ergueu o braço e segurou o rosto de Tella. – Eu iria com você, mas preciso fazer isso. Se eu não fizer, você e sua irmã sempre estarão em perigo.

Então acariciou o rosto da filha, uma única e delicada carícia. Em seguida, passou os dedos enluvados na nuca de Tella e a puxou mais para perto de si.

– Eu te amo tanto e sinto muito.

Uma coisa afiada saiu das pontas dos dedos das luvas de Paloma e furou a nuca de Donatella. Ela sentiu uma pontada gelada e a sensação de um líquido sendo injetado em suas veias.

– Q... quê...

De repente, a língua da jovem ficou pesada e inútil. Tinha vontade de perguntar o que a mãe havia feito. Tinha vontade de perguntar por que, de uma hora para a outra, não conseguia mexer os braços nem as pernas. Queria dizer tanta coisa... Mas nada saiu de sua boca, a não ser aquele único e impotente "que".

A mãe só a abraçara para poder paralisá-la com as pontas das luvas. Talvez ela tivesse usado o mesmo veneno para nocautear os guardas.

– Vai ficar tudo bem – garantiu Paloma.

Então enganchou as mãos atrás dos braços de Tella.

Só que nada parecia bem.

Tella não podia acreditar que a mãe a havia abandonado e depois a dopado. E que, naquele momento, arrastava seu corpo até a entrada da caverna. Tentou se desvencilhar, mas os braços e as pernas não queriam obedecer – mal conseguia senti-los.

Paloma por fim parou em frente a uma das pranchas da morte giratórias – aquelas que os artistas de circo prendem suas ajudantes de palco e aí jogam facas enquanto a roda gira sem parar. Não prendeu a filha na prancha, mas a colocou atrás dela, escondendo a garota entre o círculo e a parede de granito.

*Não! Não faça isso.*

Donatella tentou protestar, mas sua língua estava tão grossa e pesada que não conseguiu nem soltar um gemido.

– Você vai pegar no sono logo, logo. Assim que acordar, saia desta cidade com sua irmã. Encontro vocês quando puder.

Paloma deu um beijo no rosto de Tella, mais demorado do que o anterior. Mas, apesar do que disse, aquele não parecia um beijo de "Encontro vocês logo mais". Era um beijo de "Pretendo nunca mais ver vocês novamente".

*Mãe!*

A jovem tentou se livrar da dormência dos braços e das pernas. Não tinha apagado, como os guardas – talvez não tivesse sobrado muito veneno depois de a mãe usá-lo com eles. Donatella sentia um formigamento nos dedos dos pés, mas não conseguia movê-los. Não conseguia nem se arrastar atrás da mãe, que se afastava. Só conseguiu soltar um suspiro. Mas o ruído ridículo foi abafado pelo som dos passos que entravam na caverna. Pesados e rápidos, o tipo de passo de quem quer entrar chamando atenção.

Tella não sabia se era efeito da droga utilizada pela mãe, mas o ambiente foi ficando mais quente à medida que aquele ruído ameaçador aumentava. O intruso se aproximou, a ponto de Tella enxergar um par de botas masculinas cobertas de poeira. Mas a pessoa continuou andando, mesmo quando passou diante da prancha rachada que protegia Donatella e a fez girar. A prancha rangeu e ficou tiquetaqueando feito um relógio desregulado enquanto rodava.

*Clic.*

*Clic.*

*Cléc.*

Tella não gostou do ruído, mas aquilo permitia que ela visse a caverna quando a rachadura da roda passava na frente dela. O primeiro vislumbre pela fresta durou apenas o suficiente para que a garota conseguisse enxergar as faíscas que tomavam conta da caverna: parecia que o ar estava prestes a pegar fogo. As chamas minúsculas dançavam em volta do homem, fazendo os detalhes dourados de seu casaco militar vermelho reluzir. Ele ficou bem na frente de Paloma. Ela ergueu o rosto para encará-lo com uma expressão de expectativa, e parecia estar bem menor do que antes.

– Temi que nunca mais fosse ver você – disse ela.

A prancha continuou girando, obstruindo a visão de Tella. Quando a rachadura passou por ela de novo, viu que o intruso acariciava os cabelos da mãe. E Paloma olhava para aquele homem com um ar de adoração: dava a impressão de estar esperando por aquele encontro clandestino com ainda mais força do que Donatella ansiou reencontrar a mãe.

Não era assim que as coisas deveriam ser.

– Gavriel… – Paloma pronunciou o nome daquele homem como se fosse um segredo que só ela conhecesse. – Senti tanto a sua falta. Estava torcendo para você vir aqui.

A prancha continuou girando. Quando a parte fragmentada ficou na frente de Tella mais uma vez, o homem estava com a mão no cabelo de Paloma.

– Você continua tão linda quanto eu me lembrava – declarou Gavriel.

Em seguida, beijou os lábios da mãe de Tella, e a garota jurou que as chamas da caverna arderam com mais intensidade. As faíscas no ar brilhavam feito estrelas. Mesmo atrás da prancha, Donatella sentia o calor que irradiavam.

Estava com ânsia de vômito. Queria que a prancha parasse de girar, para que não visse mais nada daquilo. Mas aconteceu o contrário: o objeto começou a girar mais rápido, como se tivesse sido enfeitiçado por aquele beijo. Tella rezou para as deusas, pedindo que o beijo terminasse. Ou que, pelo menos, recobrasse a capacidade de se mexer, para poder bloquear aquela visão completamente. Mas seus braços e pernas continuaram inertes, e o beijo prosseguiu. Íntimo, ardente e tão, mas tão errado.

Óbvio que a mãe não fora até ali para matar ninguém. Estava na caverna porque queria ficar com aquele homem mais do que queria ficar com as filhas. Se o corpo de Donatella não estivesse tão desprovido de sensações, a jovem teria ficado com o estômago embrulhado.

– Minhas lembranças não faziam jus a você – disse o homem.

Em seguida, começou a beijar o rosto de Paloma.

– Fico feliz por você também ter sentido minha falta – respondeu a mãe de Tella.

– Pensei em você todos os dias. – Nessa hora, Gavriel aproximou os lábios da orelha de Paloma. Mas o que deveria ter sido um sussurro ecoou por toda a caverna: – Fiquei imaginando todas as maneiras de me vingar de você.

*Clic.*

*Clic.*

*Cléc.*

Aquela história de amor acabara de dar muito errado. Durante vários segundos tensos, o coração de Donatella bateu acelerado. Ela só conseguia ouvir o ruído da prancha. Até que a voz forte da mãe ficou mais alta, e Paloma falou:

– Eu cometi um erro, Gavriel.

– Você me obrigou a voltar para aquele Baralho do Destino amaldiçoado assim que descobriu que sou um Arcano. Foi um erro bastante intencional, Paradise.

*Pelos dentes e pelo sangue de tudo que é mais Sagrado.*

Aquele homem – aquele *Arcano* – também estava aprisionado nas cartas. A mãe de Tella acabara de beijá-lo. O que estava fazendo? Tinha se desvencilhado da própria filha para poder se pendurar em um dos imortais monstruosos que viam os humanos apenas como peões, como frágeis formas de diversão. Donatella não sabia que Arcano era aquele. Poderia ser o Assassino, a Estrela Caída, o Envenenador, o Boticário ou o Caos. Não fazia diferença: eram todos demônios.

A garota queria gritar, dizer para a mãe sair dali. Mas a língua ainda estava grossa. Os lábios estavam inertes. Só conseguia sentir uns poucos formigamentos perdidos e, mesmo que sua boca tivesse se mexido, mesmo que tivesse avisado a mãe, duvidava que Paloma teria atendido. A mãe já sabia que o homem diante dela era um Arcano e provavelmente também sabia qual Arcano era e que terríveis poderes tinha. Mas, pelo jeito, a mãe não ligava nem um pouco para isso.

Outro giro da prancha mostrou Paloma se encostando no Arcano mais uma vez.

– Fui avisada de que você me mataria para não se apaixonar por mim – explicou Paloma, com um tom muito mais terno do que empregara para falar com a filha. – Entrei em pânico, Gavriel. Fiz o que achava que precisava fazer para me defender. Você sabe como é, somos iguais nesse ponto. Fazemos o que é preciso para sobreviver. Mas, desde então, me arrependi de ter tomado essa decisão. Por que você acha que estou aqui agora?

– É o que estou tentando descobrir.

Tella já encontrara Arcanos pessoalmente: o Príncipe de Copas, a Rainha Morta-Viva e Vossas Aias. A voz daquele Arcano era ainda mais fria. A presença era mais autoritária e poderosa, e as chamas minúsculas que o rodeavam faiscavam a cada palavra que ele dizia. E, ainda assim, Paloma permanecia perto dele.

– Não há nada para descobrir. Estou aqui porque quero ficar com você.

Ela ficou na ponta dos pés.

A prancha girou, bloqueando o que aconteceu. Mas, pelo silêncio, Tella imaginou que estavam se beijando de novo.

– Você ainda quer se vingar? – perguntou, por fim, ofegante. Então completou: – Ou também quer ficar comigo?

– A vingança talvez possa esperar.

Em seguida, ele voltou a colar os lábios na boca de Paloma.

Tella começou a fechar os olhos, não aguentava mais ver aquilo. Mas, no instante em que ia parar de olhar, viu de relance um brilho prateado nas mãos da mãe: Paloma puxou uma faca e enterrou no coração do Arcano.

Um urro ecoou pela caverna.

Donatella poderia ter comemorado. Mas não sabia o que a mãe estava fazendo. Arcanos são imortais: se morrem, simplesmente voltam à vida. Talvez Paloma soubesse de algo que Tella não sabia. A garota segurou a respiração enquanto a prancha dava mais uma volta.

O Arcano não estava caído no chão nem entrando em uma morte temporária. Estava de pé, olhando para Paloma como se ela realmente o tivesse surpreendido. E aí, em uma fração de segundo, tão rápido que Tella não conseguiu enxergar, sua mão enorme tirou a adaga do coração, enfiou no peito de Paloma e torceu.

A mãe da garota soltou um ruído, e Tella teve certeza de que ouviria esse som em seus pesadelos para sempre. O ruído sacudiu as paredes da caverna, e Tella tentou gritar. Mas não conseguiu sequer soltar um sussurro. Os lábios ainda formigavam, anestesiados. E as pernas e os braços formigavam da mesma forma; era impossível movimentá-los.

Tentou se arrastar, de barriga para baixo, para sair de trás da prancha e, sabe-se lá como, salvar a vida da mãe. Mas só conseguiu assistir.

A prancha da morte girava mais lentamente, quase se arrastando.

*Clic…*

*Clic…*

*Cléc…*

Até aquele momento tudo tinha acontecido tão rápido… E agora estava indo devagar demais.

Quando a prancha terminou de dar a volta, Paloma estava completamente imóvel no chão, e o Arcano sangrava, olhando para ela.

*Levante! Levante! Levante!*

Donatella conseguiu movimentar os dedos da mão. Também estava começando a sentir os dedos do pé.

Mas a mãe não se movimentava nem um pouco.

A garota raspou os dedos no chão até sangrarem. Mas não bastou para empurrá-la para a frente.

A prancha parou de girar. O Arcano caiu de joelhos, mas Paloma permanecia no chão.

Tella conseguiu se arrastar um centímetro para a frente. Ainda não estava disposta a desistir. A mãe não podia estar morta. A mãe era forte demais para morrer. Donatella tinha lutado tanto e não podia perdê-la. Não era assim que a história deveria terminar.

*Vou arrancar seus braços!*

– Seugrandefilhod...

Uma mão se fechou sobre os lábios dela. Gelada e doce, como as maçãs e a magia dos Arcanos.

– Silêncio, meu amor – sussurrou Jacks. – Não há nada que você possa fazer por ela agora, a não ser continuar viva.

Os dedos gelados do Príncipe de Copas continuaram ali mesmo depois que Gavriel, por fim, tombou, por causa do ferimento infligido por Paloma. O corpo enorme do Arcano caiu no chão. A caverna deveria ter ficado no mais completo silêncio, mas Tella ouviu o ruído do próprio coração, que se despedaçou.

# Donatella

Tella gostaria que o tempo parasse. Por anos dividiu a própria vida em dois períodos: *quando a mãe estava em casa* e *depois que a mãe foi embora*. Agora a mãe estava morta. E ela não queria considerar aquele acontecimento para marcar mais um período de sua existência. Não queria que o tempo avançasse de jeito nenhum. Queria que o tempo congelasse, como seus braços e suas pernas imóveis. Só que até eles estavam voltando a se movimentar.

Donatella não conseguia caminhar, mas deu um jeito de se arrastar pelo chão de granito da caverna até o corpo da mãe. Mas era só isso, um corpo. Quando Paloma estava em seu sono encantado, o rosto ainda tinha cor, o peito subia e descia. Tella até chegou a pensar que aquela imobilidade era como a de um cadáver. Mas a verdadeira imobilidade de um cadáver era o que ela estava vendo naquele momento.

– Pelo menos ele a matou com uma facada e não a queimou com seus poderes – comentou Jacks. – O fogo é a maneira mais dolorosa de morrer.

– Você não está ajudando – resmungou Donatella.

– Bom, não sou do tipo que sabe consolar os outros.

O Príncipe de Copas passou os braços gelados por baixo de Tella e a pegou no colo.

– Me deixa no chão – reclamou a garota.

Jacks era um Arcano, e a última coisa que Donatella queria era ser ajudada por alguém da laia dele.

O Príncipe de Copas bufou e disse:

– Se eu te largar aqui, você vai morrer como a sua mãe quando Gavriel voltar à vida. Ou outro Arcano vai te encontrar.

– E você se importa com isso?

– Não me importo. – Nessa hora, Jacks entreabriu os lábios finos, dando um sorriso que mostrava suas covinhas e o transformava no belo e ardiloso Príncipe de Copas pelo qual Tella fora fascinada quando era criança. – Simplesmente prefiro que você seja torturada só por mim.

– Tarde demais – murmurou. Donatella deveria ter tentado resistir um pouco mais ao Arcano.

Jacks não tinha incomodado Donatella nos últimos sessenta e poucos dias, mesmo ela sendo, supostamente, o verdadeiro amor dele – a única pessoa imune ao seu beijo fatal. Mas ele continuava sendo um Arcano. Um Arcano assassino. Fora o herdeiro do trono antes de Lenda e, de acordo com os boatos, tinha matado dezessete pessoas para assumir esse lugar. Até Tella fora ameaçada de morte. Era uma víbora letal. Só que Donatella não conseguia sentir o devido medo. Não conseguia sentir nada a não ser a sensação de estar anestesiada.

A morte da mãe nem sequer fazia sentido. Gavriel só a feriu depois de ter sido ferido por Paloma. Talvez ele não a tivesse matado se ela não o tivesse apunhalado. Por que a mãe de Donatella correria esse risco já que o Arcano simplesmente voltaria à vida?

– Quem é Gavriel? – perguntou, engasgada. – Que Arcano ele é?

Os dedos gelados que tocavam as costas de Tella ficaram tensos.

– Só vou te contar porque gosto dele ainda menos do que gosto de você. Gavriel é a Estrela Caída.

O mesmo Arcano que, de acordo com a bruxa amiga de Lenda, criou todos os Arcanos. Uma onda venenosa de raiva interrompeu brevemente o estado de choque de Tella. Se o Mestre do Caraval realmente quisesse matar a Estrela Caída para derrotar todos os demais Arcanos, teria que entrar na fila.

– Vou encontrar uma maneira de destruí-lo – jurou Donatella.

– Não nessas condições – retrucou o Príncipe de Copas, subindo alguns degraus com ela no colo.

Tella não queria olhar para o céu quando ela e Jacks finalmente saíram da caverna. Deveria estar um breu. Mas ainda estava de um azul impossível, com fios ondulantes de índigo. Donatella adorava quando o sol não se punha, adorava quando era de se supor que fosse noite, mas o mundo permanecia iluminado. Só que, depois de tudo o que acontecera, o sol ainda estar brilhando simplesmente parecia errado. O dia deveria ter terminado. O sol deveria ter fugido e escurecido o mundo no instante em que a mãe dela morreu.

A garota sentiu um nó na garganta. Fechou os olhos, tentando bloquear a luz, mas só piorou a situação. Toda vez que fechava os olhos, só conseguia enxergar a Estrela Caída ferindo a mãe com uma faca.

Um pranto começou a se formar dentro dela. Jacks a carregou no colo por uma rua de tijolos, e Tella não tinha muita noção de onde estava. Não sabia onde o Arcano morava, já que não era mais herdeiro do trono do Império Meridiano e fora expulso do Castelo de Idyllwild. Supunha que o Príncipe de Copas deveria estar morando no Bairro das Especiarias, em uma das residências tortas da região, com um bando de ladrões. Ou em alguma tumba subterrânea, com uma gangue de criminosos.

Mas, pelo cheiro, não parecia que Jacks estava levando Donatella para o Bairro das Especiarias. A garota não sentiu o fedor pungente de charuto. As ruas não estavam sujas de bebida alcóolica nem de urina. Jacks a levara até as limpas vias do Largo da Universidade, um mundo de livros encadernados em couro, becas bem passadas e cercas vivas impecáveis, onde estudiosos ambiciosos cresciam feito ervas daninhas.

Os passos do Príncipe de Copas ganharam um ritmo mais tranquilo quando ele se aproximou de uma casa de quatro andares feita de tijolos vermelhos como argila e colunas de ônix. Tella poderia ter perguntado o que estavam fazendo ali, se aquele era o local onde Jacks vivia. Mas só conseguiu deixar as lágrimas caírem.

Não dava nem para dizer que estava chorando. "Chorando" dá a impressão de participação, de ação. Mas Donatella estava cansada de agir. Mal conseguia continuar respirando.

– Eu tentaria dizer algo para te consolar. Mas, da última vez que fiz isso, você não gostou – murmurou o Arcano.

Apesar dessas palavras, ao chegarem a uma porta dupla e lustrosa, ele a abraçou mais apertado contra o peito gelado.

Talvez realmente planejasse torturá-la. Ou talvez soubesse que, apesar de a paralisia ter quase passado, Tella não se mexeria, caso ele a colocasse no chão. Talvez soubesse que a jovem ficaria prostrada nos degraus da entrada da casa dele mesmo se o sol se fosse e a noite ficasse fria ao ponto de anestesiá-la novamente. As sensações de Donatella haviam voltado, e ela sentia muita dor. Tudo doía. Seus sentimentos estavam feridos e sangravam. E, por um instante, ela torceu que sangrassem até desaparecer. Talvez assim ela parasse de sentir aquela dor absurda e nem fosse tão difícil respirar, pensar e sentir outra coisa que não fosse sofrimento.

A porta diante dos dois se escancarou. Eles entraram, e aquele maldito céu azul foi substituído por um teto cheio de lustres dourados que projetavam suas luzes nas paredes revestidas de papel estampado com os símbolos em preto e vermelho dos naipes do baralho. Era um antro de jogatina, cheio de crupiês que sorriam feito tigres e jogadores ávidos como os filhotes desses felinos.

As pessoas riam, batiam palmas e jogavam dados, dando vivas e berros. Nunca nada lhe pareceu tão errado quanto aquilo tudo. Era um borrão de fichas de apostas, drinques borbulhantes, lenços de pescoço abandonados e roletas do azar e do acaso que não paravam de estalar. Quando alguém ganhava, choviam confetes em forma de losangos, corações, paus e espadas sobre todos. O recinto estava vivo, de um jeito que a mãe de Donatella não estava.

Se alguém achou estranho Jacks entrar no recinto com uma garota arruinada no colo, não comentou. Ou, talvez, Tella simplesmente não tenha reparado. As janelas fechadas até podiam conseguir bloquear a entrada do sol, mas todo aquele barulho e aquele caos do cassino do Príncipe de Copas só intensificava o vazio lancinante que havia dentro dela.

Jacks a apertou com mais força entre os braços e foi desviando das pessoas. Várias se aproximaram dele.

– Não dá para ver que estou ocupado? – dizia, com seu jeito de falar arrastado. Ou simplesmente as ignorava.

Alguns passos depois, chegaram a uma escadaria. Conforme subiam os degraus, o carpete ia mudando de fofo para puído. O Arcano havia reformado o térreo para receber convidados, mas deixara os demais andares intocados. Não que Tella tenha visto muita coisa. Deixou os olhos fixos no chão e nas botas gastas de Jacks, até que o Príncipe de Copas atravessou outra porta com ela no colo.

O cômodo parecia ser uma sala de estudos. Tinha uma lareira vazia com um tapete decorativo cor de âmbar na frente, com várias manchas de queimado, um sofá gasto de couro marrom cor de uísque e uma mesa arranhada com uma planta solitária coberta por um domo de vidro. Jacks se sentou lentamente no sofá afundado, ainda segurando Donatella no colo.

Tella poderia ter se afastado. Era errado permitir que o Arcano tocasse nela – Jacks era do mesmo tipo de criatura que havia matado sua mãe, diante de seus olhos. E, apesar disso, a jovem temia que os braços letais do Príncipe de Copas fossem a única coisa que a impedia de desmoronar. Não queria ser consolada *por ele*, mas estava desesperada, precisando de consolo.

A camisa de Jacks, encostada no rosto de Tella, logo ficou úmida. Mas, em vez de soltá-la, ele a abraçou mais forte. Com aqueles dedos gelados e delicados, ficou massageando suas costas e desembaraçando seus cachos com todo o cuidado.

– Por que você está me ajudando? – Tella conseguiu perguntar, por fim.

Ao contrário de Lenda que ou escondia seus sentimentos ou fingia que os tinha, Jacks nunca fingiu que gostava ou se preocupava com Donatella. Quando queria alguma coisa, simplesmente a ameaçava para conseguir o que queria.

– Você não tem graça quando está arrasada desse jeito. Não posso te atormentar se você já estiver infeliz.

Então tirou a mão do cabelo dela, encostou os dedos na bochecha da garota e secou diversas das lágrimas. Aquela carícia foi tão delicada quanto o último beijo que a mãe de Tella havia dado, naquela mesma bochecha, e Donatella perdeu o pouco autocontrole que ainda lhe restava.

Não eram mais apenas lágrimas que saíam de seus olhos. Estava chorando como nunca chorou na vida, soluçando tanto que tinha a impressão de que seu corpo iria se despedaçar. Era muita emoção para segurar e muita emoção para liberar.

– Foi tudo em vão – choramingou Tella. – Tudo que eu fiz para salvá-la só serviu para destruí-la. Eu jamais deveria ter tentado mudar o futuro que vi no Aráculo. A primeira vez que vi essa carta, minha mãe só estava na prisão. Se eu não tivesse tentado alterar aquele futuro, ela ainda estaria viva.

– Ou, quem sabe, você também estivesse morta – argumentou Jacks. – Você não sabe como as coisas seriam se fossem diferentes.

– Mas poderiam ter sido diferentes.

Donatella imaginou todos os outros finais possíveis para a história da mãe. Talvez, se tivesse obedecido quando era criança e nunca brincado com o Baralho do Destino amaldiçoado de Paloma, a mãe jamais teria abandonado as filhas em Trisda, para começo de conversa. Ou, se Lenda tivesse apenas pegado o baralho – como Tella havia pedido – e o destruído antes que outros Arcanos tivessem escapado, a mãe ainda poderia estar viva.

Donatella tinha cometido tantos erros. Se ao menos pudesse voltar no tempo e consertar um deles... Se pudesse apenas retraçar seu caminho para que ele a levasse a outro lugar...

*Era isso.*

Uma faísca de esperança se acendeu dentro da garota.

Tella poderia voltar no tempo e recriar aquele dia inteiro. Com todos os Arcanos despertos, era possível fazer isso. Pelo menos assim a volta daqueles seres místicos à Terra renderia algo de bom.

Donatella ergueu a cabeça e olhou para Jacks, vendo-o pela primeira vez desde que ele a carregara no colo. As mechas de cabelo dourado e rebelde lhe davam um ar mais parecido com o de um jovem perdido do que um Arcano assassino. Seus olhos sobrenaturais eram do tom de azul prateado dos sonhos de criança. Os lábios eram tão afilados que pareciam lâminas, e Tella pensou que poderiam ferir com apenas um beijo. Não podia confiar no Príncipe de Copas. Mas, para voltar no tempo, precisaria dele.

– Nos Baralhos do Destino, tem um Arcano que consegue se movimentar através do tempo e do espaço: o Assassino. E se ele puder me ajudar a desfazer tudo isso?

– Sei que você está de luto. Mas essa é a pior ideia que eu já ouvi na vida. Viajar no tempo é sempre um erro.

– Confiar em você também. Mas aqui estou eu, e você ainda não me fez nenhum mal.

– "Ainda" é a palavra-chave da sua frase. – Nessa hora, Jacks passou um dedo gelado embaixo do queixo de Tella e avisou: – Se ficar aqui tempo suficiente, garanto que isso vai mudar.

A garota se sentou e falou:

– Diga onde está o Assassino que vou embora agora mesmo.

– Mesmo que eu soubesse onde ele está, não diria, Donatella. Entrar em contato com o Assassino não é boa ideia e não é só por causa do apelido dele. Antes de os Arcanos serem aprisionados no baralho, a Estrela Caída, a Rainha Morta-Viva e o Rei Assassinado pediram a ajuda do Assassino para viajar através do tempo e do espaço, e ele enlouqueceu tentando acompanhar todas as diferentes linhas do tempo. Nem sempre sabe em que tempo está e desaparece por longos períodos. Nem sempre as pessoas que o convencem a ajudá-las a viajar no tempo voltam para o presente. Como disse, é a pior das ideias.

– Nada pode ser pior do que isso! Por favor, Jacks. – Nessa hora, Tella se agarrou na camisa molhada dele, puxando o rosto cruel do Arcano ainda mais para perto do seu. – Me ajude. Preciso encontrar o Assassino. Estou implorando. Dói tanto. Dói demais. Tudo dói. Toda vez que fecho os olhos eu vejo o assassinato de minha mãe. Toda vez que faz silêncio, ouço o terrível *clic-cléc* daquela prancha. E não consigo desligar!

A mão de Jacks ficou parada nas costas da garota.

– E se eu conseguir tirar essa dor e essa tristeza de você? – perguntou ele.

– Como?

– Essa é uma das minhas habilidades.

Jacks secou mais uma série de lágrimas do rosto dela.

Um sinal de alerta atravessou, em parte, o luto de Tella. De acordo com o mito, o Príncipe de Copas possuía a habilidade de controlar emoções. Mas, como Jacks não estava dentro do Baralho do Destino quando Lenda libertou os outros Arcanos, ainda deveria estar com os poderes pela metade.

– Achei que você ainda não tinha recobrado todos os seus poderes.

– E não recobrei – resmungou ele. – Ainda não consigo controlar minhas emoções como conseguia nem fazer alguém ter sentimentos que não tem. Mas posso remover, temporariamente, sentimentos indesejados. Posso tirar sua dor por esta noite. – Nessa hora, os dedos gelados do Arcano ficaram parados no rosto da jovem, ao mesmo tempo uma promessa anestesiante e um alerta. – Não vou apagá-las permanentemente, meu amor. Você ainda as sentirá. Mas, quando seu sofrimento voltar, amanhã, não será tão poderoso quanto é agora.

Com a outra mão, Jacks voltou a massagear as costas de Donatella até ela conseguiu respirar com mais facilidade. Facilidade demais. Tella se perguntou se o Príncipe de Copas estava usando seus poderes para acalmá-la. Mas não conseguia ter forças para se preocupar com isso como deveria. O sofrimento era avassalador demais. Donatella sabia que, no instante em que Jacks a soltasse, seus pulmões ficariam comprimidos de novo, as lágrimas voltariam a ser um pranto de soluçar e, mesmo que não fechasse os olhos, veria a mãe morrendo sem parar. Uma centena de mortes no tempo de uma única batida do coração. Se fossem batidas demais, ela também poderia morrer.

– Pode fazer – disse a garota. Em parte, sabia que era absurdamente errado ser consolada por um Arcano. Mas, mesmo que fosse um erro, não poderia ser tão ruim quanto aquilo. – Tire a tristeza e a dor de mim, apenas tire tudo que dói.

# 13

## *Donatella*

Jacks segurou o rosto de Tella com a mão gelada e disse:

– É o que farei, meu amor.

Em seguida, inclinou o rosto da garota e foi aproximando os lábios.

Donatella empurrou o peito dele com as duas mãos e saiu do colo do Arcano.

– O que você pensa que está fazendo?

– Tirando sua dor.

– Você não disse que tinha que me beijar.

– É a maneira mais indolor. Mesmo assim vai doer, mas...

Na última vez que os dois se beijaram, o coração da jovem parou de funcionar direito.

– Não. Não vou deixar você me beijar de novo.

O Príncipe de Copas passou a língua nos dentes e ficou pensando por um longo minuto.

– Tem outro jeito, mas... – um segundo de hesitação – exige troca de sangue.

Uma pontada rígida de consciência percorreu a espinha de Tella. A troca de sangue é algo poderoso. Ela aprendeu, em seu primeiro Caraval, que o sangue, o tempo e as emoções extremas são três das coisas que alimentam a magia. Donatella já havia ingerido sangue. Não lembrava com muita clareza, mas sabia que sua vida ficou por um fio depois do confronto que teve com a Rainha Morta-Viva e Vossas Aias. Até poderia ter morrido. Mas, aí, lhe deram sangue, e isso salvou sua vida. Mas o sangue também pode tirar vida. Uma gota de sangue já custara a Scarlett um dia de sua vida.

– Quanto sangue você precisa beber? – perguntou.

– Não preciso beber nada, a menos que você queira que seja assim. – Nessa hora, Jacks deu aquele sorriso feroz característico e tirou uma adaga com cabo de pedras preciosas da bota. Estava faltando metade das pedras, mas as restantes brilhavam em um tom amargo de azul e em um tom funesto de roxo.

O Príncipe de Copas passou a adaga bem no meio da palma da mão. Saiu um sangue que brilhava com partículas de ouro.

– Você precisa fazer a mesma coisa – explicou ele, entregando a faca para Tella.

– O que vai acontecer depois de eu me cortar?

– Nós vamos nos dar as mãos e dizer palavras mágicas.

O tom foi de deboche, mas os olhos sobrenaturais brilharam com uma determinação extrema e ele estendeu a mão ensanguentada para Donatella.

Jacks não parecia nada humano, e o sangue com partículas de ouro continuou a se acumular em sua mão. Tella deveria ter ficado com medo, mas sentia tanta dor e tanta tristeza que não havia espaço para emoções como essa.

Quando pressionou a adaga contra a mão, não sentiu o corte. O sangue se acumulou, mais escuro do que o sangue brilhante que escorria pelo pulso do Arcano. Mas o Príncipe de Copas não fez nada para impedir o fluxo. Estava com os olhos fixos na mão dela e observou duas gotas vermelhas caírem e mancharem a faixa amarela e clara de sua saia cor de hortênsia. O vestido que, no início do dia, era tão alegre, estava arruinado, como tantas outras coisas.

Donatella devolveu a adaga para Jacks, mas ele a jogou no chão e segurou a mão ensanguentada da garota.

A pulsação do Arcano estava acelerada. As mãos nunca estiveram tão quentes. O sangue que saía do corte parecia estar ansioso para se misturar ao sangue de Tella.

– Agora, repita comigo.

As palavras que se seguiram foram ditas em um idioma que Tella não conhecia. Cada uma ganhava vida em sua língua, com um sabor metálico e com a doçura da magia: parecia que ela conseguia sentir o gosto do sangue que fluía entre as mãos deles e que se assomava, com mais abundância e calor, a cada palavra estrangeira que era pronunciada. O Arcano prometera tirar a dor e o sofrimento da jovem. Mas algo naquela troca fez Donatella ter a sensação de que estava entregando mais do que isso para ele.

*Pare, antes que seja tarde demais.*

Só que Tella não conseguia parar. Jacks podia pegar o que quisesse – desde que tirasse aquele sofrimento dela.

O Arcano pronunciou as últimas três palavras de uma vez, com uma voz que retumbava de poder: *"Persys atai lyrniallis"*.

Essas palavras não tinham um gosto doce, longe disso. Incrustaram-se na língua de Donatella feito arame farpado. Afiadas, doloridas e completamente profanas. O sofá de couro, a lareira vazia, a mesa lotada de coisas, tudo desapareceu.

Tella se segurou para não gritar e para não se apoiar em Jacks quando os cordões invisíveis da magia chicotearam as mãos dadas dos dois: pareciam fios de chamas e sonhos que pegavam fogo. E aí o fogo se espalhou, queimou os braços da garota, incendiou o peito e foi marcando a pele, à medida que aquela magia bruta infectava suas veias.

– Não solte a minha mão – ordenou Jacks.

Com a mão livre, ele também segurava a outra mão de Tella. Mas ela mal conseguia sentir. Estava de novo na caverna, naquele chão de pedra, vendo a mãe se afastar. E aí Gavriel apareceu. E, dessa vez, não havia nenhuma prancha girando entre o homem e a garota. Donatella estava vendo a Estrela Caída tirar a adaga do peito, enfiar no coração de Paloma e torcer até que...

– Olhe para mim – censurou Jacks, com os dentes cerrados.

Tella abriu os olhos.

A testa do Príncipe de Copas estava empapada de suor, e o peito do Arcano subia e descia com movimentos irregulares, porque sua respiração entrecortada acompanhava a de Donatella. Não estava apenas removendo a dor dela, estava absorvendo-a. Lágrimas de sangue corriam pelo rosto de Jacks, e o sofrimento empalideceu seus olhos.

Tella apertou ainda mais as mãos dele e encostou a testa na testa de Jacks.

– A transação está intensa demais para você? – perguntou o Arcano, ofegante. – Ou será que você está mesmo preocupada comigo?

– Não seja convencido.

– Não minta para mim. Estou sentindo tudo que você está sentindo.

Ele então aproximou a boca tão perto da boca de Tella que ela sentiu o gosto das lágrimas de sangue que pingavam do Arcano. Eram amargas, repletas de luto e de perda, mas também frias e puras, feito gelo. Não foi exatamente um beijo, mas até que não doeu tanto quando Donatella roçou os lábios nos lábios do Príncipe de Copas.

Talvez devesse permitir que ele a beijasse... talvez, dessa vez, isso não fosse lhe fazer mal.

– Prometo que, dessa vez, não vai doer – disse Jacks, com a voz rouca e os lábios encostados nos de Donatella.

A garota se permitiu roçar os próprios lábios nos lábios do Príncipe de Copas novamente. Jacks era um mentiroso e era um Arcano. Mas, quando o beijou, teve a melhor sensação que tivera naquele dia.

A dor que sentia se despedaçou quando ele a beijou. Tudo virou um emaranhado de línguas, de lágrimas, de sangue e de mágoa, e Jacks continuou removendo a tristeza dela. O Arcano bebia esse sofrimento a cada movimento carente de seus lábios gelados contra os de Tella. Continuou com as mãos entrelaçadas nas dela, mas as levou para suas costas, abraçando-a com força e a prendendo em seus braços, até os dois caírem no chão.

Esse era um beijo bem diferente daquele primeiro beijo perfeito que ocorrera durante o Baile Místico. Esse beijo era aflito, louco, brutal e deturpado. Repleto de todas as emoções terríveis que fluíam entre os dois. Uma torrente de tristeza e dor. Estavam em cima do tapete áspero, emaranhados. Donatella afundou os dentes nos lábios de Jacks, com força suficiente para tirar sangue.

Jacks beijou Donatella com mais intensidade, de um jeito possessivo, mordiscando seu maxilar, depois o pescoço, e foi descendo, beijando e mordendo, até chegar aos ombros.

Até então, o Arcano podia sentir as emoções da garota. Mas, agora, *a garota* conseguia sentir as emoções do Arcano. Apesar de ter absorvido tanto a dor quanto a tristeza de Tella, não era isso que Jacks sentia naquele momento. Sentia desejo. Desespero. Volúpia. Obsessão. Ele a desejava. Donatella era tudo o que Jacks queria. O Príncipe de Copas não pensava em outra coisa. A jovem sentiu isso porque o beijo começou a mudar, deixou de ser impulsivo e afoito e se tornou lânguido, de deleite: parecia que o Arcano havia pensado naquilo por muito, muito tempo e estava pondo em prática tudo o que havia imaginado.

Algo distante, que Tella tentou ignorar, lhe disse que tudo aquilo era um grande erro – não era Jacks quem ela queria, era Lenda. Não importa o que fizesse ou quem ele fosse, sempre seria Lenda. Talvez, jamais pudesse *tê-lo* de fato, mas o queria. Se era para beijar um dos vilões, queria que fosse Lenda, não Jacks.

Precisava se afastar do Príncipe de Copas.

Só que Lenda nunca mais encostou um dedo nela. Mesmo que estivesse ali, talvez não a tivesse abraçado, que dirá beijado. E era tão bom ser beijada, ser valorizada e acariciada. Sentir desejo e não dor. A tristeza havia quase sumido, e o beijo ficou mais intenso. Ou, quem sabe, agora que Donatella não estava mais sentindo aquele desespero esmagador nem vendo a morte, podia sentir realmente o beijo por completo e cada centímetro do corpo de Jacks contra o dela.

Mas, mesmo na confusão em que se encontrava, Tella sabia que não podia permitir que aquilo continuasse.

Puxou a mão ensanguentada para se libertar da mão de Jacks e pôs fim ao beijo.

O Príncipe de Copas não tentou detê-la. Mas tampouco fez menção de se afastar. Os dois estavam deitados de lado, com o peito encostado e as pernas emaranhadas.

A dor, a tristeza e a mágoa haviam sumido. Assim como todas as forças de Donatella. Ela virou geleia. Estava oca. Seu vestido estava todo manchado de sangue, assim como as mãos e o corpo de Jacks. Algo íntimo, que ia além daquela intimidade física, acabara de acontecer entre os dois.

O rosto do Arcano tinha linhas vermelhas, fantasmas das lágrimas que havia chorado por Tella.

A garota deveria ter tentado ir embora. Mas seu corpo estava exausto. E gostava da sensação de ser abraçada por Jacks, que a apertava contra o peito gelado, como se quisesse que ela ficasse ali. Depois que recobrasse suas forças, Donatella voltaria a odiá-lo. Naquele momento, só se importava com o fato de a dor ter sumido.

– Obrigada, Jacks.

Ele fechou os olhos, respirou fundo e disse:

– Não sei se realmente te fiz um favor, meu amor.

14

# Donatella

Tella foi acordando aos poucos. Os escassos sonhos que teve foram lampejos febris, tão fugazes que não conseguia se lembrar deles completamente, mas sabia que Lenda não esteve neles.

Depois de passar dois meses com a presença de Lenda em seus sonhos, não estava acostumada a sonhar sozinha. E também não esperava sonhar sozinha. O Mestre do Caraval tinha recobrado os poderes. Desde que roubara todos os poderes da bruxa, era provável que tivesse ainda mais poder do que antes. Mesmo assim, naquela noite, não visitara Donatella em sonho.

Será que percebera que a jovem o havia seguido no dia anterior? Será que ainda havia algo de errado com seus poderes? Ou será que era alguma outra coisa?

O coração de Tella batia acelerado e sua pele estava quente, menos nas partes em que estava enroscada nos braços e nas pernas geladas do Príncipe de Copas.

*Malditos sejam os santos e seu sangue.*

Ela precisava sair dali.

Não planejara dormir ali a noite *inteira*. Precisava ir embora e encontrar a irmã, que devia estar morrendo de preocupação.

Com toda a delicadeza, Donatella tirou a perna do meio das pernas de Jacks. Os braços do Arcano reagiram, puxando-a mais para perto. O ar saiu de supetão dos pulmões da garota, porque o rosto dos dois ficou perfeitamente alinhado.

Mesmo dormindo, Jacks tinha uma beleza perversa. As sobrancelhas formavam uma linha cruel, os cílios escuros pareciam tão afiados que poderiam furar o dedo de alguém, as bochechas eram tão brancas ao ponto de exibir um tom gelado de azul e os lábios ainda tinham resquícios do sangue da mordida que levara de Tella quando se beijaram.

De repente, ela sentiu um calor na pele. Ainda sentia o gosto do Arcano em seus lábios. Ácido, amargo e deliciosamente doce. Maçã, pesar e magia mística. Não queria pensar que o que acontecera tinha sido um erro, mas não podia permitir que acontecesse de novo.

Desistindo de ser delicada, Donatella se sacudiu, toda desajeitada, para se desvencilhar dele, levantou-se com um pulo, correu até a porta e saiu da casa de Jacks.


Tella sentiu o cheiro de mingau do café da manhã e de chá preto amargo quando bateu na porta da pensão. A madeira marrom-clara estava morna do sol que acabara de raiar. Seria mais um dia quente. A nuca da garota já estava úmida por causa do crescente calor.

Ela olhou para a sujeira e o sangue que manchavam seu exausto vestido cor de hortênsia. Nem tinha passado pela cabeça dela pegar uma capa de Jacks antes de ir embora. Se Scarlett visse o sangue na saia, faria perguntas que Donatella não queria responder. De qualquer forma, vendo ou não o vestido, provavelmente ela já a encheria de perguntas.

Mas era tarde demais. A dona da pensão já tinha aberto a porta. Deu uma olhada em Tella e já foi fechando e dizendo:

— Não fazemos caridade.

— Espere... — A garota segurou a beirada da porta. A mulher não deve tê-la reconhecido, naquele estado de desalinho. — Alugo quartos aqui, no segundo andar, com minha irmã.

— Não aluga mais. — A dona da pensão fez um beicinho e completou: — Você e sua irmã foram despejadas por destruição ao patrimônio alheio. Vá embora ou vou mandar te prender.

— Você não pode fazer isso. — Da última vez que Donatella esteve ali, rasgara o lençol da cama. Mas isso estava longe de constituir destruição do patrimônio alheio. — Eu e minha irmã já pagamos para ficar aqui até o final do ano. Então, saia da minha frente. Senão, eu é que vou mandar te prender.

A jovem empurrou a porta, com força suficiente para escancará-la de vez.

– Pare! – gritou a dona da pensão. – Se der mais um passo, vou chamar a patrulha.

– Pode chamar! – gritou Tella, subindo a escada rapidamente.

Não sabia o que estava acontecendo, mas precisava ver a irmã e...

Parou de repente, bem na frente da porta. Restavam apenas fragmentos da madeira indefesa, pendurados nas dobradiças. Alguém pregara um lençol no batente. Mas, sabe-se lá como, isso só piorou as coisas: parecia um caixão fechado em um velório.

Donatella arrancou o tecido com um único puxão.

– Scarlett?

Ela chamou a irmã, mas sua voz só encontrou silêncio e caos. A mobília estava despedaçada e chamuscada, os espelhos estavam quebrados, e estilhaços dos lustres cobriam o chão com lágrimas de vidro afiadas. Parecia uma cena de crime.

– Scarlett! – gritou Tella novamente, mais alto.

Ao pensar que perdera a irmã, as emoções dolorosas que Jacks havia retirado dela ameaçaram voltar sob uma nova forma. Pelo jeito, não havia sangue no recinto, mas isso não queria dizer que Scarlett estava bem. E Tella não conseguia imaginar a irmã mais velha fazendo tudo aquilo.

– Ela está lá em cima, guardas.

A voz rígida da dona da pensão subiu as escadas, seguida por dois guardas de uniforme azul-real.

Tella começou a entrar em pânico. Ficou com o peito apertado, como ficara na noite anterior.

– Scarlett?

Tentou chamar, mais uma vez, só que era óbvio que a irmã não estava ali.

Àquela altura, vários hóspedes estavam espiando pela porta de seus quartos. A expressão deles variava da curiosidade à irritação, passando por susto e medo, mas ninguém disse uma palavra quando os guardas se aproximaram de Donatella.

Uma guarda mulher se aproximou primeiro, lenta e cuidadosamente, como se Tella fosse um gato de rua que poderia arranhar ou fugir.

– Não vamos machucar você – disse a mulher.

– Mas vamos, sim, se você tentar fugir. – disse um outro guarda.

Donatella virou a cabeça para o guarda, de supetão.

E, em seguida, sentiu a pressão e a dureza do metal, porque a guarda foi para frente de súbito e prendeu, rapidamente, os pulsos de Tella com algemas.

– O que vocês acham que estão fazendo? – berrou a garota.

– Estamos prendendo a senhorita por ordem de Vossa Alteza, Príncipe Dante.

15

## Donatella

Tella sacudiu as grades do calabouço, sentindo-se a própria Dama Prisioneira, o Arcano que foi jogado em uma cela sem motivo.

— Vossa Alteza!

A magia a sufocava toda vez que tentava chamar por Lenda, mas ela não estava a fim de gritar o nome de alguém que não existia de verdade nem de gritar o nome Dante. Ou, pior ainda: "Príncipe Dante". Mas chamar "Vossa Alteza" tinha um quê de deboche muito agradável.

Donatella não conseguia *acreditar* que Dante havia mandado prendê-la. Será que tinha feito isso porque sabia que a garota o seguira no dia anterior? Tella achava que Lenda não a vira. Mas, mesmo que tivesse visto, isso não lhe dava o direito de mandar prendê-la.

Definitivamente, não precisava se sentir culpada por ter beijado Jacks.

Donatella sacudiu as grades novamente. As gárgulas de pedra empaladas na ponta das grades a fitavam com ar de superioridade e olhos esbugalhados. Ela não sabia quanto tempo estava presa ali, completamente sozinha. Quando a arrastaram lá para dentro, olhou para as outras celas, imaginando que Lenda também poderia ter levado a amiga bruxa para lá. Mas só viu as marcas de contagem dos dias gravadas nas paredes. Também havia nomes gravados nas pedras secas, mas a jovem não planejava ficar ali ao ponto de também escrever seu nome naquelas paredes.

— Você não tem direito de me manter presa! — gritou.

Uma porta pesada se abriu, rangendo, no fim do corredor iluminado por tochas. O rangido foi seguido por passos confiantes, de botas, que Tella conhecia muito bem. Lenda ainda não fora coroado, mas já andava como um imperador que entra na sala do trono.

Donatella foi erguendo os olhos, das botas pretas de cano alto que ele estava usando até chegar na calça preta e justa que acentuava as pernas musculosas do Mestre do Caraval. Daí passou para a camisa, também preta, que contrastava com o colete com finas listras cinza-lobo, no mesmo tom do lenço amarrado no pescoço e das lapelas da casaca de veludo. A casaca era do tom intenso e régio das amoras – um tom que Tella nunca vira nas roupas de Lenda. Mas caía bem nele: acentuava sua pele cor de bronze, deixava seu cabelo ainda mais escuro e os olhos ainda mais reluzentes, destacando as partículas douradas que a faziam lembrar das estrelas à noite.

Não era para menos que já haviam começado a fazer estátuas do futuro imperador e espalhá-las pela cidade. Lenda podia até ser um mentiroso e um vilão, mas fazia essas duas coisas parecerem muito boas.

As outras celas estavam vazias, mas o Mestre do Caraval não dirigiu o olhar para elas. Donatella teve a impressão de que Lenda não dirigiria o olhar para as outras celas mesmo que estivessem lotadas de criminosos letais. Agia como se não existisse nada no mundo dos seres humanos capaz de lhe fazer mal. Nem sequer olhou de relance para trás. De acordo com a bruxa, ele possuía uma única fraqueza, e Tella duvidava que a tal fraqueza estivesse ali, naquele calabouço.

Não conseguia acreditar que fora atrás de Lenda e entrara em outro mundo porque achava que ele estivesse em perigo. Apesar de ser verdade o que disse, que tinha perdido parte de seus poderes, Tella deveria ter adivinhado que o Mestre do Caraval faria qualquer coisa para recobrá-los.

– Tire-me daqui, seu bastardo!

– Acho que prefiro *Vossa Alteza*.

Ele continuou se aproximando de Donatella com seus passos elegantes, percorrendo o corredor mal iluminado com toda a calma. Uma pessoa de fora poderia pensar que aquele homem não sentia nada muito intenso em relação à atual situação dos dois. Mas Tella passara os últimos dois meses sonhando com o Mestre do Caraval. Conhecia seus movimentos – conhecia *Lenda*. Percebeu o tique de ficar mexendo o queixo quando ele a mediu com os olhos, bem devagar, começando pelos pés descalços da garota e subindo pelas pernas à mostra. O olhar ficou mais tenso quando chegou à saia, com todas aquelas plumas arrancadas. Só que não fez o costumeiro comentário debochado. Pelo contrário: Donatella reparou que rugas se formaram na testa de Lenda, como se ele estivesse tentando entender algo.

Seria possível que não soubesse que fora seguido por Tella quando foi visitar a bruxa? E, se fosse esse o caso, por que, então, mandara prendê-la?

A jovem olhou feio para o Mestre do Caraval quando ele dirigiu o olhar invasivo ao pescoço de Tella, aos lábios e, em seguida – finalmente –, aos olhos.

De repente, fez calor no calabouço. O olhar de Lenda ainda estava tenso e sinistro, mas tinha contornos de um calor que Donatella sentiu até os dedos dos pés.

Por meses, Tella imaginou como seria quando se encontrassem novamente, fora dos sonhos. Ponderou se Lenda, finalmente, encostaria nela, se pediria desculpas por tê-la abandonado nos degraus da entrada do Templo das Estrelas. Chegou até a imaginar que ele lhe pediria para ser imperatriz. Quase deu risada ao pensar nisso naquele momento, mas falou muito sério quando disse:

– Só porque você vai ser imperador não quer dizer que pode mandar me prender sem motivo.

Um canto dos lábios dele se ergueu lentamente, esboçando um sorriso arrogante.

– Na verdade, posso, sim. Mas não queria que você fosse presa. Só pedi para meus guardas buscarem você e trazerem até mim quando a encontrassem.

Ele falou com um tom frio, sem emoção. Mais uma vez, uma pessoa de fora poderia não ter reparado que as frases de Lenda se tornavam afiadas feito faca bem no finalzinho. Definitivamente, estava bravo. E bravo *com Donatella*.

A garota não conseguia acreditar. A mãe havia morrido. Os Arcanos estavam despertos. A irmã fora sequestrada. Os guardas *de Lenda* a haviam trancafiado. E, apesar de tudo isso, aquele homem continuava olhando para ela como se Donatella é que tivesse feito algo de errado.

– Qual foi o crime que eu cometi?

– Já disse que não mandei prender você. Sei que não gosta de gaiolas. Só estava tentando encontrá-la.

– E precisava mesmo ter usado seus guardas para fazer isso? – Tella tentou falar com o mesmo tom sem emoção de Lenda, mas era difícil.

Conseguia sentir que o feitiço de Jacks estava perdendo o efeito. Sentia um aperto no peito, e a cabeça latejava. E o futuro imperador ainda não havia destrancado a porta da cela. – Se você queria me encontrar, por que simplesmente não veio me visitar em sonho e perguntar como eu ando?

Lenda foi logo cerrando os dentes e respondeu:

– Tentei.

– Então por que não conseguiu? – perguntou Tella. Pouco depois de ter começado a aparecer nos sonhos da garota, Lenda a ensinou como controlar certas partes desses sonhos: pequenos truques, como o que ela fazia para mudar de roupa, e truques mais elaborados, caso Donatella não quisesse que certas pessoas entrassem em seus sonhos. Mas, mesmo quando estava enfurecida com Lenda, a jovem sempre permitiu que o rapaz entrasse. – Eu não estava impedindo você de entrar.

– Eu sei. Mas outra coisa estava.

Tella não viu Lenda se movimentar – deve ter usado magia para esconder o que estava fazendo. Mas, do nada, a porta que separava os dois se abriu, e ele estava com alguma coisa na mão: dois confetes, um em forma do naipe de espadas e o outro de copas, em forma de coração.

Uma memória aguda veio à tona: Jacks carregando Tella no colo, dentro de seu antro de jogatina, e a chuva de confetes em forma de naipes que caiu sobre eles. Será que era por isso que Lenda estava bravo com ela, porque tinha passado a noite com o Arcano?

– Aonde você foi ontem à noite, Donatella?

Mais uma vez, ela não percebeu a movimentação do Mestre do Caraval, e Lenda estava mais longe, encostado nas grades da cela da frente, deixando bem claro que, apesar de aquele não ser o ambiente dos sonhos de Tella, certas regras não haviam mudado. Ainda preferia ficar longe dela.

– Não é da sua conta – resmungou. – E, mesmo que fosse, não tenho tempo para discutir esse assunto com você. Preciso encontrar minha irmã.

– Tella!

A voz de Scarlett ecoou pelo corredor antes que a irmã pudesse vê-la vindo correndo, em uma tempestade de saias cor de framboesas ruborizadas, de uma cor tão viva e reluzente que iluminou o calabouço inteiro.

– Por onde você andou? – Scarlett abraçou a irmã com tanta força que Tella ficou sem ar. Ou, talvez, não estivesse conseguindo respirar porque as emoções, de repente, formaram um nó em sua garganta. A irmã não estava morta, não fora ferida nem sequestrada. Estava ali, sã e salva. – Reviramos a cidade inteira procurando por você e por Paloma.

– Achei que tinha acontecido algo com *você* – disse Tella, engasgada.

– E por que você achou isso? – perguntou Scarlett, lançando um olhar de acusação para Lenda.

Ele continuava apoiado nas grades da cela, olhando para Donatella com ar de reprovação.

– Não tive a oportunidade de contar que você estava aqui.

– Ah, que bom que você a encontrou – falou Julian, que apareceu no final do corredor e veio se aproximando, despreocupado, como se o clima no calabouço não estivesse tenso ao ponto de sufocar. Donatella nunca o vira tão bem-vestido, mas suas roupas finas estavam amarrotadas: parecia que o rapaz estava com elas desde o dia anterior. – Onde é que Tella estava?

– Estávamos, justamente, tentando entender. – Scarlett se virou para a irmã e completou: – Lenda falou que achava que Jacks havia levado você.

As saias cor de framboesa-viva do vestido de Scarlett começaram a desbotar quando ela percebeu o estado lamentável do vestido de plumas da irmã. Donatella, provavelmente, havia perdido mais algumas plumas quando passou a noite com Jacks, mas duvidava que as perdera do jeito que Scarlett estava imaginando. E, depois de tudo o que vira no dia anterior, tinha a sensação de que o Príncipe de Copas não era o imortal mais perigoso que conhecia.

– Sua mãe também está aqui? – perguntou Julian.

Scarlett não disse nada, mas Tella percebeu, nos olhos da irmã, que ela também queria fazer a mesma pergunta. Olhos que eram tão parecidos com os da mãe que, só de vê-los, Donatella tremeu inteira: parecia que os ossos queriam sair pela pele e fugir antes que fossem obrigados a reviver os horrores da noite anterior.

– O que foi, Tella? – perguntou Scarlett, pegando de novo na mão dela.

Donatella entrelaçou os dedos nos da irmã mais velha, do mesmo jeito que fez, quando era criança, um dia depois de a mãe das duas ter sumido de Trisda. Tella foi a primeira das duas a descobrir que Paloma havia desaparecido. Encontrara o quarto que o pai havia destruído depois que não conseguiu encontrar a esposa em lugar nenhum. E, quando Donatella percebeu, Scarlett estava do seu lado, segurando sua mão e prometendo, tacitamente, que não a soltaria enquanto Tella precisasse daquele apoio.

– Ela foi embora de novo? – supôs Scarlett.

Donatella ficou tentada a responder que sim. Seria muito mais fácil, tanto para ela quanto para a irmã, se simplesmente fizesse Scarlett acreditar que a mãe das duas havia fugido. Mas, se enveredasse pelo caminho mais fácil, seria muito mais difícil voltar para o devido caminho depois.

Na noite anterior, jurara a Estrela Caída de morte e planejava cumprir essa promessa. Encontraria uma maneira de destruir o Arcano e não conseguiria fazer isso sozinha.

Respirou fundo, mas o suspiro ficou preso em sua garganta, até que, finalmente, conseguiu dizer:

– A mãe morreu ontem.

Scarlett foi cambaleando para trás, com o tronco inclinado para a frente, abraçando a própria barriga, como se tivesse levado um soco no estômago que a deixou sem ar.

Tella teve vontade de pegar na mão da irmã de novo, mas não podia se dar ao luxo de parar para consolá-la. Se parasse de falar, sabia que ia começar a chorar. Tinha que continuar falando. Pôs a mão no bolso e mostrou a carta de despedida que Paloma havia deixado. Em seguida, contou que havia ignorado o conselho da mãe e ido atrás dela, até encontrá-la em uma das ruínas de Valenda, onde assistiu a todas as coisas perturbadoras que aconteceram entre a Estrela Caída e Paloma, até que o Arcano, por fim, tirou a vida dela. Só omitiu parte da verdade ao contar o envolvimento de Jacks na história. Como todos ali já sabiam que Donatella estivera na companhia do Príncipe de Copas, falou que Jacks a havia encontrado e a carregado no colo, tirando-a da caverna. Mas não contou que ele também a ajudara a suportar a dor, levando embora parte de seu sofrimento.

Quando terminou de contar, parecia que os quatro não estavam mais nos corredores do calabouço de Lenda. Mais uma vez, Tella não viu o Mestre do Caraval se movimentar, mas sabia que ele havia criado a ilusão reconfortante do novo cenário. O chão gelado se transformara em carpetes fofos cor de creme, as paredes de pedra se tornaram de pedra-sabão branca, e as janelas com grades foram substituídas por belas janelas de vitral, com imagens serenas de nuvens em céus calmantes que lançavam uma luz azul-clara no rosto pesaroso de todos.

Julian foi o primeiro a dar as condolências. Em algum momento, enquanto Tella contava a história, aproximara-se de Scarlett e passara o braço em seu ombro.

Lenda permanecia distante. Apoiou-se em uma das paredes reluzentes, mas, quando olhou para Donatella, a raiva e a desconfiança haviam sumido de sua expressão, substituídas por um olhar tão indescritivelmente terno que a garota jamais imaginaria que ele fosse capaz de dar.

– Gostaria de ter o poder de trazê-la de volta. Sei o quanto sua mãe é importante para você e sinto muito por você tê-la perdido dessa forma – falou.

Os dedos de Lenda se mexeram, como se ele estivesse tentado a encostar em Tella. Mas, pela primeira vez, Donatella ficou feliz por aquele homem não ter tentado tocar nela. Na noite anterior, o abraço de Jacks impedira que Tella desmoronasse. Só que a jovem tinha a sensação de que, se o Mestre do Caraval a abraçasse naquele exato momento, ela iria desmoronar completamente. Conseguia aguentar seus olhares de censura e suas alfinetadas, mas, se Lenda a tratasse com ternura, desabaria.

Scarlett não disse uma palavra, mas lágrimas correram pelo seu rosto, mais lágrimas do que Tella esperaria, dado os sentimentos conflitantes que a irmã tinha em relação à mãe. Donatella sentiu que deveria tentar consolá-la, em vez de deixar que Julian fizesse isso. Só que, de novo, temia que isso apenas fizesse com que ela também caísse no choro.

Então Tella foi envolvida por um calor, porque Scarlett se desvencilhou de Julian e abraçou a irmã. O peito dela tremia, mas seus braços eram inabaláveis e abraçavam Donatella com uma força absurda, do mesmo jeito que abraçou um dia depois de a mãe das duas ter desaparecido quando elas ainda eram crianças.

A garota estremeceu no abraço da irmã, mas não desmoronou, como temia. Paloma, certa vez, tinha dito que não havia nada comparável ao amor de uma irmã, e esse foi um dos momentos em que Tella sentiu a verdade dessa afirmação. Sentia o amor da irmã em dobro, tentando curar a ferida deixada pela morte da mãe. Era cedo demais para curar a ferida, e Donatella não sabia se um dia ficaria completamente curada dessa dor. Mas o amor de Scarlett a fez lembrar que, apesar de certas coisas jamais cicatrizarem, outras ficavam mais fortes.

– Acho que devemos sair e deixar as duas a sós por um tempo – sussurrou Julian para Lenda.

– Não – disse Tella, desvencilhando-se de Scarlett. – Não quero viver o luto agora. Vou viver esse luto depois que a Estrela Caída tiver morrido.

– Precisamos deter os outros Arcanos também – completou Scarlett, fungando. – Não podemos permitir que ninguém mais sofra desse jeito ou do jeito que vimos ontem.

– O que foi que vocês viram ontem? – perguntou Tella.

– Uma família petrificada pelo Envenenador.

– Mas não tínhamos certeza de que foi ele nem de que os Arcanos estavam de fato acordando. Até agora – completou Julian.

– Mas você suspeitou. Foi por isso que mandou os guardas me procurarem?

Tella dirigiu essa pergunta a Lenda. Mas não demonstrou se realmente tinha se preocupado com a segurança dela e não apenas com ciúme de Jacks. Fechou a cara, e qualquer traço de bondade ou ternura sumiu de seu belo rosto.

– Você viu algum outro Arcano quando estava com Jacks? – perguntou. – Você sabe com quem ele está mancomunado neste exato momento?

– Não – respondeu Tella.

Poderia ter dito mais. Poderia ter contado onde Jacks estava e o que fazia em seu antro de jogatina: tinha certeza de que os três estavam curiosos. Só que, naquele momento, o Príncipe de Copas não era o verdadeiro inimigo. A Estrela Caída era. E, de acordo com a bruxa, só existia uma fraqueza que permitiria matá-lo – e Lenda possuía essa mesma fraqueza.

– Acho que precisamos nos preocupar menos com Jacks, que de fato me *ajudou* ontem à noite, e mais com a Estrela Caída. Qual é a fraqueza desse Arcano?

– Não sei – respondeu o Mestre do Caraval.

– Sabe, sim.

Donatella continuou encarando Lenda. Até então, o olhar dele estivera repleto de estrelas. Mas mudaram para aquele tom sem alma de preto-ônix com veios azul-noite, as mesmas cores das asas que Dante tinha tatuadas nas costas. Como Tella pôde pensar que Lenda era apenas

Dante? Deveria ter adivinhado só pela cor dos olhos do rapaz. Olhos não mudam de cor. As pupilas podem se dilatar, e a parte branca pode ficar amarelada ou vermelha, mas a íris não muda, como a íris dele mudava.

– Não minta para mim, Lenda. Esmeralda te contou que você e a Estrela Caída têm a mesma fraqueza.

Os olhos do Mestre do Caraval brilharam – branco-dourado. Por um instante, rugas se formaram em volta deles, como se ele estivesse sorrindo, mas sumiram tão depressa que Tella pensou que era coisa da imaginação dela. Não esperava que a reação dele fosse achar graça da situação.

– O que ela disse foi inútil – respondeu Lenda, com uma pontada de amargura no tom de voz. – Se quisermos derrotar a Estrela Caída e ter uma chance de matar os Arcanos, precisamos encontrar outra fraqueza.

– Espere aí… Você foi falar com Esmeralda?

A expressão de choque de Julian deixou claro que Tella não era a única pessoa de quem Lenda guardava segredo a respeito de suas atividades fora do palácio.

– Quem é Esmeralda? – perguntou Scarlett, olhando para os dois irmãos.

– Fazia muito tempo que eu não ouvia esse nome – interveio uma outra voz, e Jovan entrou no corredor reluzente. A garota era uma das artistas mais simpáticas de Lenda. Mas, talvez, também fosse a mais difícil de decifrar. Estava sempre sorrindo. Sempre simpática, sempre alegre. Como ninguém consegue ficar tão feliz assim o tempo todo, Tella às vezes pensava que os sorrisos de Jovan eram apenas uma das partes do figurino que a artista usava durante o Caraval.

Mas Jovan não estava sorrindo. Quando se aproximou do Mestre do Caraval, seu rosto tinha uma seriedade nada característica. Em um dos sonhos, Lenda contara para Tella que a maioria dos artistas assumira cargos no palácio quando a última edição do Caraval terminou e ele foi declarado herdeiro do trono. Pelo jeito, Jovan era uma guarda de alto escalão, pois vestia um uniforme militar azul-marinho, com listras douradas nas laterais das pernas da calça e casaco enfeitado com dragonas douradas nos ombros, que refletiam na pele negra de seu rosto.

– Posso conversar com o senhor por um instante, Alteza? Ocorreu outro incidente.

# 16

## *Donatella*

As bordas das janelas ilusórias de Lenda trincaram.

– Com qual dos Arcanos? – perguntou ele.

– Com o Envenenador, mais uma vez. Transformou todos os participantes de um casamento em pedra, perto do Castelo de Idyllwild. Agora já estão bem – Jovan logo completou. – Mas a pessoa que os salvou não está. O Envenenador deixou um bilhete, dizendo que os presentes só voltariam a ser humanos quando alguém tomasse seu lugar de livre e espontânea vontade. A irmã da noiva se sacrificou.

Scarlett juntou as mãos, como se quisesse enviar uma oração aos deuses.

– A irmã está petrificada neste exato momento? – indagou.

Pesarosa, Jovan fez que sim e falou, em seguida:

– Minhas desculpas, Alteza. Tomamos todas as precauções que o senhor pediu.

O futuro imperador passou a mão no queixo e completou:

– Leve a garota para o jardim de pedra e veja se uma daquelas poções que Delilah vende durante o Caraval pode reverter a situação. Desta vez, pelo menos, os convidados do casamento conseguiram dar uma boa descrição do Envenenador?

– Dele, não – respondeu Jovan. – Mas uma pessoa ficou com a impressão de que o Envenenador levou alguém com ele.

Lenda soltou um palavrão baixinho.

– O senhor acha que devemos cancelar o Labirinto ao Luar programado para amanhã e pedir para que ninguém saia de casa? – perguntou Jovan.

– Não. Podemos decretar um toque de recolher para quem não foi convidado e dizer que a medida se deve aos preparativos da coroação. Se cancelarmos o Labirinto, todos ficarão sabendo que tem alguma coisa errada.

– Mas *tem* alguma coisa errada – interveio Julian.

Dito isso, lançou um olhar firme para o irmão. Só que, mesmo assim, era um olhar simpático, comparado ao olhar frio que Lenda era capaz de dar.

– Os Arcanos se alimentam do medo – explicou o Mestre do Caraval. – Não quero transformar a cidade inteira em um banquete para eles. E, até onde sabemos, a Estrela Caída, o Envenenador e o Príncipe de Copas foram os únicos que já despertaram.

– Jacks não é uma ameaça – protestou Tella. – O único Arcano com o qual precisamos nos preocupar é a Estrela Caída. Não podemos sequer ferir os outros antes que ele esteja morto. Só que Lenda não quer nos contar como podemos derrotá-lo, porque tem medo de revelar a própria fraqueza.

Em seguida, Tella fez sua careta mais feia para o futuro imperador.

As narinas dele se dilataram, e Donatella sabia que não era coincidência o fato de o vitral das janelas ter se preenchido com nuvens escuras de tempestade e relâmpagos.

– Deixem que eu fique um instante a sós com Tella – pediu ele.

Não precisou pedir duas vezes. Julian e Jovan deram meia-volta e logo saíram pelo corredor. Scarlett foi a única que lançou um olhar para Donatella, mas a mais nova das irmãs fez um movimento com a cabeça, dando a entender que não havia problema deixá-la sozinha ali. Já estava mais do que na hora de ter aquela conversa com Lenda.

Assim que os outros saíram de vista, Tella se virou para Lenda, mas foi pega de surpresa, porque o corredor tinha mudado mais uma vez.

O teto se expandiu e ficou a mais de três metros de altura. As paredes, que até então eram de pedra-sabão branca, se transformaram em um paredão de mogno com estantes embutidas, repletas de livros novinhos em folha, e armários com portas de vidro cheios de tesouros iluminados por luzes delicadas que ficavam flutuando, feito fadinhas perdidas. A antiga cela de prisão onde Tella estava se transformara uma lareira crepitante, que aquecia suas costas, e peles extraordinariamente macias amorteciam seus pés. Em seguida, apareceram poltronas de veludo vermelho, com espaldares largos em forma de concha, como as que ela gostava de ter no cenário dos sonhos que tinha com Lenda. Os dois estavam diante do fogo escaldante, que convidava Donatella a se sentar, e uma suave melodia de violino descia do teto abobadado.

Impossível não comparar aquele cenário à sombria sala de estudos de Jacks, com o sofá de couro gasto, cor de uísque, e o tapete todo chamuscado. Era um lugar para cometer erros e fechar acordos ruins. Apesar de não ter comentado que passara a noite com o Príncipe de Copas, a garota ficou com a sensação de que Lenda estava tentando provar alguma coisa com aquela ilusão grandiosa: o que ele tinha a lhe oferecer não se comparava às coisas que era capaz de fazer.

– Você está tentando se exibir? Ou apenas me distrair? – provocou Donatella.

– Achei que você se sentiria mais à vontade aqui. – Nessa hora, o Mestre do Caraval, ainda de casaca, atravessou o cômodo elegante e apoiou o cotovelo na cornija da lareira. – Se você não gosta, posso mudar. Como era mesmo aquele sonho pelo qual você ficou tão apaixonada? Foi o das zebras?

Então deu um sorriso debochado, ficando muito mais parecido com o Lenda dos sonhos da garota do que quando apareceu no calabouço. O sorriso foi se alargando conforme o vestido de Donatella ia se ajustando ao corpo e as plumas viravam faixas de seda preta e branca, imitando o vestido que ela usava no sonho que o futuro imperador acabara de mencionar. Tella tinha comentado com ele que não sabia se acreditava na existência desses curiosos animais, e as zebras criadas por Lenda a deixaram empolgada. Mas, na verdade, o que a empolgara tanto naquele sonho foi o fato de o rapaz não conseguir tirar os olhos dela.

– Pare de tentar me distrair. E tire essa ilusão do meu vestido. Não quero ser sua próxima Esmeralda.

O sorriso de Lenda sumiu.

– Você e Esmeralda…

– Não venha me dizer que não somos parecidas – interrompeu Tella. – Já sei que somos, porque espionei você.

Nessa hora, os olhos dele ficaram enevoados.

– Então por que você está chateada?

– Você enganou aquela mulher. Roubou toda a magia dela. E depois a sequestrou!

A expressão do Mestre do Caraval não mudou. Mas, atrás dele, o fogo ardeu ainda mais, mudando de laranja para um tom de vermelho em brasa.

– Se você conhecesse a Esmeralda, não sentiria pena dela, Tella. Ela não é inocente. Eu a levei comigo para que pagasse por seus crimes. Esmeralda é ancestral. Era consorte da Estrela Caída e, antes de aprisioná-lo nas cartas com os outros Arcanos que ele criou, o ajudou a criar os Arcanos. É responsável pela existência deles, e o Templo das Estrelas quer que seja julgada por isso.

– E o que isso tem a ver com você?

– Você deve se recordar de que fiz um trato com o templo.

Lenda tirou a casaca. Também tirou uma das abotoaduras e arregaçou uma das mangas da camisa preta.

Poderia parecer que estava fazendo isso porque ficou com calor, por causa das chamas escaldantes da lareira. Só que, à medida que foi fazendo esses movimentos, Tella viu de relance a marca na parte de baixo do pulso dele.

A marca de queimadura não estava mais tão brutal quanto da primeira vez que a garota a vira. Estava tão descolorida que Donatella mal conseguia detectá-la: parecia que estava cicatrizando e sumindo. Mas ainda recordava da aparência anterior daquela cicatriz – e do que significava. Lenda fora marcado a ferro e fogo pelo Templo das Estrelas, para que Donatella tivesse permissão de entrar no cofre em que a mãe havia escondido o Baralho do Destino amaldiçoado no qual os Arcanos estavam aprisionados.

– Prometi para o templo que entregaria a bruxa que ajudou a criar os Arcanos. Quando fiz isso, jurei pela minha imortalidade. Se eu não tivesse entregado Esmeralda para eles, teria morrido naquela noite. E, desta vez, nada me traria de volta à vida. Sei que está brava comigo neste exato momento, mas espero que você não deseje minha morte.

É claro que Tella não desejava a morte de Lenda. Só de pensar que o Mestre do Caraval poderia estar em perigo, foi atrás dele e entrou em outro mundo. Mas tinha a sensação de que contar isso seria revelar demais, tendo em vista que Lenda não estava revelando nada.

Quando o futuro imperador aceitou ser marcado a ferro e fogo pelo Templo das Estrelas no lugar de Tella, a garota ficou com a sensação de que ele havia feito um enorme sacrifício. Mas, sabendo o quanto Lenda estava disposto a se esforçar para conseguir o que queria, Donatella não sabia mais se o rapaz fizera aquele trato para impedir que ela fosse escravizada pelo templo ou se passara por aquilo para garantir que a jovem conseguisse entrar no cofre e pegar as cartas para ele.

Donatella queria acreditar que o Mestre do Caraval havia feito esse sacrifício por ela. Só que ainda não tinha certeza disso e, naquele exato momento, esse não era o assunto mais importante. Lenda podia até ter esclarecido alguma coisa a respeito da bruxa, mas ainda não respondera às perguntas que Tella mais queria que ele respondesse.

— É *por isso* que você não quer me contar qual é sua fraqueza? Porque chegou mesmo a pensar que eu desejava sua morte? Acha que vou usar sua fraqueza contra você?

Lenda olhou para o fogo na lareira, para não olhar nos olhos de Tella.

— A fraqueza que tenho em comum com a Estrela Caída não nos trará nada de bom nem vai nos ajudar a derrotá-lo.

— E desde quando você se importa com o que é bom ou não?

— Eu não…

O futuro imperador deixou a frase no ar. Olhou mais adiante de onde Donatella estava, como se tivesse ouvido algum ruído vindo de fora daquela ilusão que os dois compartilhavam.

Seja lá o que fosse, Tella não conseguiu ver de onde o ruído vinha. Até que, na parede ao lado da lareira, uma porta se abriu e Armando entrou por ela.

A garota se encolheu toda, aproximando-se da lareira e de Lenda.

Armando era o artista que interpretara o papel de noivo de Scarlett durante o primeiro Caraval de que as irmãs participaram. Donatella não suportava nem ver o sorriso presunçoso dele, os olhos verdes e calculistas e o jeito irritante que tamborilava os dedos na faca que levava presa à cintura. Como Jovan, também usava o uniforme da guarda de Lenda: casaco militar azul-marinho de botões dourados e reluzentes.

— Por que ele está aqui? — perguntou Tella.

— Armando aceitou ser seu guarda pessoal quando eu não puder estar por perto.

— Não. Não quero que ele fique me seguindo e não preciso de guarda nenhum.

Lenda fuzilou Donatella com um olhar mais ardente do que as chamas que ardiam nas costas dele.

– Não te libertei da carta para ver você ser assassinada pelos Arcanos.

Tella abriu a boca, mas não conseguiu encontrar uma resposta apropriada. O Mestre do Caraval nunca havia comentado nada sobre o que fizera para libertá-la da carta. A única vez que tocou no assunto foi na mesma noite em que disse que não estava disposto a sacrificá-la. Só que, em seguida, a garota falou que o Mestre do Caraval era o herói dela, e Lenda foi embora, fazendo-a questionar tudo aquilo.

– Você será uma hóspede do palácio muito bem-vinda. – Ele se afastou da lareira e pegou a casaca, que estava na poltrona em forma de concha. – Seus antigos aposentos na torre dourada ainda são seus, se você quiser, e o quarto que sua irmã ocupou também é dela.

Donatella espremeu os olhos e perguntou:

– O que você quer em troca?

– Nunca quis que vocês fossem embora do castelo, para começo de conversa.

Em seguida, o Mestre do Caraval deu meia-volta e atravessou as paredes daquela ilusão, como se tivesse acabado de falar demais.

Só que, na opinião de Tella, Lenda estava bem longe de ter falado o suficiente.

# 17

## *Scarlett*

Enquanto Tella e Lenda conversavam sobre Arcanos e ilusões, Scarlett gostaria de estar simplesmente vivendo uma ilusão.

Todo mundo estava com os sentimentos confusos, e eles adotavam tantas cores que a garota não conseguia acompanhar nem ignorar. Nunca havia sentido nada parecido. Aquilo era bem mais intenso do que os breves vislumbres que tivera dos sentimentos de Nicolas e de Julian. Um pesaroso cinza-nunca-mais cobria o chão, feito uma neblina mortífera. Ansiosas trepadeiras cor de violeta lambiam o corredor do palácio. E amedrontados verdes-escuros tornavam tudo o mais enjoativo e tóxico.

Scarlett não conseguia respirar.

Mal conseguiu avisar Jovan e Julian que precisava tomar um ar antes de cambalear até a porta pesada que levava à escada. Apesar de ela, Julian e Jovan terem deixado Tella e Lenda a sós no calabouço, para que os dois pudessem conversar, Scarlett ainda sentia o peso esmagador do luto cinza-escuro da irmã e a fúria pontiaguda da raiva vermelha e ardente que Donatella tinha dos Arcanos. Não conseguira enxergar as emoções de Lenda, mas tinha a impressão de que eram elas que dificultavam tanto sua respiração. Ou talvez fosse seu próprio e inesperado luto pela perda da mãe.

– Carmim.

Julian correu para perto dela.

– Não.

Scarlett sacudiu os ombros para se livrar da mão dele. A preocupação do rapaz era mais do que ela podia engolir. Um azul de tempestade, tempestade, tempestade, que rodopiava, feroz, e...

A visão da jovem foi tomada pelo breu.

– Carmim!

# Donatella

Lenda não havia apenas se mudado para o palácio: apossara-se dele. Centenas de trabalhadores cobriam cada centímetro do lugar, zanzando pelo local feito abelhas-operárias, preparando a coroação que estava prestes a acontecer ou trabalhando na enorme reforma que o futuro imperador havia ordenado.

Durante o reinado de Elantine, o palácio da imperatriz era pura poeira e história. Era grandioso, do mesmo modo como histórias antigas são grandiosas, repleto de detalhes em arabescos, tapeçarias filetadas e obras de arte delicadas. Mas Tella imaginou que o palácio de Lenda não seria nada parecido com isso.

O Mestre do Caraval tinha uma beleza de anjo caído que chamava a atenção. Assim como sempre usava fraques sob medida para encobrir as tatuagens, lançava mentiras sob medida nas quais as pessoas queriam acreditar. Seu palácio seria de tirar o fôlego, de um jeito que apenas coisas poderosas conseguem ser.

A garota bateu mais uma vez na porta do quarto da irmã, na ala de safira. Andaimes tapavam os dois lados da entrada, mas nenhum operário estava no local naquele momento. E, sendo assim, Scarlett deveria ter ouvido as batidas.

— Das duas, uma: ou ela não está aqui ou não quer atender — disse Armando.

— Não pedi sua opinião.

Tella bateu novamente, só para irritá-lo, pois tinha certeza de que Lenda só quisera irritá-la quando resolveu destacar Armando: o Mestre do Caraval sabia que a garota desprezava aquele artista.

Donatella imaginou que Scarlett talvez estivesse com Julian. No calabouço, teve a impressão de que os dois estavam mais próximos do que ela esperava. Lenda lhe informara, em sonho, que Julian voltara para Valenda, e isso já tinha pelo menos uma semana. Mas, até onde Tella sabia, o rapaz só procurou Scarlett depois que a mais nova das irmãs saiu da pensão à procura do Mestre do Caraval. Pelo jeito, não só tinham se reencontrado, como o reencontro tinha sido magnífico. Ou, quem sabe, Scarlett não tivesse esquecido completamente de Julian, como gostava de bradar para quem quisesse ouvir – uma propensão que as duas irmãs tinham em comum.

Ela bateu na porta uma última vez, mas Armando tinha razão: Scarlett não estava ali ou não queria atender. De qualquer modo, Donatella não podia ficar ali parada sem fazer nada, muito menos com os Arcanos à solta.

Tella havia tomado banho e se esfregado bem para tirar toda a terra da caverna da pele e colocara um vestido reto azul-gelo, com saias em camadas, que tinha esquecido de levar do palácio. Mas a água do banho jamais levaria embora o que acontecera naquelas ruínas. Ainda conseguia ouvir o *clic, clic, cléc* da prancha e ver o corpo ferido da mãe, imóvel no chão.

Era preciso deter a Estrela Caída – e o Arcano precisava pagar pelo que fizera à mãe da jovem. E, se Lenda não quisesse contar para Donatella qual era a fraqueza da Estrela Caída, ela encontraria outra pessoa para revelar qual era essa fraqueza. E conhecia a pessoa perfeita para isso. *Jacks.*

Um frio percorreu a espinha de Tella. Por um instante, estava de volta à sala de estudos do Príncipe de Copas – no chão, febril, sentindo calor no corpo todo, a não ser nos pontos em que as pernas geladas de Jacks se enroscaram nas dela.

Era uma péssima ideia voltar. Mas, se existia alguém que sabia qual era a fraqueza da Estrela Caída, esse alguém seria outro Arcano. E, por acaso, Jacks não havia comentado que odiava a Estrela Caída?

Tella olhou de relance para Armando. Que estava bem atrás dela, a apenas dois passos de distância. Despistá-lo seria um pouco complicado.

Mas não podia visitar Jacks na companhia do artista. Se Lenda descobrisse que ela fora visitar o Arcano de novo, com certeza a trancafiaria na torre do palácio.

Sim, Tella acreditava que fora presa por engano naquela manhã. Mas também sabia que não estava lidando com o Lenda de seus sonhos. Aquele, que não era muito diferente de Dante. Ela quase se convencera disso. Estava lidando com Lenda, o imortal, o futuro imperador, o Lenda que fazia qualquer coisa para conseguir o que queria. E Donatella conseguia imaginar aquele homem tomando medidas que iam muito além de meramente destacar um guarda para acompanhá-la, caso quisesse mantê-la em segurança e longe do Príncipe de Copas.

A garota apressou o passo para atravessar o jardim de pedra. Um dia, aquelas estátuas já tinham sido seres humanos. Mas, quando os Arcanos governavam a Terra, séculos atrás, tratavam os seres humanos mais como objetos e brinquedos. Um dos Arcanos havia transformado todas as pessoas que estavam no jardim em pedra, só para ter elementos decorativos mais realistas. Tella não sabia se ainda havia vida dentro daquelas estátuas, se as pessoas que foram petrificadas ainda podiam perceber o mundo, enxergar e ouvir. Jurou que os rostos das estátuas pareciam mais apavorados do que eram antes de os Arcanos terem sido libertados das cartas. Ficou pensando se a irmã da noiva que fora transformada em pedra naquele dia era uma das estátuas ou se alguém já havia dado um jeito de curá-la. Mas, por algum motivo, Donatella duvidava que isso tivesse acontecido.

Quando ela chegou ao pavilhão das carruagens, seus braços e pernas começaram a tremer.

— Vossa Alteza prefere que você não saia das dependências do palácio — informou Armando.

— E eu prefiro que ele não guarde tantos segredos.

Tella se atirou dentro uma carruagem aérea com destino ao Distrito dos Templos.

Armando soltou um gemido, se atirou no assento na frente dela, e o veículo aconchegante decolou.

— Espero que, pelo menos, o lugar para onde vamos seja interessante.

— Na verdade, *nós* não vamos a lugar nenhum.

De súbito, Tella abriu a porta e saltou. Rasgou a bainha do vestido azul-glacial e quase torceu o pé naquela aterrissagem forçada. Se a carruagem tivesse subido um pouco mais, teria se machucado de verdade. Mas valeu a pena correr o risco e conseguir fugir.

Armando se aproximou da porta, mas a carruagem já flutuava muito alto, seria muito perigoso pular.

Donatella mandou um beijinho debochado para ele e sugeriu:

– Se você não contar para *Vossa Alteza* que você se perdeu de mim, também não vou contar.

E, em seguida, entrou na carruagem de outra linha, com destino ao Largo da Universidade e ao Príncipe de Copas.

# 19

## *Scarlett*

Os travesseiros sob a cabeça de Scarlett eram muito mais fofinhos do que aquelas coisas encaroçadas que tinha no apartamento alugado da pensão. Os lençóis também eram muito mais macios. Tinham aroma de brisa refrescante, noite estrelada e do único rapaz que Scarlett já amara na vida.

Não eram seus travesseiros. Não eram seus lençóis. Não era sua cama. *É a cama de Julian.* E, naquele momento, aquele lhe pareceu o lugar mais seguro do mundo. Scarlett queria se abraçar no travesseiro de penas e se encolher bem debaixo dos lençóis até cair no sono de novo.

– Carmim.

Era a voz de Julian. Suave, mas direta o suficiente para transmitir que sabia que a garota estava acordada.

Scarlett se sentou na cama e entreabriu os olhos lentamente. Por um instante, ainda ficou com os limites do campo de visão meio borrados, mas nenhum sentimento atravancava o quarto. As únicas cores que viu foram as que deveriam mesmo estar ali. O frio azul-escuro dos lençóis que formavam um casulo em volta dela, o cinza elegante das cortinas nos cantos da cama, o tom quente de dourado da pele de Julian e o tom de âmbar inebriante dos olhos dele.

O quarto do rapaz era lotado das mesmas cores e estava meio bagunçado, como a aparência dele. A barba estava por fazer. Pelo jeito, ficou passando a mão no cabelo sem parar por muito tempo. O lenço do pescoço estava jogado no chão, nos pés dele. Scarlett não precisava enxergar as emoções de Julian para detectar sua preocupação. O rapaz estava sentado ao lado dela, na cama, e parecia pronto para ampará-la, caso ela desmaiasse de novo.

– Por quanto tempo fiquei desacordada?

– Tempo suficiente para me preocupar e não só ficar achando que seu desmaio foi uma trama elaborada para se deitar na minha cama.

Scarlett conseguiu sorrir.

– E se eu dissesse que foi uma trama?

– Eu diria que você não precisa disso. Minha cama está à sua disposição.

Julian deu um sorriso maligno que até poderia ter sido convincente, se Scarlett não tivesse visto os finos fios prateados de preocupação que tremulavam em volta dele. Ficou imaginando se Julian suspeitava que ela não havia desmaiado só de dor pela morte da mãe.

Scarlett queria fechar os olhos de novo, bloquear as emoções exaladas por ele, mas não queria criar uma barreira entre eles.

– Obrigada – disse.

– Estou aqui para o que você precisar.

Julian se aproximou da cabeceira da cama, um convite tácito. Scarlett poderia se aconchegar nele, se quisesse, e foi isso mesmo que fez.

Encostou a cabeça no ombro firme de Julian e fechou os olhos. Mas, apesar de ter conseguido bloquear a preocupação prateada que pairava em torno dele, não conseguiu desligar por completo. Pouco antes, achou que aquele pesar que estava sentindo era todo de Tella. Mas, talvez, parte daquele pesar também fosse dela.

– Não achei que fosse doer tanto – confessou. – Pensei que já tinha perdido minha mãe há muito tempo. Estava furiosa com ela. Não confiava nela. Não queria que voltasse para as nossas vidas. Não queria que ela... Não a queria de jeito nenhum.

Julian abraçou Scarlett com mais força e lhe deu um beijo na testa.

A garota não saberia dizer por quanto tempo os dois ficaram sentados ali. E não queria saber se estava triste porque a mãe havia morrido ou porque queria que a mãe sumisse. Queria estar triste porque a mãe havia morrido: era isso que uma boa filha sentiria. E, se havia algo que Scarlett tentava, era ser uma boa pessoa. Só que parava de tentar quando o assunto era a mãe.

– Você sabe onde minha irmã está agora? – perguntou.

– Acho que ainda está com Lenda.

Scarlett se levantou dos lençóis lentamente. Queria sair da cama. Mas, dado o carinho que o vestido tinha por Julian, estava com um certo receio da aparência que o traje poderia ter escolhido enquanto estava deitada na cama do rapaz. Estranhamente, o vestido ainda estava com o mesmo tom intenso de rosa. Ela imaginou que as mesmas emoções que a derrubaram também poderiam ter consumido parte da magia do vestido.

Julian pulou da cama, interpretando erroneamente o receio de Scarlett.

– Precisa de ajuda?

– Consigo me levantar sozinha.

Só que Julian já estava com ela nos braços. Com um único e rápido movimento, pegou Scarlett no colo e a levou até uma saleta.

– Eu consigo andar, Julian.

– Acho que só quero uma desculpa para pegar você no colo.

Dito isso, sorriu feito um ladrão que acabou de sair impune do crime.

A garota se aconchegou nele. Era bom ficar ali, nos braços de Julian. Ele era a distração perfeita para todos aqueles horrores que poderiam levar Scarlett para o fundo do poço. O rapaz a colocou em cima de um sofá aveludado e quentinho por causa do calor do sol que atravessava as janelas que iam do chão ao teto.

Em cima da mesa, diante dela, havia uma bandeja com petiscos. Julian preparara um prato cheio de queijos e sanduíches caprichados para Scarlett. Enquanto comia, a jovem percebeu que o braço dele ainda estava enfaixado, como no dia anterior. E, apesar de Julian não ter trocado de roupa, o curativo parecia novo, como se tivesse se dado ao trabalho de trocá-lo enquanto ela estava inconsciente.

Scarlett encostou na ponta do tecido, com toda a delicadeza.

– Você não me contou o que aconteceu aí.

– É segredo.

Julian se afastou, só um pouquinho, para Scarlett não conseguir mais encostar no braço dele.

Ela não soube dizer se o rapaz estava brincando ou fugindo.

– Você pretende ficar com essa faixa para sempre?

Julian massageou a própria nuca: definitivamente, estava fugindo.

– Por que você está tão interessada nisso?

– Porque você está com cara de dor e não quer me contar o que aconteceu.

– E se eu te contar um segredo?

Antes que Scarlett tivesse tempo de responder, Julian saiu em disparada pelo quarto e voltou com um livro encadernado em tecido, tão antigo que a capa ocre era praticamente fina como um papel.

– Pedi para pegarem este livro na biblioteca de Lenda enquanto você dormia. É um dos livros sobre os Arcanos mais antigos que ele tem e fala apenas dos objetos místicos.

Scarlett se sentou em cima das pernas, abrindo espaço para Julian no sofá, e perguntou:

– Você vai ler uma historinha aí desse livro para eu dormir?

– Mais tarde, talvez. – Nessa hora, ele tirou um par de óculos do bolso, que o deixaram com uma cara de menino, mais charmoso e fofo do que Scarlett imaginava ser possível. – Você ainda está com aquela chave que a menininha te deu ontem?

A garota pôs a mão no bolso do vestido e tirou a chave dele.

– É disso que você está falando?

– É melhor tomar cuidado quando der essa chave para alguém. Acho que a menina tinha razão quando falou que era um objeto mágico. Acredito que pode ser um dos oito objetos místicos.

Julian se sentou no sofá ao lado de Scarlett, e sua perna ficou roçando nos joelhos dela. Então começou a ler:

– Nos Baralhos do Destino, a Chave de Devaneio é sinal de sonhos que viram realidade. Ela pode abrir qualquer fechadura e levar quem estiver de posse dela para qualquer lugar que a pessoa em questão seja capaz de imaginar.

"Entretanto, não há como se apossar do poder da Chave de Devaneio. Apenas quem a ganha de presente consegue utilizá-la.

"Como muitos dos demais objetos místicos, a chave escolhe quem é presenteado. Não raro, aparece do nada e é dada para uma pessoa digna, que necessita dela."

Quando terminou de ler, Julian olhou nos olhos de Scarlett e perguntou:

– Que tal esse segredo, Carmim?

O objeto brilhou com mais intensidade e se aqueceu na mão da garota. Definitivamente, parecia encantado. Talvez fosse apenas coisa da cabeça confusa de Scarlett. Mas a jovem tinha a sensação de que o objeto estava torcendo para ser usado – e usado por Scarlett –, torcendo com uma esperança ainda maior do que a da impetuosa menininha de tranças quando disse que achava que Scarlett era mágica.

A jovem não se sentia nem um pouco mágica naquele momento. Suas emoções lhe pareciam tão frágeis e secas quanto uma pintura descascada. Só que Julian estava se esforçando tanto para animá-la, contando aquele segredo, que Scarlett ficou com a impressão de que, na verdade, era muito mais um presente do que um segredo. Podia até não ser algo tangível, mas fora um gesto incrivelmente atencioso. O rapaz poderia ter dito que estava contando aquilo para ela por causa da disputa, mas não disse isso. E Scarlett não queria estragar a alegria dele falando da competição nem de Nicolas.

– É perfeito. – Nessa hora, ela até conseguiu dar um sorriso. – Mas, só para ter certeza de que você tem razão, acho que deveríamos testá-la juntos.

A expressão de Julian se iluminou e seus lábios esboçaram um sorriso.

Scarlett pensou ter ouvido alguém bater na porta. Mas, se Julian também ouviu, ignorou. Estava com os olhos fixos em Scarlett, que segurava uma chave de cristal que brilhava ainda mais: pelo jeito, ela acabara de dizer o que o objeto queria ouvir.

# Donatella

Tella teve certeza de que encontrara o lugar certo quando viu a aldraba em forma de coração partido. Parecia um sinal de que nada de bom aconteceria se batesse na porta com aquilo e entrasse ali.

Talvez tivesse sido melhor ter se esforçado mais para convencer Lenda a lhe contar qual era a fraqueza dele e não ter saído em disparada para falar com Jacks. O Príncipe de Copas poderia não querer ajudá-la de novo. E, se realmente contasse qual era a fraqueza da Estrela Caída, com certeza iria querer alguma coisa em troca. Mas, se Donatella fosse embora de Valenda, será que também não pagaria caro? Será que a Estrela Caída mataria mais gente? Será que descobriria que Paloma tinha duas filhas e iria atrás de Scarlett e de Tella?

A garota bateu na porta, que se escancarou imediatamente, permitindo que ela entrasse no antro de jogatina de Jacks.

Dados voavam, e jovens fregueses batiam palmas, todos afoitos para perder as fortunas que não tinham ganhado e para pedir favores pelos quais o Príncipe de Copas, sem dúvida, cobraria depois. Todos pareciam mais arrumados do que estavam na noite anterior. O sorriso das damas não estava borrado, os lenços dos cavalheiros estavam amarrados no pescoço, e não havia bebida derramada no chão. Os jogos daquela noite estavam apenas começando.

– Que coisa mais linda você é – comentou uma mulher com losangos vermelhos pintados nas bochechas chegando bem perto de Tella.

Usava um traje que combinava com as cartas dispostas nas mesas: uma saia evasê até o joelho, listrada de preto e branco, e casaco ajustado com botões reluzentes no formato do naipe de espadas. Só que as mangas compridas eram despropositadas para a Estação Quente, e Tella imaginou que poderiam esconder cartas – ou armas – dentro delas. Se aquela mulher trabalhasse para Jacks, não seria nenhuma surpresa.

Depois, olhando com mais atenção, Tella percebeu que aquela pessoa não trabalhava para o Príncipe de Copas. Nem sequer era uma pessoa. Cachos cor de cobre que brilhavam feito moedas emolduravam um rosto negro de pele clara, cheio de sardas e olhos que pareciam diamantes líquidos – praticamente transparentes e muito sobre-humanos. Não, não era uma pessoa, nem de longe. Aquela mulher era um Arcano.

Donatella cambaleou para trás e tropeçou na bainha rasgada de seu vestido.

– Não é essa reação que as pessoas costumam ter quando me conhecem.

O sorriso do Arcano ficou mais largo, e todos em um raio de três metros sorriram em sincronia. Em seguida, houve uma salva de palmas retumbante, pontuada por diversos vivas e assovios altos, porque mais da metade do salão acabara de ter um tremendo golpe de sorte.

Definitivamente, aquela mulher era um Arcano. A Senhora da Sorte, caso Tella tenha chutado direito.

A carta dela costuma representar boa sorte, mas Donatella não queria nem saber. Continuou indo para trás, na direção da porta, enquanto confetes pretos e vermelhos caíam do teto.

– Fique longe de mim!

O sorriso da Senhora da Sorte esmaeceu, e uma série de suspiros de assombro e gemidos de decepção ecoou no antro de jogatina.

– Você tem ideia do quanto as pessoas pagariam para ouvir meus conselhos? – perguntou o Arcano.

– É por isso que prefiro dispensar seus conselhos. Tenho certeza de que o preço é exorbitante.

O Arcano sacudiu a cabeça e espremeu os lábios. Mas, aí, seus olhos misteriosos brilharam, com um lampejo de uma luz iridescente.

– Nossa, você é ela, não é? Você é aquela que fez o coração de Jacks bater? – Os olhos cristalinos do Arcano se dirigiram ao peito de Tella, como se houvesse um tesouro insondável escondido dentro dele. – Você é a fraqueza de Jacks.

Donatella ficou petrificada ao ouvir a palavra "fraqueza".

O sorriso da Senhora da Sorte voltou ao rosto dela, e os vivas voltaram a retumbar no cassino clandestino.

– Agora, pelo jeito, consegui chamar sua atenção.

Ah, a Senhora da Sorte tinha mesmo chamado a atenção de Tella. Era exatamente isso que a garota queria. Se aquela mulher pudesse lhe contar qual era a fraqueza da Estrela Caída, Donatella nem sequer precisaria falar com Jacks.

– O que significa ser a fraqueza de um Arcano?

– Significa que tanto você quanto Jacks estão correndo perigo. Imortais e humanos não devem se relacionar.

Tella conteve o riso e disse:

– Não temos um relacionamento. Eu o odeio.

Tella teve a impressão de que essas palavras não soaram tão verdadeiras quanto deveriam.

Pela resposta que a Senhora da Sorte deu, ficou óbvio que ela percebeu:

– Não são os humanos que costumam evitar aquilo que odeiam?

– Às vezes, Jacks é um mal necessário.

– Então, faça ele se tornar desnecessário. – A Senhora da Sorte segurou Tella pelo braço, e seu tom alegre se transformou em algo mais ríspido. – Seu relacionamento com o Príncipe de Copas vai acabar em catástrofe.

– Eu já disse que não temos um relacionamento.

Donatella tentou se desvencilhar do Arcano, mas a força da Senhora da Sorte era sobre-humana.

– Você está em negação. Se não se sentisse atraída por Jacks, não estaria aqui.

Tella tentou protestar, mas o Arcano simplesmente continuou falando.

– Você é a garota humana que fez o coração do Príncipe de Copas voltar a bater. Dizem por aí que é o único e verdadeiro amor dele. Mas isso não significa o que você acha que significa. Imortais não são capazes de amar. O amor não está entre as emoções que sentimos.

– Então não faz diferença se sou ou não sou o verdadeiro amor de Jacks.

– Você não me deixou terminar de falar. – Nessa hora, a Senhora da Sorte apertou o braço da garota com um pouquinho mais de força. – Quando sentimos atração por humanos, sentimos apenas obsessão, fixação, volúpia, possessividade. Mas, em raríssimas ocasiões, encontramos humanos que nos deixam tentados a amar. Só que isso sempre acaba mal. O amor é um veneno para nós. O amor e a imortalidade não podem coexistir. Se um imortal sentir amor verdadeiro por um minuto que seja, se torna humano durante aquele minuto. Se esse sentimento durar demais, a mortalidade se torna permanente. E a maioria dos imortais prefere matar o objeto de sua afeição a se tornar um ser humano. É perigoso deixar um imortal tentado a amar. E, se Jacks não matar você porque está tentado a amá-la, então será a obsessão dele que irá destruí-la.

Um silêncio se abateu sobre o antro quando ela terminou de falar: parecia que o recinto inteiro havia acabado de receber cartas ruins.

– Se você tem um pingo de inteligência, vai dar meia-volta e ir embora daqui neste exato momento.

A Senhora da Sorte soltou o braço de Tella e se dirigiu ao mar de jogadores. Aplausos e vivas seguiam seus passos.

Tella tentou se livrar da sensação da mão da Senhora da Sorte em seu braço. Mas não conseguiu se livrar das palavras dela.

"O amor e a imortalidade não podem coexistir."

"Sentimos apenas obsessão, fixação, volúpia, possessividade."

"Se um imortal sentir amor verdadeiro por um minuto que seja, se torna humano durante aquele minuto. Se esse sentimento durar demais, a mortalidade se torna permanente. E a maioria dos imortais prefere matar o objeto de sua afeição a se tornar um ser humano."

Agora Tella sabia que a única fraqueza dos imortais era o amor. Para matar a Estrela Caída, precisaria fazê-lo se apaixonar por alguém. Só que esse Arcano, definitivamente, é do tipo que mataria um ser humano antes de amá-lo.

Donatella sentiu uma pontada de dor aguda atrás do osso esterno, bem em volta do coração. Só que a dor a atingiu muito mais fundo. Aquela não era a fraqueza que Tella teria imaginado. Mas compreendeu por que Lenda não queria que ela soubesse: o Mestre do Caraval não a amava nem jamais amaria, não enquanto quisesse continuar sendo imortal.

– Você está com cara de dor de novo – disse Jacks, com seu jeito arrastado.

O coração de Donatella disparou ao ouvir a voz dele, e ela virou para trás.

Naquela noite, o Príncipe de Copas estava vestido de mestre de picadeiro libertino, com uma casaca escura, cor de vinho, de colarinho levantado. As mangas haviam sido arrancadas, deixando à mostra a camisa preta e branca, meio desabotoada. Tinha um lenço branco pendurado no pescoço, sem amarrar, e as calças pretas estavam para dentro das botas surradas, mas de qualquer jeito.

Jacks era o extremo oposto de Lenda. O Mestre do Caraval sempre dava a impressão de que poderia sair incólume até do apocalipse. Jacks, por sua vez, sempre dava a impressão de ter acabado de sair de uma briga – estava todo bagunçado, e a displicência que tinha com a própria aparência chegava a ser violenta. E, apesar de tudo isso, como era um Arcano, Jacks ainda conseguia ser bonito de um jeito que doía só de olhar.

– Veio ver se consigo fazer você se sentir melhor? – Ele mordeu o canto da boca, deixando escorrer uma gota reluzente de sangue vermelho e dourado. – Fico feliz de poder ajudar você de novo.

Tella sentiu um frio na barriga e um calor que fez suas bochechas corarem.

– Não é isso que eu quero.

– Tem certeza? Você está com cara de quem quer alguma coisa.

O Príncipe de Copas deu risada e esticou a língua para lamber o sangue no canto da boca. Ainda rindo, deu as costas e se dirigiu à mesa de roleta mais próxima.

– Espere... – Donatella foi correndo atrás dele. – Preciso falar com você.

– Prefiro jogar. – Nessa hora, deu mais uma girada na roleta vermelha e preta, que já estava rodando, e passou a girar mais rápido. As pessoas que estavam na mesa reclamaram. Jacks apenas declarou: – Faça uma aposta e aí podemos conversar.

– Tudo bem.

Tella tirou um punhado de moedas do bolso.

– Não esse tipo de aposta, meu amor. – Os olhos azuis prateados dele brilharam, um brilho de deboche e desafio e mais alguma coisa que a garota não conseguiu identificar com a rapidez necessária. – Acho que podemos tornar essa situação um pouco mais interessante.

– Como?

Ele ficou puxando o lábio inferior com dois de seus dedos brancos.

– Se a bola cair no preto, vamos conversar, como você quer. Responderei às perguntas que trouxeram você até aqui. Mas, se cair no vermelho, você vai ter que me deixar entrar em seus sonhos.

– Sem chance.

– Então a conversa termina aqui.

Dito isso, Jacks deu as costas para Tella.

– Espere...

Donatella esticou o braço e grudou a mão no ombro dele.

O Príncipe de Copas se virou lentamente, sorrindo, como se já tivesse ganhado mais do que o mero direito de penetrar nos sonhos da jovem.

– Eu ainda não aceitei sua proposta – disse Tella. – Mas, se eu realmente aceitar, você tem que me prometer que não vai impedir ninguém de entrar nos meus sonhos.

– Por quê? – Nessa hora, Jacks chegou mais perto, envolvendo-a com o aroma seco de maçã. – Por acaso alguém reclamou?

– Eu estou reclamando! Os sonhos são meus, e você não tem o direito de impedir ninguém de entrar neles.

– Estava fazendo isso por você – argumentou o Arcano, com doçura. – Sonhos podem até parecer insignificantes, mas revelam mais segredos do que as pessoas imaginam.

– É por isso que você quer entrar nos meus?

Jacks deu um sorriso que era pura astúcia. Tella só conseguia ouvir a Senhora da Sorte pronunciando a palavra "obsessão". A razão pela qual o Príncipe de Copas queria entrar nos sonhos dela não tinha importância – só o fato de querer fazer isso e de ter impedido Lenda de entrar nos sonhos de Donatella era o suficiente para deixá-la assustada.

Na noite anterior, Tella acreditou que Jacks não oferecia perigo porque estava tão anestesiada que nem ligava mais para nada do que ele já havia feito. Só que o Arcano continuava sendo uma víbora.

– É bom você se decidir rápido – provocou. – A probabilidade de ganhar a aposta poderia ser menor, e eu poderia ter pedido bem mais.

*Vrr...*

*Vrr...*

*Vrr...*

A roleta continuou girando, mas a bolinha branca já estava perdendo o impulso. E Donatella não tinha dúvidas de que, quando aquela bolinha parasse, Jacks iria embora ou proporia uma aposta que ela teria bem menos chances de ganhar.

— Tudo bem — respondeu a garota. — Fechado.

A bolinha parou imediatamente e caiu no preto.

Tella não conseguia acreditar.

— Eu ga...

E, aí, a bolinha pulou e caiu no buraquinho vermelho logo ao lado.

— Não! — Donatella ficou olhando para a bolinha, esperando que ela se mexesse de novo. Mas é claro que não se mexeu. — Você roubou.

— Por acaso você me viu encostar na bolinha? — perguntou Jacks, batendo as pestanas com ar inocente.

Tella resistiu ao ímpeto de bater na cara dele.

— Sei que foi você que a fez pular.

— Fico lisonjeado por você achar que tenho toda essa habilidade. Mas não sou Lenda. Não faço truques de mágica.

Não. Definitivamente, Jacks não era Lenda. Lenda enganava e jogava sujo, mas não roubava descaradamente.

O Arcano segurou a mão da garota, deu um beijo rápido e gelado nela, soltou em seguida e se afastou da mesa.

— Vejo você mais tarde, meu amor.

— Essa conversa não terminou!

Tella foi atrás dele pisando firme, desviando dos jogadores bêbados, até que conseguiu alcançá-lo na mesma escadaria que Jacks havia subido, com ela no colo, na noite anterior. O carpete fez fragmentos de lembranças do quanto estava indefesa virem à tona. Donatella sentiu um aperto no peito e quase tropeçou nos degraus.

O Príncipe de Copas se virou para trás, de supetão, e perguntou:

— Por que você está tão chateada? Tem medo de que eu veja o que nos seus sonhos?

— Mas você se acha mesmo! — Nessa hora, Tella bufou. — Estou aqui porque quero saber como matar a Estrela Caída.

— Se você chegar perto da Estrela Caída, ele vai te matar mais rápido do que matou sua mãe.

Donatella se encolheu toda.

— Que bom — disse Jacks. — Fico feliz por você estar visivelmente com medo.

– É por isso que preciso matá-lo.

– Não tem como – falou o Arcano, curto e grosso.

– E com amor?

Os olhos de Jacks gelaram de tanta irritação, e Tella jurou que ficou um pouco mais frio na escadaria.

– Quem te contou isso?

– Então é verdade? O amor pode transformar um imortal em humano por tempo suficiente para alguém matá-lo?

– É verdade, mas isso não vai acontecer.

O Príncipe de Copas continuou subindo a escada.

– Então me conte outro jeito – gritou Tella, subindo atrás dele.

A garota poderia ter dito que não sairia dali enquanto ele não respondesse, mas estava com um pressentimento de que isso não seria lá uma grande ameaça. Ir atrás dele, provavelmente, também era uma péssima ideia. As palavras da Senhora da Sorte lhe vieram à cabeça mais uma vez enquanto subia correndo as escadas.

"Se Jacks não matar você porque está tentado a amá-la, então será a obsessão dele que irá destruí-la."

Só que Jacks estava de costas para Donatella. Não parecia nem um pouco obcecado por ela. E a jovem continuava com a sensação de que o Príncipe de Copas era a melhor opção para descobrir como derrotar a Estrela Caída. Sabia que o Arcano era perigoso. Mas decidiu que, depois de conseguir o que queria de Jacks, naquela noite mesmo, nunca mais falaria com ele.

Tella seguiu o Príncipe de Copas para dentro da sala de estudos. Um leve aroma de maçã e de sangue pairava pelo cômodo. Quando pousou os olhos no tapete chamuscado que ficava na frente do sofá gasto de couro, mais uma vez se arrepiou, só de lembrar do beijo proibido que deram. Desviou logo o olhar, concentrando-se na escrivaninha: em cima dela, havia um mapa da cidade. E, para segurá-lo, em um dos cantos, havia um Baralho do Destino zombeteiro.

As cartas estavam um pouco desbotadas e com os cantos amassados. Aquele não parecia, nem de longe, o baralho mágico da mãe da garota, mas acabou sendo só mais uma outra maneira de lembrar de Paloma e do quanto ela havia sacrificado – *incluindo a própria vida* – para tentar impedir que os Arcanos voltassem a reinar.

Jacks se atirou na cadeira que estava atrás da mesa e parecia irritado com a presença de Donatella no escritório.

– A Estrela Caída matou minha mãe. Eu assisti ao assassinato. Não espero que você se importe com isso, mas sei que sentiu minha dor ontem à noite. Vi você chorar lágrimas de sangue.

– Todo mundo que possui um Baralho do Destino já me viu chorar lágrimas de sangue. Não faça disso uma tragédia nem pense que essas lágrimas significam que eu me importo. – Nessa hora, o Príncipe de Copas pegou o Baralho do Destino e começou a embaralhar as cartas com seus dedos elegantes. – E não ache que isso quer dizer que estou do seu lado.

Seu tom era tão cáustico que Donatella quase não se deu conta de que essa era a maneira de o Príncipe de Copas dizer que iria ajudá-la.

– Tem um livro na Biblioteca Imortal, o Ruscica – prosseguiu Jacks. – Ele pode contar a história completa de um Arcano a quem consultá-lo. Se Gavriel tiver uma fraqueza fatal que ninguém conhece, o livro pode revelá-la. Mas usar o Ruscica não é uma boa ideia. Você vai precisar do sangue de Gavriel para ter acesso à história dele. E coletar esse sangue pode causar a sua morte. Se estiver determinada a ir atrás da Estrela Caída, o Mercado Desaparecido oferece as melhores chances de encontrar o que você vai precisar.

O Arcano, então, cortou o baralho e virou metade das cartas para cima. A primeira era a do Mercado Desaparecido, cuja imagem mostrava um arco-íris de barraquinhas coloridas, vendendo comidas, animais e objetos exóticos de tempos passados.

"Podemos até não ter o que você quer, mas temos o que você precisa."

O Mercado Desaparecido é um dos oito lugares místicos. Nos Baralhos do Destino, o Mercado Desaparecido é uma carta auspiciosa, mas traiçoeira. Promete que quem a tirar receberá o que precisa. Existe um certo consenso de que aquilo que alguém precisa e aquilo que quer são duas coisas bem diferentes. E Tella imaginou que fazer negócios dentro do mercado deveria ser parecido com fazer um trato com um dos artistas de Lenda durante o Caraval. Provavelmente não poderia comprar o que precisava com moedas.

– Se existir outra maneira de matá-lo, você pode encontrar a resposta no mercado – explicou Jacks. – Tem uma barraca lá de duas irmãs que compram e vendem segredos. Em troca dos seus segredos, elas vão te revelar um dos segredos da Estrela Caída.

Donatella ficou olhando com certa desconfiança para o Príncipe de Copas.

— Só vi a Estrela Caída de longe, mas ele não me pareceu do tipo que vende os próprios segredos.

— E não é. Mas, se existe alguém que pode saber um dos segredos dele, esse alguém são as irmãs. O mercado existe fora do tempo. Se você for procurá-las, vai descobrir que elas têm métodos únicos de coletar informações.

— E onde eu encontro esse mercado?

— Várias das ruínas espalhadas pela cidade já foram lugares místicos. Mas, para ter acesso à magia deles, esses lugares precisam ser invocados. — Nessa hora, o Arcano apontou, no mapa, um conjunto de ruínas à esquerda do Distrito dos Templos. — Para invocar o mercado, encontre uma ampulheta gravada nas pedras e dê uma gota de sangue para ela. Mas tome cuidado, sempre há um preço a pagar por entrar em um lugar místico que precisa ser invocado. O mercado exige uma fração do tempo de todos que entram nele. Para cada hora que você passar lá, um dia vai se passar no nosso mundo.

— Obrigada por avisar. — Tella não sabia desse detalhe e estava mais do que surpresa por Jacks ter lhe contado isso, já que a principal forma de distração dos Arcanos era brincar com humanos. Na verdade, estava surpresa com tudo o que ele havia dito. Tinha ido até ali meio que querendo se rebelar contra Lenda e meio que torcendo para obter respostas. Não esperava obtê-las de fato. Mas tinha dado certo. Agora sabia qual era a fraqueza mortal de Lenda e também sabia onde pro-curar pela fraqueza da Estrela Caída. — Imagino que agora você queira algo em troca.

O Príncipe de Copas baixou os olhos lentamente, até pousá-los nos lábios de Donatella.

Um arrepio acariciou os lábios da garota, feito um beijo.

— Eu já te disse que não é por isso que estou aqui.

— Então por que você ainda não foi embora?

A risada de Jacks seguiu os passos de Tella quando ela passou pela porta.

# 21

## *Scarlett*

Scarlett deveria estar tropeçando nos próprios pés de exaustão e não entrando toda saltitante em sua suíte reluzente no palácio.

Depois de usar a Chave de Devaneio com Julian para visitar um padeiro do norte que ele conhecia, onde comeu os melhores bolos que já comera na vida, o rapaz a levou para visitar um velho amigo no Império do Sul, onde a água tinha o mais cintilante tom de turquesa que Scarlett já vira e as pessoas mandavam mensagens em tartarugas marinhas. Por ela, ficaria mais tempo lá, mas Julian quis levá-la para visitar um primo distante, que morava em uma casa com o teto perfeito para assistir ao pôr do sol mais espetacular do mundo. Em uma tarde, Julian e a Chave de Devaneio transformaram a visão estreita que Scarlett tinha do mundo, tornando-a ainda mais ampla do que a garota imaginava.

Ela se jogou na cama, tentando controlar o sorriso. Não era certo estar tão animada. Deveria estar de luto pela mãe, preocupada, querendo saber onde a irmã estava ou com medo, já que todos os Arcanos estavam despertando. Mas ficava difícil ter medo de pesadelos quando os pensamentos ainda estavam emaranhados ao sonho que era Julian. Scarlett mentiu, dizendo que precisava dormir, porque ficou tão encantada por ele que quis acordar e voltar para a realidade.

E já estava arrependida de ter feito isso.

A Chave de Devaneio ainda queimava dentro do bolso dela. Scarlett pensou em usá-la para encontrar Julian de novo e pedir para visitar mais algum lugar mágico. E, talvez, tivesse feito exatamente isso se uma criada não tivesse batido na porta para entregar algo enviado por Nicolas.

Ela não precisou abrir o cartão para saber que o presente era dele. Era um regador de cristal, tão pequeno que cabia na palma da mão: parecia ter sido feito para regar plantas do tamanho de fadinhas.

Scarlett voltou à realidade de supetão. Estava tentando não pensar na disputa entre Julian e Nicolas. Depois de tudo o que havia acontecido nos últimos dois dias, o jogo estava longe de parecer tão importante quanto era antes. Só que ela não podia simplesmente ignorar a competição.

Abriu o cartão a contragosto. Já recebera cartas de Nicolas no passado e sempre as relera até gastar o papel. Mas desejou que aquela jamais tivesse chegado.

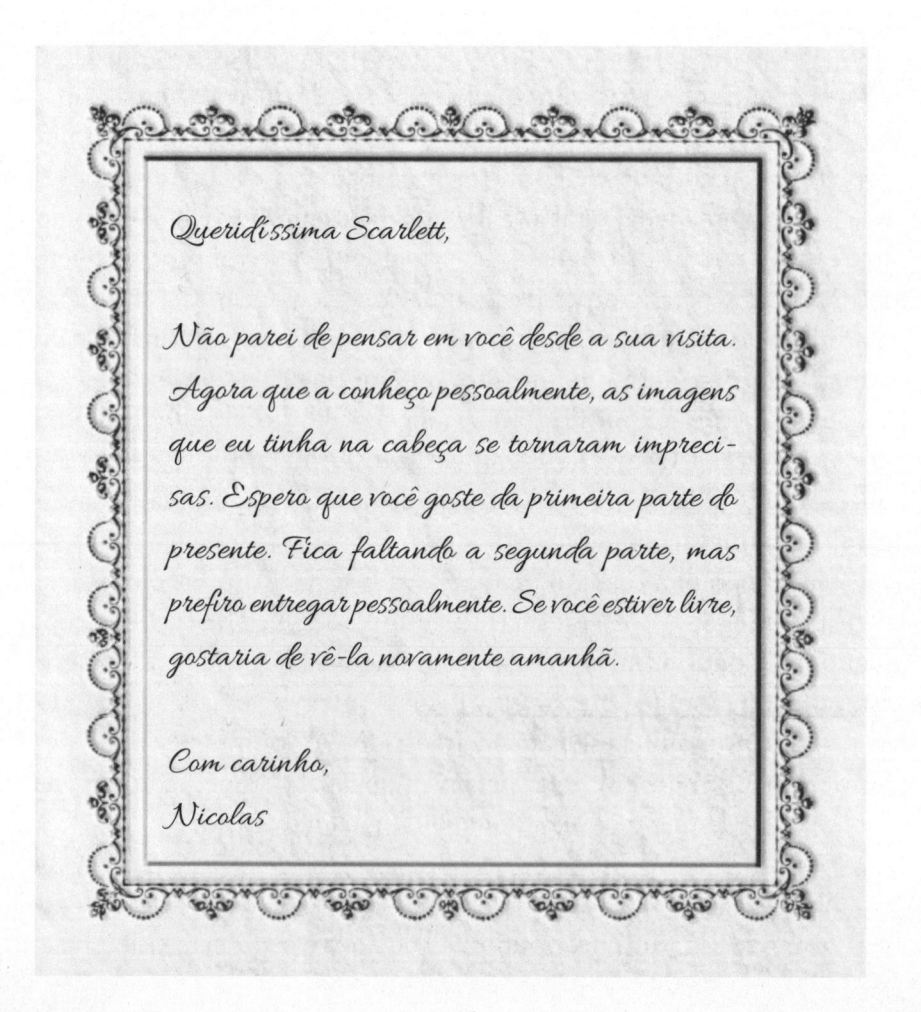

*Queridíssima Scarlett,*

*Não parei de pensar em você desde a sua visita. Agora que a conheço pessoalmente, as imagens que eu tinha na cabeça se tornaram imprecisas. Espero que você goste da primeira parte do presente. Fica faltando a segunda parte, mas prefiro entregar pessoalmente. Se você estiver livre, gostaria de vê-la novamente amanhã.*

*Com carinho,*
*Nicolas*

Scarlett tinha certeza de que, se Julian tivesse escrito essas palavras, seu coração teria disparado ou suas bochechas teriam ficado doendo de tanto sorrir. Ela teria sentido alguma coisa. Mas nem o vestido conseguiu ter uma reação.

Ela fechou os olhos e encostou a cabeça nos travesseiros.

Antes, pensava que Nicolas era sua melhor opção de marido. E, talvez, ele fosse uma opção mais segura do que Julian. Nicolas era bonito, atencioso, tudo que dera a entender que era nas cartas anteriores. Só que Scarlett não sentia nada por ele. Não, isso não era verdade. Sentia alívio por não estar casada com o conde.

Nicolas até poderia ser a aposta mais segura, mas era Julian quem Scarlett queria escolher. Não havia competição entre Julian e Nicolas. Julian ganhara o coração de Scarlett havia muito tempo.

Ela foi até a escrivaninha decidida a escrever uma última carta para Nicolas.

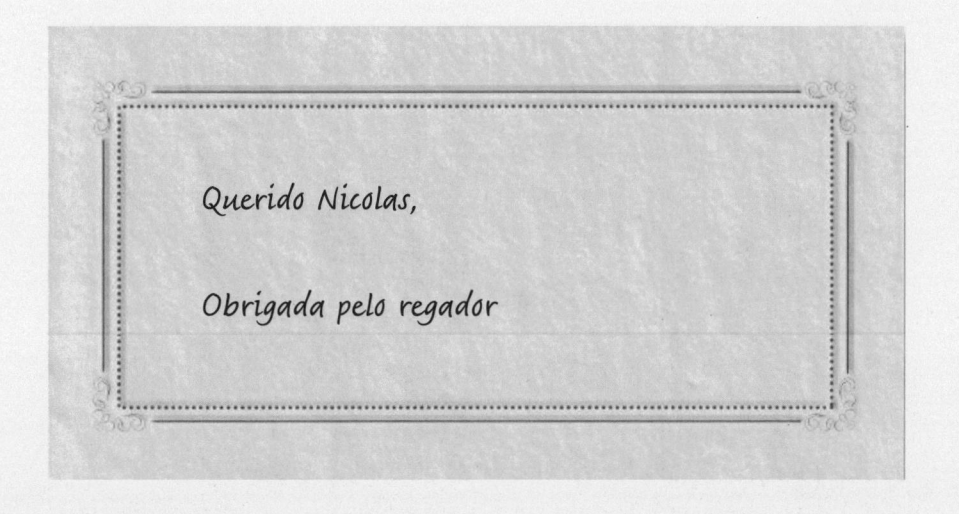

*Querido Nicolas,*

*Obrigada pelo regador*

A garota bem que tentou, mas não conseguiu escrever mais nem uma palavra. Depois de todas as oportunidades perdidas entre os dois, lhe pareceu algo terrivelmente insensível informar Nicolas por carta que já havia tomado sua decisão. Não gostaria de ser dispensada dessa maneira.

Amassou o bilhete e atirou no lixo. Em seguida, olhou mais uma vez para o cartão enviado por Nicolas. Não se casaria com Nicolas, mas poderia dar a ele um último encontro. Ela devia isso a ele.

# Donatella

Valenda era uma cidade projetada para a noite. Ao voltar de carruagem aérea para o palácio, Tella viu que o mundo lá embaixo estava resplandecente de luz. As igrejas e santuários do Distrito dos Templos brilhavam feito pedaços da lua que tinham se perdido, e as luzes mais suaves do Bairro das Especiarias ardiam feito cinzas de uma fogueira que teimava em continuar acessa. E também havia as casas adormecidas entre os dois distritos, iluminadas por postes-guardiões, que davam uma ilusão de segurança às pessoas que dormiam em suas camas.

Ninguém sabia o quão frágil era essa segurança, e Donatella receou que outros Arcanos poderiam estar despertando naquele momento. Ela deveria ter perguntado isso para Jacks antes de ir embora da casa de jogo. Só que o Príncipe de Copas estava com cara de quem queria cobrar mais caro para fornecer outras informações.

A carruagem em que estava fez um pouso suave quando chegou ao pavilhão de carruagens do palácio. Lembrando de que estava com a bainha do vestido rasgada, Tella saiu do veículo com todo o cuidado.

O ar tinha um gosto cristalizado, o mundo brilhava, e as estrelas davam a impressão de estar tão perto que daria para roubá-las e guardá-las nos bolsos. Donatella ficou com a sensação de que estava em um dos sonhos de Lenda ou de volta ao Caraval. Apesar de o sol já ter se posto, alguns empregados ainda zanzavam pelas dependências do palácio, por causa dos preparativos do Labirinto ao Luar, que seria no dia seguinte. Carregavam baldes cheios de pó de noite, uma substância que conferia brilho sob a luz das estrelas onde quer que encostasse, que iam passando por todas as superfícies do palácio, das cercas-vivas e chafarizes que ladeavam as calçadas aos coelhos que saltitavam pelos jardins.

Boa parte dos funcionários do palácio não reparou em Tella. Mas jurou que alguns a observaram com expressões desconfiadas e depois cochicharam entre si, falando dela.

Donatella sabia que era uma péssima ideia parar para ouvir – fofocas raramente contêm elogios. Mas, mesmo assim, quando se deu conta, estava seguindo uma dupla de mulheres tagarelas até o jardim de pedra. Tella se abaixou e se escondeu atrás da estátua de uma mulher que havia no limite do jardim: a saia esvoaçante da estátua era o esconderijo perfeito para ficar bisbilhotando enquanto as criadas passavam pó de noite brilhante nos demais elementos decorativos.

– Você viu *a garota*?

A voz da primeira mulher era suave e alegre, como a de um passarinho. Donatella já a ouvira, na primeira noite que passou no palácio, quando chegou a Valenda para participar da última edição do Caraval e *Dante* disse para a governanta do palácio que Tella era noiva de Jacks. Ela não ficou tão brava assim com a mentira até ouvir a conversa da criada-passarinho a respeito do noivado. Ou melhor: a respeito dos boatos que circulavam sobre o então herdeiro do trono que, supostamente, era um assassino. Na ocasião, nem Tella nem as criadas sabiam que, na verdade, Jacks era o Príncipe de Copas. E, na ocasião, Lenda tampouco sabia disso.

– Achei que ela era noiva do ex-herdeiro do trono – respondeu a segunda criada, cuja voz Tella não reconheceu. Mas resolveu que não gostava, porque, em seguida, a garota completou, aos suspiros: – Eu achei que Vossa Lindeza, o Príncipe Dante, não ia querê-la por perto.

– Ah, Vossa Lindeza *com certeza* não quer aquela menina por perto – comentou a garota-passarinho. – Acho que essazinha está só com esperança de que o Príncipe Dante seja seu novo noivo, agora que o ex não é mais da realeza. Só que todo mundo sabe, menos *ela*, que isso não vai acontecer. O príncipe deve estar só enrolando a garota, porque antes ela pertencia ao antigo herdeiro do trono. E possuir a ex-noiva do herdeiro antigo é mais uma demonstração de seu poder.

*Isso não é verdade!*

Tella teve vontade de pular de trás da estátua e protestar.

Só que, talvez, isso tivesse um certo fundo de verdade. Lenda estava com ciúme de Jacks. E, de acordo com a Senhora da Sorte, quando imortais se sentem atraídos por humanos, sentem apenas obsessão, fixação, volúpia e *possessividade*.

– Ouvi dizer – prosseguiu a garota-passarinho –, que hoje de manhã ele até mandou prendê-la nos calabouços!

– E qual foi o motivo? – perguntou a outra garota, soltando um suspiro de assombro.

– Não foi porque eu não a queria por perto – declarou Lenda.

O som grave da voz de Lenda tomou conta do jardim de pedra inteiro.

Tella percebeu que não conseguiria sair do esconderijo, mesmo se quisesse. Há poucos instantes, o mundo estava repleto de pó de noite e estrelas. Mas, naquele momento, o futuro imperador estava tomando conta de tudo.

O raspar confiante das botas de Lenda no chão ecoou pelo jardim, e Donatella imaginou o Mestre do Caraval se aproximando, tapando as criadas petrificadas de sombras. E foi aí que ele disse:

– Quero que ela esteja aqui. Se dependesse de mim, Donatella ficaria aqui para sempre. Eu a pedi em casamento, mas ela recusou. É por isso que mandei prendê-la. Foi uma reação inapropriada. Mas, às vezes, levo as coisas longe demais.

Então tudo ficou em silêncio por alguns instantes, e Tella conseguia imaginá-lo dando um sorriso indecoroso.

– Não se esqueçam disso da próxima vez que resolverem espalhar fofocas. Ou também poderão ir parar na prisão.

– Não vamos espalhar mais nenhuma fofoca.

– Mil perdões, Vossa Alteza.

Nessa hora, Donatella ouviu um ruído esbaforido de sapatinhos trôpegos: pelo jeito, as mulheres fizeram mesuras com pressa e saíram correndo do jardim de pedra. Deviam estar deixando rastros cintilantes de pó de noite por onde passavam.

– Pode sair do esconderijo agora, Tella.

A voz de Lenda ficou com um tom de deboche, e ele apoiou o cotovelo na estátua onde a jovem estava agachada, ouvindo a conversa escondida. Ficou observando Donatella levantar do chão e ainda usava o mesmo fraque preto e cinza-lobo de antes, com uma meia capa também preta nos ombros, que o deixava com uma aparência tanto sedutora quanto régia.

Se aquele fosse um dos sonhos nos quais Donatella e Lenda ainda fingiam que não ligavam um para o outro, ela poderia ter revirado os olhos para o futuro imperador, reagindo de forma oposta ao que estava sentindo. Mas teve a sensação de que aquele joguinho chegara ao fim. E, apesar disso, não conseguia assumir uma posição de absoluta vulnerabilidade e dizer a ele que as palavras que ouvira dele a reviraram do avesso. Lenda mentira, dando a impressão de que era um principezinho descontrolado qualquer, só para impedir que a reputação de Donatella fosse arruinada.

– Acho que você quase matou essas meninas de susto – comentou Tella. – Mas você sabe que, mesmo assim, elas vão espalhar por aí tudo o que você acabou de dizer.

– Não ligo para o que os outros dizem, desde que falem de mim.

O tom foi o de um integrante superficial da realeza, mas o olhar era profundo e compenetrado. Lenda encarou Donatella sem pestanejar, como se não tivesse nenhuma intenção de desviar o olhar – como se, talvez, apenas talvez, estivesse dizendo a verdade quando falou que queria que ela ficasse ali para sempre.

Tella sentiu um calor no pescoço que se espalhou até os ombros.

Mais uma vez, lembrou do aviso dado pela Senhora da Sorte: imortais só sentem obsessão, fixação, volúpia e possessividade. Mas quem sabe Lenda sentisse algo mais...

O boato de que fora rejeitado pela ex-noiva – de reputação duvidosa – de Jacks iria se espalhar. A fofoca, por si só, faria o futuro imperador parecer fraco: era uma maneira terrível de dar início ao reinado. Mas ele não pensou duas vezes antes de defendê-la.

Isso deixou Donatella com vontade de retribuir o favor.

– Acho que sei como descobrir se Estrela Caída tem outra fraqueza – disse a garota.

Os olhos de Lenda brilharam, como se ele tivesse acabado de ganhar pontos naquele joguinho que, na cabeça de Donatella, os dois não estavam mais jogando. Pela primeira vez, Tella lhe daria esses pontos de bom grado.

– Podemos comprar um dos segredos dele no Mercado Desaparecido. E pensei que você poderia ir lá comigo.

O futuro imperador franziu a testa: ficou desconfiado de repente.

– E como você descobriu a localização do mercado?

– Eu contei para ela.

A voz melíflua de Jacks fez um arrepio percorrer a espinha de Donatella.

Ela virou para trás.

Jacks estava parado bem na sua frente, e estava igualzinho ao Príncipe de Copas pelo qual fora obcecada quando era criança: com aquela pele branca reluzente e o cabelo dourado brilhante tapando os olhos azuis sobrenaturais. O olhar estava um pouco injetado, mas o sorriso era incomparável: tão fulminante que mais parecia uma faca louca para ser usada.

– Como *você* veio parar aqui?

O tom de Lenda foi mortífero. Mas, quando Donatella lhe dirigiu o olhar, o herdeiro do trono estava com os olhos fixos nela, com uma expressão que parecia ser de mágoa e que foi suavizando e se transformando em um olhar de acusação.

– Acho que a pergunta mais apropriada é: como *ele* veio parar aqui? – retrucou Jacks, olhando feio para Tella.

– Eu... – a garota começou a dizer.

Mas...

Parou e olhou para o céu, repleto de estrelas absurdamente próximas. Será que, na verdade, não estava naquela parte do palácio? Talvez nada daquilo tinha acontecido: nem a garota tinha se escondido para ouvir a conversa das criadas nem Lenda tinha defendido a reputação dela.

Talvez Jacks estivesse perguntando por que Lenda estava ali porque o conhecia como Dante – e supunha que ele não possuía habilidades mágicas, como o poder de entrar no sonho dos outros.

Donatella baixou os olhos até a bainha rasgada do vestido azul-gelo e tentou consertá-la com a força do pensamento, algo que só conseguiria fazer se estivesse sonhando. Por um instante, nada aconteceu.

E aí, quase na mesma hora em que começou a achar que não estava sonhando, o vestido começou a se consertar sozinho. O rasgo sumiu. E foi substituído por um novo rasgo, no coração de Tella.

Aquilo não estava acontecendo de verdade. Lenda não correra risco nenhum quando a defendeu a reputação de Tella, porque tudo não passava de um sonho.

Até aquele momento, Donatella sempre adorava sonhar com o Mestre do Caraval – parecia algo especial que existia entre os dois. Só que aquilo mais parecia uma farsa.

Parou de fitar os olhos de tempestade de Lenda e mirou no sorriso-adaga de Jacks, com a sensação de que estava bem no meio do tabuleiro de um jogo entre imortais. Não tinha gostado do jeito como o Príncipe de Copas a enganara para entrar nos sonhos dela. Mas o jeito como Lenda a enganou, fazendo com que ela acreditasse que uma ilusão era verdade, era quase pior.

– Vocês dois são terríveis – disparou.

Tella se obrigou a acordar, abrindo os olhos de repente, bem na hora que a carruagem aérea em que estava parou.

Pelo jeito a garota tinha pegado no sono enquanto atravessava a cidade e a visão de Valenda à noite foi gradativamente se transformando em sonho, sem que ela sequer se desse conta.

Saiu da carruagem e deu de cara com os criados que zanzavam pelas dependências do palácio, pintando tudo com pó de noite. Mas o brilho não era o mesmo, não parecia mais que as estrelas estavam próximas ao ponto de poder tocá-las, e nenhum criado olhou torto para ela nem cochichou pelas suas costas.

Foi só na manhã seguinte, no quarto do palácio onde estava hospedada de favor, que ouviu a voz de uma criada.

– Senhorita Donatella.

O chamado veio depois de uma batida forte na porta, que a acordou.

Tella vestiu um robe, saiu da cama alta de dossel e foi se arrastando pelos tapetes fofos. A luz vibrante do sol aqueceu sua pele, e ela abriu as portas principais dos aposentos. Duas criadas imperiais estavam paradas do outro lado, as mesmas que haviam aparecido no sonho da noite anterior.

Cada uma segurava uma ponta de uma caixa preta e lustrosa, quase da altura de Tella, de tão comprida.

– Viemos trazer um presente de Vossa Alteza, o Príncipe Dante – declarou a criada-passarinho, depois que as duas colocaram a caixa em cima do sofá mais próximo.

– Ele também quer ter certeza de que a senhorita recebeu o presente.

A outra criada entregou um envelope preto e elegante para Donatella, acompanhado de um sorriso curioso.

Só que Tella não estava disposta a abrir o cartão de Lenda na frente de uma plateia, muito menos uma plateia que, ela achava, espalharia o conteúdo da mensagem pelo palácio.

– Podem ir – disse.

Assim que elas saíram, Donatella quebrou o selo do envelope e retirou o cartão: um quadrado simples de papel, escrito em uma caligrafia precisa e fácil de decifrar – ao contrário de Lenda.

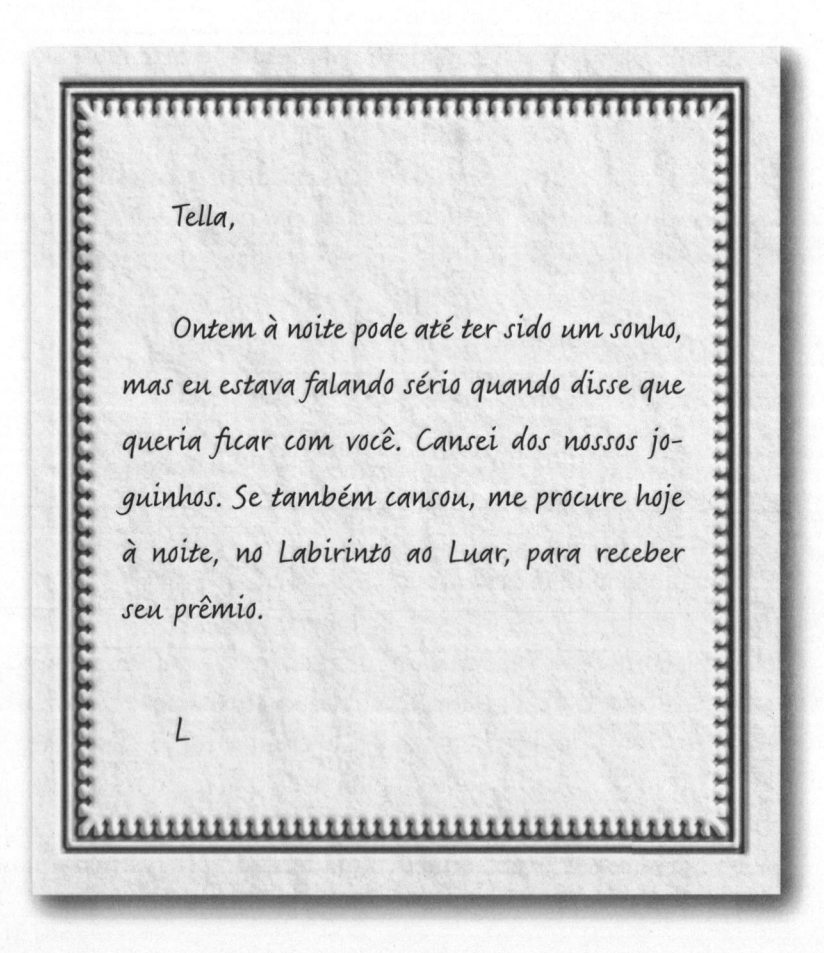

Tella,

Ontem à noite pode até ter sido um sonho, mas eu estava falando sério quando disse que queria ficar com você. Cansei dos nossos joguinhos. Se também cansou, me procure hoje à noite, no Labirinto ao Luar, para receber seu prêmio.

L

Tella releu o cartão, e...

– Donatella.

A voz de Scarlett veio acompanhada de uma batida na porta, interrompendo os pensamentos de Tella antes que pudessem se enveredar por um caminho interessante.

– Não estou – gritou.

– Então não vai se importar se eu entrar.

A maçaneta girou – apesar de Tella jurar que a porta estava trancada –, e Scarlett entrou no quarto. O vestido de renda que usava tinha um tom tão vivo de vermelho que chegava a ser chocante – e não combinava com o sorriso pesaroso da jovem.

Scarlett se aproximou da irmã arrastando a pequena cauda de rosinhas de renda pelo chão. Tella, estava encolhida no sofá, ao lado da caixa enviada por Lenda. Só que Scarlett nem prestou muita atenção na caixa e se sentou na poltrona bem na frente da irmã mais nova.

Era a primeira vez que as duas ficavam a sós desde que a mãe havia morrido. E, pelo jeito que Scarlett olhava para Tella, esse era o principal motivo para ter ido até lá, ver como ela estava. Só que os sentimentos de Donatella ainda estavam muito em carne viva. Se falasse da mãe naquele momento, seria como arrancar a casca de uma ferida que ainda não teve tempo de cicatrizar.

– Como você está? – perguntou Scarlett.

– Estou tão cansada que chega a ser cruel – resmungou Tella. – Mas acho que posso me animar, se me contar por que você e Julian estavam tão à vontade ontem.

As bochechas de Scarlett ficaram bem rosadas, e o seu vestido assumiu exatamente a mesma cor.

– Eu sabia! – exclamou Tella. – Você está apaixonada por ele de novo.

Não que Donatella tivesse acreditado que a irmã mais velha tinha se *desapaixonado* em algum momento.

Scarlett sacudiu a cabeça, tentando negar e espantar a cor do rosto. Talvez ela ainda tivesse a sensação de que deveriam estar conversando sobre a mãe e não sobre rapazes.

Mas, em vez de conversar sobre tristezas, o que Donatella mais precisava era ouvir a irmã e acreditava que o mesmo acontecia com Scarlett.

– Conte tudo.

Scarlett soltou um suspiro e admitiu:

— Acho que ele está roubando meu coração, de novo. — Aí contou da visita de Julian depois de voltar de viagem e como ele insistira para ir com Scarlett encontrar Nicolas. Contou que o conde parecia ser muito mais decente do que Tella esperava. E surpreendeu a irmã, mais uma vez, confessando que propusera uma disputa entre os dois cavalheiros. — Mas acho que vou cancelar a competição — concluiu.

— Fico tentada a dizer para você não fazer isso. — Aquela disputa era algo que Scarlett jamais proporia antes de ter participado do Caraval. E Tella ficou impressionada por ela ter sugerido o jogo. — Isso me parece uma ideia brilhante, mas você sabe que nunca fui muito fã de Nicolas.

— Não há nada de errado com Nicolas. Ele só…

— Não é Julian.

O sorriso que Scarlett deu ao ouvir isso contou tudo o que Tella precisava saber. Julian podia até não ser perfeito, mas era perfeito para a irmã mais velha.

— Agora é a sua vez.

Scarlett disse isso olhando para a caixa preta e lustrosa que estava ao lado da irmã mais nova.

— É um presente que Lenda mandou. Quer que eu me encontre com ele hoje à noite, no Labirinto ao Luar. — Nessa hora, Tella pegou o cartão que o Mestre do Caraval havia enviado e entregou para Scarlett. — Acho que pode ser o jeito de ele pedir desculpas por ter me enganado em sonho, sem pedir desculpas de fato.

— *Hummm.* — Scarlett franziu as sobrancelhas e, enquanto lia, o vestido dela foi ficando com um tom desconfiado de malva. — Está me parecendo que, hoje à noite, Lenda pode estar planejando te pedir muito mais que desculpas. — Nessa hora, olhou para a irmã com um ar solene e completou: — Você sabia que o Labirinto ao Luar não é apenas o início da contagem regressiva de uma semana para a coroação do novo governante? É uma tradição muito antiga de Valenda, com raízes muito românticas, que era realizada à meia-noite. O primeiro Labirinto ao Luar foi construído por um príncipe, para a princesa com a qual queria se casar. A lenda conta que o príncipe disse para a princesa que ela encontraria um prêmio no meio do labirinto. Então se escondeu e ficou esperando por ela, preparando-se para pedi-la em casamento quando a garota o encontrasse.

– Então você acha que Lenda pretende me pedir em casamento?

Donatella perguntou isso em tom de brincadeira. O Mestre do Caraval nem sequer tinha pedido desculpas por tê-la abandonado na frente do Templo das Estrelas. Não deveria estar pensando em pedi-la em casamento, de jeito nenhum.

Só que Scarlett estava falando muito sério.

– Não acho que isso seja uma coisa tão improvável assim. Só que, na história, o príncipe não pede a princesa em casamento. Ela entrou no labirinto e nunca mais foi vista. Dizem que, sempre que ocorre um Labirinto ao Luar, o fantasma do príncipe aparece e fica procurando pela princesa perdida.

– Isso aí está mais parecido com tragédia do que com romance – comentou Donatella.

– Mas também parece algo que Lenda faria. Acho que ele gosta das histórias um pouco mais trágicas e sombrias.

Dito isso, Scarlett fuzilou Tella com um olhar que mais pareceu um alerta. Em seguida, voltou a olhar para a caixa preta e comprida que estava ao lado da irmã, como se o conteúdo da caixa pudesse confirmar suas suspeitas.

– Deve ser só um vestido, já que ele sabe que perdemos quase tudo quando nosso apartamento foi destruído.

Donatella levantou a tampa. Mas dizer que o que encontrou dentro da caixa era só um vestido seria a mesma coisa do que dizer que o Caraval era só um jogo, quando na verdade era muito mais.

Uma fragrância adocicada e encantadora tomou conta do ambiente. E, quando tirou o vestido da caixa, Tella recordou de cada sonho que tivera com Lenda: o vestido poderia fazer qualquer garota se apaixonar por ele.

O traje que o futuro imperador havia enviado tinha alcinhas de pétalas de flores, corpete de fitas bordadas com pedras preciosas minúsculas, do tamanho de partículas de *glitter*, e uma saia volumosa formada por centenas de borboletas de seda, em diferentes tons de azul que, no conjunto, formavam uma nuance mágica que Donatella jamais vira na vida. Algumas tinham asas azuis transparentes quase tão claras quanto lágrimas; outras eram do suave azul do céu; algumas tinham toque de violeta; e outras, ainda, tinham veios cor de hortênsia. As borboletas não estavam vivas, mas eram tão delicadas e etéreas que, à primeira vista, pareciam de verdade. Era igualzinho ao vestido dos sonhos de Tella, o vestido que a garota usara há quatro noites, quando esteve em uma versão de sonho da Igreja de Lenda. Ela achou que o Mestre do Caraval nem havia reparado no modelito. Mas era óbvio que reparara, sim.

A ideia de enfiar o vestido de volta na caixa e nem sequer aparecer na festa era muito tentadora. Os Arcanos ainda estavam à solta, e Donatella precisava ir ao Mercado Desaparecido. Precisava descobrir qual era a fraqueza da Estrela Caída. Seria egoísta ir a uma festa naquela conjuntura.

Mas a verdadeira verdade era que a jovem tinha menos medo de lutar contra monstros do que de entregar o coração para Lenda mais uma vez.

Antes dele, Tella nem queria saber do amor. Acreditava que era predestinada a jamais ter um amor correspondido. E aí se apaixonou por Lenda, e foi algo parecido com beber da magia: indescritível, avassalador e fantasticamente viciante. Ela nem queria se casar. Mas, se existisse alguém que poderia deixá-la tentada a fazer isso, esse alguém era Lenda.

– Você vai à festa? – perguntou Scarlett.

– É claro que eu vou.

Donatella só não sabia o que faria se Lenda de fato a pedisse em casamento. Ninguém sabia fazê-la sonhar, ficar maravilhada nem sentir tanto quanto Lenda sabia. Mas ninguém sabia, tampouco, como deixá-la arrasada como Lenda sabia. A garota ainda não estava completamente curada da última vez que teve o coração partido pelo Mestre do Caraval. E Tella temia que, se fosse magoada novamente, jamais superaria.

# 23

## *Scarlett*

Scarlett foi se afastando do palácio, com a sensação de que cada passo que dava era um passo na direção errada.

Para evitar o caos do Labirinto ao Luar de Lenda, que havia tomado conta de toda a área externa do palácio, pediu para Nicolas encontrá-la em outro lugar. O conde respondeu enviando um mapa desenhado à mão, com pistas a seguir. A garota imaginou que d'Arcy estava tentando ser romântico e, se o mapa tivesse sido desenhado por Julian, teria funcionado. Só que, em vez de sentimentos românticos, Scarlett tinha a sensação de que estava cometendo um erro.

Deveria ter contado para a irmã que ia se encontrar com Nicolas. Tinha contado para Tella que ia cancelar a competição da conquista. Mas não falou que ia contar isso para o conde pessoalmente. Lá no fundo, sabia que era uma decisão questionável encontrá-lo longe das seguras dependências do palácio.

Depois dos dois incidentes com o Envenenador, que ocorreram no dia anterior, não teve notícia de nenhum outro Arcano causando caos só por diversão. Mas, ao percorrer as ruas íngremes de Valenda, viu diversos Arcanos, na forma de cartazes de alerta ou de "Procurado", que haviam sido pregados pelos guardas de Lenda.

Aqueles papéis tremulantes estavam espalhados por toda a cidade. Alguns aconselhavam a não aceitar bebidas de estranhos. Outros traziam escrita a palavra "Procurado", logo acima do retrato falado da Estrela Caída feito a partir da descrição dada por Tella. Mas não diziam explicitamente que aqueles procurados eram *de fato* Arcanos. As pessoas que se divertiam nas ruas simplesmente passavam reto pelos cartazes.

Scarlett tinha vontade de sacudir todo mundo por quem passou e obrigar as pessoas a lerem os avisos. Sabia que os Arcanos se alimentam do medo, só que todos ali pareciam vulneráveis demais.

Pôs a mão no bolso, verificando novamente se a Chave de Devaneio continuava ali. Ela, pelo menos, estava protegida: se quisesse fugir, só precisava enfiar a chave na fechadura mais próxima. E, apesar disso, não conseguia se livrar daquele pressentimento ruim.

Até o vestido parecia estar em dúvida.

Ao seguir o mapa que levava às docas, no limite da cidade, o traje ficou com um tom desconfiado de marrom, perfeito para não ser notado. Depois de alguns passos nas tábuas de madeira bambas, Scarlett ficou com coceira no nariz, por causa dos cheiros característicos de sal, peixe e madeira sempre úmida.

Trisda, a minúscula ilha onde a jovem havia passado boa parte da vida, tinha o mesmo cheiro. Em vez de deixá-la com saudade, o aroma lhe deu vontade de fugir, porque Trisda sempre lhe dava vontade de fugir. Mas, depois de ter participado do Caraval, ela estava decidida a não permitir que o medo a governasse.

Foi contando as docas, seguindo o mapa desenhado por Nicolas, até chegar a um cais comprido, coberto por um tapete preto e dourado que levava até um navio que mais parecia um palácio flutuante. O casco era todo entalhado, com desenhos intrincados de sereias e sereios segurando tridentes e conchas do mar. Os mastros também eram decorados: gigantes com coroas de estrelas seguravam as velas roxas e suntuosas.

Tudo era tão requintado que chegava a ser ofensivo. Aquele navio pertencia a alguém que tinha a si mesmo na mais alta conta. E não era essa a impressão que Scarlett tinha de Nicolas. O conde parecia ser mais pé no chão. Mas todo mundo tem lá seus disfarces.

Ela parou de andar assim que pisou na doca. Até aquele momento, nunca havia ficado com receio de encontrar d'Arcy. Mas, naquele instante, sentiu uma onda de medo que gritava para ela dar meia-volta. Não devia nada a Nicolas.

Boa parte das pessoas não reage bem à rejeição. E Scarlett tinha a sensação de que seria ainda menos prudente rejeitar Nicolas naquele navio, onde ele poderia atirá-la no mar com toda a facilidade – ou zarpar para longe dali com a garota ainda a bordo.

Scarlett deu meia-volta. Queria ser corajosa, mas não queria ser tola.

– Scarlett? Você é Scarlett Dragna?

A voz não era nada parecida com a de Nicolas.

*Corra. Esconda-se. Grite.*

Os sentimentos de Scarlett assumiram um tom alarmante de vermelho. Ela começou a correr.

Mas já era tarde.

Colocaram um saco preto na cabeça dela.

– Me solta! – gritou, tentando arrancar o saco da cabeça.

Só que alguém puxou os braços dela para trás, com força, e amarrou suas mãos de um jeito bruto.

– Cuidado com a garota – ordenou uma outra voz. – Ele quer que a filha seja entregue sem nenhum arranhão.

# Donatella

Tella não sabia qual era o cheiro da expectativa pura e simples até chegar ao Labirinto ao Luar de Lenda. O aroma de cravos vermelhos e folhas em broto permeava tudo.

Ela achou que encontraria cercas vivas verdes de folhas simples, mas deveria ter adivinhado que não fazia sentido usar a palavra "simples" a nada que tivesse a ver com Lenda.

Cada uma das paredes vivas do labirinto era formada por diversas flores raras. Lírios-estrela de um laranja ardente. Cardos-leiteiros de um roxo profundo. Margaridas-trepadeiras de um ouro brilhante. Orquídeas cor de champanhe. Flores-de-sino de um vermelho incandescente. E todas cresciam e se esparramavam a cada pessoa que entrava.

Donatella aprendeu, no primeiro Caraval do qual participou, que as emoções são uma das coisas das quais a magia se alimenta. Isso a fez pensar que, quanto mais as pessoas se divertissem na festa, mais forte Lenda se tornaria. E, como resultado, o feitiço e a ilusão da festa também iriam se fortalecer.

Tella ainda não tinha visto o futuro imperador. Mas ouviu alguns cochichos comentando o quanto *Vossa Lindeza* estava magnífico naquela noite. Pelo jeito, o apelido não era coisa só dos sonhos. Mas Donatella ainda sentia um ímpeto possessivo de xingar qualquer um que o empregasse.

O nervosismo por causa do pedido que Lenda poderia fazer e de como ela iria reagir a atacou e foi se apoderando dela à medida que adentrava o labirinto. Os vaga-lumes faziam todas as pessoas pelas quais passava parecerem um pouco encantadas, e o riso e os namoricos dos convidados brincavam ao redor dela.

Ao contrário do que o nome sugeria, o Labirinto ao Luar não começava quando a lua aparecia no céu. Nem à meia-noite, como contavam as histórias. Começava mais ou menos com o pôr do sol, quando as cores guerreavam no horizonte e as nuvens tentavam se libertar do céu. Provavelmente tais nuvens desejavam chegar ao labirinto, onde havia ainda mais cores.

Tella não se surpreenderia se descobrisse que parte daquelas cores eram obra de Lenda. Com tantas emoções de entusiasmo rodopiando pelo labirinto, a magia dele estava se fortalecendo. Talvez esse fosse mais um motivo para o futuro imperador querer manter a programação e recepcionar os convidados no labirinto: precisava daquilo para alimentar seus poderes antes que todos os Arcanos despertassem.

– Ah, olhem! – exclamou um convidado próximo. – Aquela porta acabou de brotar no meio da cerca viva. Vamos lá ver se ela nos leva ao centro do labirinto.

Tella ouviu um farfalhar de saias e um "os cavalheiros primeiro" abafado.

E aí o grupinho risonho que estava bem na frente dela sumiu, desaparecendo pela porta onde floresciam bocas-de-leão de um azul celestial, mas que sumiram junto com as pessoas. Restou apenas um desfile de vaga-lumes pairando no ar e um vácuo de quase-silêncio. Donatella só conseguia ouvir o bater das asas, suave como sonhadoras canções de ninar e delicadas como borboletas.

A garota sentiu um formigamento na pele – uma sensação parecida com o frio na barriga que costumava sentir. Olhou para baixo e viu que o vestido ganhava vida, com o bater de centenas de asas. Deu risada, e as borboletas voaram da saia que há poucos segundos era inanimada.

Lenda estava na festa.

E devia estar por perto. Fizera o vestido de Tella criar vida e o labirinto mudar de forma diante dos olhos dela. As cercas vivas se movimentaram com maior rapidez do que antes: ficaram mais altas, mais largas e *mais fortes*. E ameias de folhas se formaram na parte de cima, deixando tudo com uma aparência de castelo encantado.

Donatella correu atrás das borboletas que levantavam voo do vestido até encontrar um arco brilhante, formado por peônias-diamante de um branco ofuscante.

Assim que passou pelo arco, as flores se movimentaram atrás dela, isolando-a do restante da festa e a deixando a sós com Lenda.

Ela precisou do tempo de várias batidas de coração só para absorver a presença dele.

Os contornos do Mestre do Caraval estavam polvilhados de uma luz cor de bronze que fazia sua pele brilhar e seus olhos parecerem um pouco mais vivos. Ele se apoiou em uma das paredes de folhas, do outro lado daquela pequena área isolada. Suas roupas eram em tons de preto-carvão, com exceção da calça – de um vermelho escuro –, colocada para dentro das botas de cano alto e bem engraxadas. A casaca era mais comprida do que de costume e quase arrastava no chão. Tinha um colarinho alto e régio, com detalhes bordados e intrincados, feitos com uma linha do mesmo tom de bronze da luz que o rodeava – parecia que pedaços do sol que se punha tinham ficado para trás, só para se agarrar nele.

– Você é tão exibido – debochou Tella.

Lenda lhe deu um sorriso devastador.

– Só quando estou tentando impressionar uma certa garota.

O futuro imperador a examinou com toda a calma, e seus olhos brilharam de leve quando pousaram nas delicadas fitas que formavam o corpete do vestido. E, só aí, a olhou nos olhos – até que enfim.

– Você está linda.

Ele se afastou da parede e se aproximou de Donatella. Mas, pela primeira vez, no lugar de ouvir os passos confiantes de suas botas, ela só conseguiu ouvir as palavras que ele havia escrito no cartão: "Eu estava falando sério quando disse que queria ficar com você".

Mais borboletas levantaram voo da saia, e Lenda parou bem na frente de Tella, tão perto que bastaria esticar a mão para encostar nela. O mundo não tinha mais cheiro de expectativa. Tinha o cheiro de Lenda. De magia e de coração partido.

*Por favor, não machuque meu coração outra vez*, pensou Donatella.

Mesmo que o futuro imperador não a pedisse em casamento, estava com cara de quem ia pedir alguma coisa. Aquele cantinho isolado do labirinto onde os dois estavam foi ficando mais iluminado, repleto de estrelas recém-nascidas que brilhavam, dançavam e reluziam. Mas o futuro imperador permaneceu com os olhos fixos nos de Tella – um olhar tão intencional, intenso e íntimo quanto qualquer carícia.

A garota ficou com a respiração rasa. Lenda torceu o canto dos lábios e perguntou:

– Já consegui te assustar?

– Você está tentando me assustar?

– Achei que já tinha dito que só estou tentando ficar com você.

E aí deu um beijo de leve nos lábios dela.

O labirinto, a festa, o mundo, tudo desapareceu. Os lábios de Lenda eram tão macios… E, de repente, o beijo acabou.

Tudo aconteceu tão rápido que Tella poderia ter desconfiado que imaginou aquele beijo, não fosse o brilho debochado nos olhos do Mestre do Caraval.

– Vim aqui pegar meu prêmio, não para você brincar comigo – disse a garota.

E estendeu a mão, como se quisesse receber o tal prêmio.

Lenda deu risada, uma risada espontânea e retumbante.

– Sempre quero brincar com você. Mas, esta noite, não estou brincando. Quero ficar com você, Donatella Dragna. Nunca senti isso por ninguém e tampouco já pedi isso para alguém.

Ele falou tão baixo que os dedos dos pés de Donatella se encolheram dentro dos sapatinhos, e metade das borboletas da saia alçou voo.

*Scarlett tinha razão.*

Lenda ia pedir Donatella em casamento.

Os olhos dele brilharam ainda mais, e o sorriso ficou tentador.

– Quero ficar com você para sempre, Tella. Quero tornar você imortal.

Tudo dentro de Donatella se imobilizou. *Imortal.* O futuro imperador estava pedindo para transformá-la em imortal, não estava fazendo um pedido de casamento.

– Em outras circunstâncias, eu te diria para pensar nisso com toda a calma. Só que, agora que os Arcanos despertaram, não quero mais esperar. Não quero correr o risco de perder você.

Em seguida, Lenda enlaçou a cintura de Tella. Estava com cara de quem queria beijá-la de novo. Só que, dessa vez, não seria apenas um rápido roçar de lábios. O Mestre do Caraval esparramou os dedos na região das costelas de Donatella, e a garota sentiu que as mãos dele estavam ficando mais quentes.

Se Donatella se inclinasse um pouco, Lenda a beijaria até devorá-la, até Tella não conseguir mais respirar sem ele, até que ela respondesse "sim", ofegante, a qualquer pergunta ou pedido que fizesse.

Tella permitiu que o Mestre do Caraval a abraçasse, mas não se inclinou. Ela não estava preparada para ser pedida em casamento pelo futuro imperador e definitivamente não estava preparada para *aquele* pedido.

– Não entendi direito o que você está me pedindo. Por acaso está me convidando para ser um de seus artistas?

– Não. – Nessa hora, ele começou a acariciar a cintura de Donatella. – Você seria diferente. Meus artistas não são imortais, são apenas atemporais. Minha magia impede que fiquem velhos. Só consigo trazê-los de volta à vida durante o Caraval, quando meus poderes estão no auge. Fora do Caraval, não há nada que eu possa fazer por eles. Mas, se você for imortal, sempre voltará à vida, caso morra. Ninguém poderá matá-la. Você jamais irá ficar velha, fraca ou frágil. Será jovem, forte e viva para sempre.

As luzes que os cercavam brilhavam feito pedras preciosas: rodopiavam e tremulavam, prometendo um "para sempre" com Lenda que também seria repleto de magia. Seria como morar dentro de um dos sonhos criados por ele. Mas, por algum motivo, Tella não conseguia dizer "sim".

O sorriso do futuro imperador se desfez. Ele apertou mais a cintura de Donatella e falou:

– Achei que você ia ficar mais empolgada. Desse jeito, podemos ficar juntos.

Ainda estava com cara de quem queria beijá-la. Mas, em vez de fazer isso, ficou mexendo nas fitas do corpete da garota, soltando-as com cuidado, até conseguir acariciar a pele das costas dela.

Tella fechou os olhos. Lenda só estava encostando a ponta dos dedos na sua pele, mas sentiu essa carícia pelo corpo todo. O futuro imperador acabara de dizer que, naquela noite, não estava brincando. Mas com certeza estava – só talvez não se dera conta disso.

As pessoas não tinham importância de fato para Lenda. No mundo do Mestre do Caraval, as pessoas eram apenas peças de um jogo.

Ele transformara até a bruxa que o criou em um peão e a sacrificou para poder levar seu plano adiante. E, mesmo assim, apesar de tudo, Donatella queria acreditar que Lenda não a via dessa forma. Em vez de se preservar, ela queria perseverar. Queria acreditar que aquele homem não machucaria seu coração mais uma vez. Queria acreditar que ele não estava brincando com ela, que era a única exceção na vida de Lenda. Mas, talvez, Lenda não soubesse abrir exceções. Talvez enganasse a todos.

Acabara de dizer que, até então, jamais tivera aquele tipo de sentimento por ninguém e que nunca havia pedido para transformar ninguém em imortal. Mas não teve consideração suficiente por ela para contar qual era sua única fraqueza, coisa que Donatella descobrira na noite anterior.

"Imortais não são capazes de amar. O amor é um veneno para nós. O amor e a imortalidade não podem coexistir."

"Em raríssimas ocasiões, encontramos humanos que nos deixam tentados a amar… Se um imortal sentir amor por um minuto que seja, se torna humano durante aquele minuto. Se esse sentimento durar demais, a mortalidade se torna permanente."

De repente, tudo ficou claro. Tella compreendeu por que Lenda aparecia em seus sonhos, mas mantinha distância, recusando-se a encostar nela até aquele momento, pouco antes de pedir para transformá-la em imortal. Na noite anterior, a jovem pensou que o Mestre do Caraval nutria sentimentos verdadeiros por ela – que poderia amá-la. Mas era exatamente o contrário. Lenda não havia mudado – ele só tinha esperança de mudar *Donatella*.

E a garota não acreditou que o futuro imperador queria fazer isso porque não desejava que ela morresse. Lenda queria transformá-la em imortal para que *ele* não morresse.

O Mestre do Caraval não amava Donatella. Estava com medo de se apaixonar por ela, porque o amor era sua única fraqueza. Se Lenda a amasse, perderia a imortalidade e se tornaria humano. Mas, se Tella fosse imortal, não teria com o que se preocupar: porque imortais não são capazes de se amar.

Imortais sentem obsessão, fixação, volúpia e possessividade. E era óbvio que Lenda estava vivenciando essas coisas. Tella conseguia sentir isso a cada vez que ele pressionava os dedos nas costas dela, enquanto continuava mexendo nas fitas do corpete e roçando a pele de Tella com carícias suaves e ardentes.

Donatella pulou de susto, abriu os olhos e se desvencilhou dos braços do Mestre do Caraval.

Lenda parecia ainda mais reluzente: a luz cor de bronze em volta dele fazia tudo brilhar. Normalmente ele parecia um ser humano. Mas, por um instante, assumiu uma dolorosa aparência de imortal, e os lábios perfeitos formaram uma careta.

– O que foi? – perguntou.

– Ontem à noite descobri qual é a sua fraqueza.

Os ombros dele ficaram tensos.

– O que foi que te contaram?

– Que se você amar um ser humano se tornará mortal. E, se esse sentimento durar demais, a mudança é permanente. O que me faz pensar que você não quer me transformar para que eu continue viva. Só quer fazer isso para *você* continuar vivo.

– Não. – A resposta foi taxativa e imediata. – Não é por isso que quero transformar você. Quero que você se torne imortal para que nunca morra.

– Só que eu não quero sua imortalidade, Lenda. Quero o seu amor.

Ele deu um passo para trás. Donatella pensou que o futuro imperador nem se deu conta de que havia feito isso.

– É algo que não posso te dar.

– Pode, sim. Você apenas se recusa a abrir mão da imortalidade e a optar pelo amor.

A luz nos olhos de Lenda se apagou, e o mundo ficou um pouco mais escuro.

– Mesmo que isso fosse verdade, você me recriminaria por isso?

– Não – respondeu Tella, sendo sincera. – Mas não quero ser igual a você. E é por isso que não posso permitir que você me torne imortal.

Ele a olhou nos olhos novamente. A luz não havia voltado, mas os olhos de Lenda brilhavam de um jeito que a fez lembrar de todas as coisas mágicas que o Mestre do Caraval tinha a oferecer.

– Você não se sentiria assim se me deixasse transformá-la.

– Mas não quero mudar o que sinto. Quero sentir amor de todas as maneiras possíveis e imagináveis. Antes, tinha medo disso. Mas, agora, acho que o amor é outro tipo de magia. Uma magia que torna tudo mais vivo, fortalece quem o sente, infringe regras que não deveriam existir, é infinitamente valioso. Não consigo imaginar minha vida sem amor. E, se você sentisse um pingo de amor nesse seu coração, entenderia.

Tella fitou os olhos sem brilho de Lenda.

Por um instante, o rosto dele ficou com uma expressão de dor. Mas, se foi real ou para convencê-la a fazer o que queria que fizesse, a garota não saberia dizer.

— Você vai morrer, Donatella.

— Já morri.

— Só que, desta vez, não voltará à vida.

— A maioria das pessoas não volta. Mas não é por isso que você está me fazendo essa proposta. Você quer simplificar as coisas para o seu lado. Você não quer me amar nem perder sua imortalidade.

O Mestre do Caraval entreabriu os lábios, fechou em seguida e os entreabriu de novo. E, por um breve instante, antes de falar, ficou com uma expressão completamente perdida.

— Não é que eu não queira te amar, Tella. Apenas não consigo.

Lenda disse isso com uma voz sem emoção, oca e absolutamente sincera. Não pareceu que dizia aquilo porque era imortal. Mas porque realmente acreditava que não conseguiria nutrir esse sentimento. Se isso fosse verdade, se Lenda realmente achasse que não tinha coração, então talvez não tivesse ficado tentado a amá-la. Talvez quisesse apenas tê-la como uma posse. "Quero você *pra mim*", provavelmente esse era sentido real do que ele dissera.

— Você não pensou direito na minha proposta.

Nessa hora, o futuro imperador fez que ia pegar na mão da garota.

Há uma semana, o coração de Tella teria ido às alturas só porque Lenda queria encostar nela. Mas se obrigou a dar mais um passo para trás. Não se sentia tentada pela imortalidade, mas se sentia tentada por Lenda. Não podia encostar um dedo nele de novo, caso realmente quisesse terminar com aquilo.

— Não preciso pensar. Às vezes, a gente apenas sabe. E eu sei que não consigo me imaginar passando a eternidade ao lado de alguém que nunca vai me amar.

Então virou as costas, pronta para ir embora.

— Espere, Tella...

Ela continuou se afastando. Nem sequer se permitiu olhar para trás. O arco pelo qual havia passado para encontrá-lo sumira. Uma parede florida tomara seu lugar. A sensação das pétalas aveludadas em sua pele parecia real. Mas Donatella sabia que era apenas uma ilusão. Quase no mesmo instante em que encostou nas flores, Lenda as afastou, assim como os galhos da cerca viva, para permitir que ela passasse.

Tella não lembrava que a passarela de folhas diante dela era tão escura. Os vaga-lumes haviam sumido, e um frio se infiltrara no lugar dos insetos. Donatella sentiu um arrepio na nuca. Aquele frio poderia ser um refresco depois da conversa acalorada que tiveram, mas o vento que o trazia era fétido e equivocado, feito um sonho que deu errado.

Ela se esforçou para ouvir os ruídos da festa, mas os risos distantes tinham desaparecido; ela só conseguiu ouvir os passos apressados de alguém que fugia.

Alguma coisa estava errada.

– Tella…

Lenda surgiu ao seu lado, do nada, e segurou sua mão.

– Por favor, apenas me solte.

– Isso agora não tem nada a ver com a gente…

Lenda deixou a frase no ar. Apertou mais a mão de Tella. Encolheu-se todo e seu rosto empalideceu, porque o brilho que o cercava se dissipou.

– O que foi? – perguntou Donatella.

Mais passos frenéticos ecoaram ao longe, seguidos por uma série de gritos abafados. As folhas caíam das paredes do labirinto e apodreciam ao tocar o chão.

– Saia daqui – disse o Mestre do Caraval. – Vá para a torre e se tranque no seu quarto.

– Eu é que não vou ficar trancada em uma torre!

– Então fuja. Se quiser fazer algo por mim, que seja isso: acho que os Arcanos estão aqui.

E então ele grudou os lábios nos de Tella. Um beijo severo. Rápido. Ardente. Que terminou muito antes da hora.

Quando a soltou, ela foi cambaleando para a frente. O labirinto que os cercava era apenas um amontoado de galhos desfolhados e de folhas podres. Tella conseguia enxergar através deles.

– São os Arcanos que estão fazendo isso?

– Vá embora, Tella! – urrou Lenda.

O cheiro fétido ficou mais forte e mais adocicado, mais denso, cadavérico, e dois vultos apareceram do outro lado da cerca viva.

O sangue congelou nas veias de Donatella.

A mulher muito branca usava um tapa-olho de pedras preciosas. E o homem tinha um corte enorme na garganta, parecia que a cabeça tinha sido decepada e colocada de volta no pescoço. A Rainha Morta-Viva e o Rei Assassinado.

As pernas de Tella bambearam, e a garganta secou.

A garota pegou na mão de Lenda, para obrigá-lo a fugir com ela. Só que uma nova cerca viva se ergueu entre os dois, impedindo-a de fazer isso.

– Não! – gritou Donatella.

Ela cerrou os punhos e socou os galhos esqueléticos, espinhosos e completamente desfolhados da cerca. Era uma ilusão mais fraca do que as que Lenda criara até ali, mas foi o que bastou para erguer uma barreira entre os dois.

– Príncipe Dante – disse o Rei Assassinado, lentamente. – Estou aqui imaginando se, depois desta noite, você entrará para a história com o nome de Dante, o Defunto, ou simplesmente será esquecido por completo.

– Que trágico – chilreou a Rainha Morta-Viva. – Seu rosto daria uma moeda maravilhosa.

Antes que Tella tivesse tempo de ouvir mais uma palavra, a cerca viva espinhosa mudou de lugar. Apertou o peito dela, obrigando-a a ir cambaleando para trás. E foi empurrando a jovem, cada vez mais rápido, afastando-a de Lenda e dos Arcanos.

*Aquele bastardo!*

O Mestre do Caraval estava empregando sua magia para afugentá-la, e a garota não tinha poderes para detê-lo – nem para deter os Arcanos que estavam ali para destruí-lo.

Donatella queria dar meia-volta, lutar contra a parede que a empurrava pelas costas e voltar para o lado de Lenda. Só que a parede mágica era implacável. A garota odiou ser obrigada a admitir que não podia fazer nada contra os Arcanos, a não ser torcer para que Lenda fosse mais forte do que eles. Tella sobrevivera quando a Rainha Morta-Viva e Vossas Aias tentaram matá-la. Lenda também sobreviveria.

Tinha que sobreviver.

Diante de Donatella, o palácio brilhava, com a luminosidade da lua, em contraste com o céu de puro breu. Pelo jeito, era o único ponto que não havia se transformado em pandemônio. O restante dos jardins permanecia às escuras: todas as luzes da festa tinham esmorecido. Tella ainda ouvia os convidados tentando sair do labirinto, cujos galhos começaram a quebrar e a cair. Eram umas poucas risadinhas e gargalhadas perdidas: algumas pessoas devem ter achado que tudo aquilo fazia parte da brincadeira.

Se estivessem em pleno Caraval, Tella também teria acreditado nisso: teria imaginado que aquilo fazia parte do plano de Lenda. Mas tinha sentido o medo dele quando o futuro imperador a beijou e a obrigou a ir embora.

Os pés de Tella ardiam dentro das sapatilhas toda vez que batiam no chão, e a cerca viva continuava empurrando suas costas. Seus pés raspavam no chão; ela sentia a terra sendo revolvida e ouvia os galhos se partindo então...

O chão sob os pés da garota tremeu. Ela só pensou em continuar correndo. Mas não conseguia mais ouvir a cerca viva. Quando diminuiu o passo, não a sentiu nas costas. E, quando se virou, não a viu.

A cerca, o labirinto, as borboletas que batiam asas em sua saia, tudo o que havia na festa desaparecera. Tudo o que ela via eram grossas espirais de fumaça que subiam em direção ao céu.

*Não! Não! Não!*

Tella não saberia dizer se gritou essas palavras, se as sussurrou ou se apenas pensou. Sabia que só existia um motivo para a magia de Lenda ter perdido efeito de repente.

Ele estava morto.

– Não!

Essa palavra, definitivamente, Tella gritou. E aí suas pernas cederam, e ela caiu de joelhos.

# O MEIO

# Donatella

Tella sentia a terra preta debaixo das mãos e dos joelhos, mas não sabia se estava seca, úmida ou cheia de grama e galhinhos que pinicavam. E não sabia há quanto tempo estava ali, sem conseguir se mexer. Só sabia que precisava se levantar. Precisava continuar andando, precisava continuar fugindo, como Lenda havia implorado em suas últimas palavras.

Quando tentou se levantar, um soluço sem lágrimas sacudiu seu peito.

O Mestre do Caraval não estava morto para sempre. Não era a mesma coisa que havia acontecido com a mãe da garota, que Donatella jamais veria novamente. Ele voltaria à vida. Mas, por ora, falecera.

Virou para trás para olhar os destroços do que, havia poucos minutos, era o labirinto, mas Lenda não surgiu no meio da fumaça.

A confusão imperava naquele lugar que, havia poucas horas, era pura magia e borboletas. Tella ouvia os ruídos das pessoas fugindo, passos trôpegos e ofegantes de pessoas que não estavam acostumadas a correr.

Ela se esforçou para ficar de pé. Sabia que precisava fugir. Lenda lhe pedira para fugir, em suas últimas palavras. Mas o que aconteceria com o corpo dele se Tella fosse embora? E se os Arcanos tivessem descoberto que o futuro imperador, na verdade, era Lenda? E se levassem o corpo dele, para que, quando voltasse à vida, pudessem matá-lo inúmeras vezes?

Donatella voltou correndo para o meio da turba ensandecida.

– Saiam da cidade! – avisou para todo mundo que viu. – Saiam daqui!

A garota não sabia se havia mais do que dois Arcanos por perto. Mas, se tinham aparecido para matar o sucessor de Elantine, não teriam medo de ser descobertos. Além disso, provavelmente, atacariam o palácio em seguida. Que, ao contrário da área externa, ainda estava iluminado e reluzente, intocado pela violência. *Por ora.* Quando os Arcanos tomassem o palácio e, na sequência, o império, os chafarizes se encheriam de sangue.

Uma mão tensa segurou o ombro de Tella.

– O que você pensa que está fazendo?

Ela ficou com o corpo tenso, preparado para a briga, por mais que tenha reconhecido aquela voz: grave e retumbante, com um sotaque arrastado e um pouquinho trêmula. Julian.

Era difícil enxergar o rosto dele no escuro. Mas o apertão alarmado que deu no ombro de Donatella já revelava muito.

*Julian já sabe do que acabou de acontecer.*

– Precisamos voltar para o labirinto e resgatar o corpo dele – disse Donatella.

– Tella... – Julian apertou ainda mais o ombro da garota. – Meu irmão morreu.

– Mas ele vai voltar à vida... não vai?

Donatella tentou se sacudir para se desvencilhar da mão de Julian. Ou, talvez, estivesse apenas tremendo.

– Ele é imortal. Vai voltar à vida.

– E por que você não está falando isso com mais convicção?

– Porque estou tentando salvar sua vida neste exato momento. Meu irmão me fez jurar que, se alguma coisa desse tipo acontecesse com ele, eu levaria você para um local seguro.

Julian, então, soltou o ombro de Tella, a pegou pelo braço e a puxou na direção contrária do palácio.

– Espere... Espere aí – disse Donatella, toda ofegante. – E Scarlett?

– Não está aqui. – Julian puxou a mão de Tella com mais força, obrigando-a a enfrentar as nuvens de fumaça. – Ela não apareceu no labirinto para me encontrar, como combinado. Fui procurá-la... mas sua irmã não está no palácio.

– Onde é que ela está?

– Com o conde.

– Mas… mas… – balbuciou Tella. – Scarlett me disse que ia cancelar a disputa.

– Bem que eu gostaria que ela tivesse feito isso – resmungou Julian, com um tom aflito, pressionando Donatella para correr mais rápido. – Quando entrei nos aposentos de sua irmã, encontrei um cartão do conde, pedindo para encontrá-la novamente, hoje.

– Onde ele mora?

– Nos arredores da cidade, passando as ruínas mais abaixo do Distrito dos Templos.

– Então é para lá que a gente vai.

Fez-se um silêncio, um silêncio repleto de nada a não ser a respiração pesada dos dois. Julian poderia ter argumentado que primeiro levaria Tella para um local seguro e depois, sozinho, procuraria Scarlett. Mas, pelo jeito, o amor que o rapaz sentia pela irmã de Donatella superou a promessa que fizera ao irmão.

Ou, talvez, Julian apenas soubesse que não adiantaria brigar com Tella. Era por isso que a garota sempre gostou de Julian. Ele nunca desistia de sua irmã mais velha.

Os dois atravessaram juntos a cidade na penumbra, fugindo rapidamente. Mas não conseguiram ir mais rápido do que as fofocas:

"O Príncipe Dante morreu: foi esmagado pelo próprio labirinto."

"O antigo herdeiro do trono voltou e assassinou o Príncipe Dante."

"O Príncipe Dante foi assassinado dentro do labirinto."

"Invasores dominaram a cidade e decapitaram o Príncipe Dante."

Algumas dessas alegações estavam mais próximas da verdade do que outras. Mas todas tinham uma coisa em comum: Lenda estava morto.

Tella ficou trôpega, mas não parou de correr. Pelo contrário: correu ainda mais. Os Arcanos haviam vencido mais uma rodada. Mas, quando ela encontrasse a irmã – e Lenda voltasse à vida –, todos iriam juntos ao Mercado Desaparecido. Descobririam uma maneira de destruir a Estrela Caída. E, aí, também conseguiriam deter os demais Arcanos.

Os sapatinhos da garota já estavam esburacados quando ela e Julian passaram dos limites da cidade, ao amanhecer. O nascer do sol foi de um vermelho-sangue reluzente: parecia que alguém tinha esfaqueado as nuvens e, em vez de cair chuva, brotaram ondas enevoadas de vermelho. Em qualquer outra manhã, isso pareceria errado.

Mas, naquele dia específico, parecia apropriado até o céu ter uma aparência violenta.

Havia um trecho de gramado seco e amarelado entre a cidade e o palacete do conde. O latido triste de um cachorro era o único som que se ouvia, além do arrastar dos pés cansados de Tella e dos passos de Julian.

A jovem tentou recuperar o fôlego, já que eles tinham diminuído o ritmo. Respirou fundo, mas o ar tinha um gosto sujo, das partes mais fétidas da cidade, e não de um trecho de campo e ar fresco. À medida que se aproximavam do palacete do conde, o fedor foi ficando mais forte, e os uivos tristes do cachorro, mais altos.

Tella abraçou o próprio corpo, e Julian foi andando ao lado dela.

A residência do conde mais parecia o começo de um conto de fadas, mas antes de a magia acontecer. Os jardins eram repletos de flores curiosas e bem cuidadas, que pareciam ter sido plantadas com carinho. Mas a casa em si estava com a pintura descascada; as janelas estavam limpas, mas eram cheias de rachaduras; e as chaminés caindo aos pedaços pareciam precisar urgentemente de consertos. Até o caminho comprido que levava até a casa estava cheio de rachaduras.

– Pensei que a residência do conde seria mais ajeitada – comentou Tella. – Pelo jeito que Scarlett descreveu, era muito melhor.

– Acho que ela não viu a casa como realmente era quando estivemos aqui. Acho que estava preocupada demais porque ia conhecer o conde pessoalmente. E não tinha esse fedor.

Dito isso, Julian tapou o nariz e a boca com a mão.

Tella fez a mesma coisa, e uma nova onda de nervosismo embrulhou seu estômago. O fedor era tão pútrido que ela ficou com ânsia de vômito quando chegaram à entrada da casa. A porta estava entreaberta, exalando ainda mais daquele odor maldito.

O cachorro latiu de novo, um ganido longo e sentido.

Donatella parou bem na hora que a porta se escancarou de vez: um zumbido terrível e incessante acompanhou os uivos angustiados do cão.

Mais tarde ela não se lembraria de ter entrado na casa, mas iria se arrepender de ter posto os pés ali. Não apareceu nenhum criado para lhes dar as boas-vindas ou mandá-los embora. Só se ouviam o uivo interminável do cão, o zumbido das moscas e as preces silenciosas de Donatella.

*Não permita que minha irmã esteja morta.*
*Não permita que minha irmã esteja morta.*

Porque alguém, com certeza, estava morto. O fedor mórbido ficou pior quando ela e Julian, por fim, passaram do vestíbulo e chegaram à biblioteca aberta.

Tella ficou balançando, parada, ao ver o cadáver do conde. Ou o que ela pensou ser o cadáver do conde. Ele estava na biblioteca do segundo andar, sentado em uma poltrona enorme, atrás da escrivaninha, e parecia que alguém havia queimado toda a pele de seu corpo.

O cachorro, ao lado dele, uivou de novo e ficou sacudindo o focinho triste, tentando impedir os vermes e as moscas de se banquetearem nos restos mortais do dono.

Donatella tentou desviar o olhar do corpo carbonizado: já vira mortes demais naquela semana. Não precisava olhar o Ceifador nos olhos novamente. Nunca vira um cadáver esfolado a fogo – e gostaria de não estar vendo um naquele exato momento. Mas não conseguia desviar o olhar da cena macabra diante dela. Aquilo era impossível. Se d'Arcy tivesse sido queimado vivo, outras partes da biblioteca também teriam pegado fogo. Parecia que alguém instruíra as chamas, dizendo para queimarem apenas a pele de Nicolas.

A garota cambaleou para trás porque algo que Jacks havia dito lhe veio à cabeça.

"Pelo menos ele a matou com uma facada e não a queimou com seus poderes… O fogo é a maneira mais dolorosa de morrer."

– Acho que sei quem fez isso – disse Tella. – Acho que a Estrela Caída esteve aqui à procura de Scarlett.

As feições de Julian perderam completamente a cor.

– O que ele poderia querer com Carmim?

– Por causa da nossa mãe. Antes de matá-la, a Estrela Caída disse que Paloma o obrigou a voltar para o Baralho do Destino amaldiçoado: ele já deve ter vivido em liberdade antes, e nossa mãe o aprisionou novamente. Pelo jeito, não bastou matar apenas ela: agora esse Arcano vai atrás das filhas.

O que também explicaria por que o apartamento delas tinha ficado de pernas para o ar.

Tella torcia para estar enganada. Não podia perder a irmã do mesmo jeito que perdera a mãe. Mas não conseguia imaginar mais ninguém fazendo aquilo nem por que alguém faria uma coisa daquelas. Nunca gostou de Nicolas, mas o fato de ele, visivelmente, ter sido torturado até a morte a fez pensar que d'Arcy não entregaria a irmã – ou, pelo menos, não facilmente.

Talvez Scarlett tivesse conseguido fugir. Pelo jeito, todos os criados tinham fugido. Então, havia a possibilidade de a irmã mais velha de Donatella ter ido com eles. Ou ela dera um jeito de se esconder, e os dois só precisavam encontrá-la.

Julian tentou tirar o cachorro da biblioteca quando foram procurar Scarlett. Mas o animal não queria sair dali: continuou de guarda ao lado do dono morto, ganindo, enquanto Tella e Julian reviravam cada lúgubre centímetro do palacete, à procura de Scarlett.

– Carmim! – gritou Julian, e Tella poderia jurar que ele estava com os olhos cheios de lágrimas. Não estava chorando, mas quase. – Carmim!

– Scarlett! – berrou Donatella na mesma hora.

E continuou repetindo o nome da irmã até ficar com a garganta dolorida. À medida que esquadrinhava armários, adegas e cômodos empoeirados, cheios de móveis cobertos por tecidos, foi ficando com a visão borrada. Quando ela e Julian terminaram a busca, Tella estava com as pernas tremendo, toda suja de poeira e não havia encontrado nenhum sinal de que Scarlett estivera ali um dia.

Julian também estava imundo, todo suado. Com o cabelo grudado na testa e a camisa grudada no peito. Os dois saíram da mansão se arrastando e foram para os estábulos vazios. Era o único lugar do palacete que não fedia a morte.

Mas Tella não queria descansar. Não queria se encolher no feno e comer o lanche que Julian pegara na cozinha. Não queria reviver horror nenhum nem ficar sentada em silêncio enquanto seus piores medos se tornavam realidade. Já tinha perdido a mãe e Lenda. Não podia perder a irmã.

Sentiu um aperto no peito. E, por um instante de desespero, desejou que Jacks estivesse ali para tirar aquela dor de dentro dela.

## 26

## *Scarlett*

Scarlett esperou que o mundo sacudisse, que o barco balançasse e que o estômago reclamasse. Mas o estômago foi o único que atendeu às expectativas: borbulhou, com um mal-estar nauseante, assim que ela se sentou em uma cama macia como pluma, abriu os olhos e descobriu que tudo ao redor – colunas, carpetes e roupas de cama – eram tons cor de creme e dourado, com delicadas nuances de cor-de-rosa.

Nada era roxo, a cor que era a marca registrada do pai. Não sentiu o maldito perfume dele nem viu sua cara odiosa. E, apesar disso, não estava se sentindo segura – longe disso – quando saiu da cama em forma de meia-lua arrumada apenas com lençóis cor-de-rosa finos como gaze.

Com as pernas meio bambas, ainda instáveis da droga que haviam lhe dado, conseguiu ir até o vão entre duas colunas, ambas adornadas com cabeças de querubins bebês com olhos de animais. Encantadores e equivocados. Mas estavam longe de ser tão perturbadores quanto os afrescos pintados no teto, mostrando seres parte humanos, parte animais.

Alguém ali tinha uma ideia de decoração muito pervertida.

O estômago ardeu quando a jovem se aproximou das janelas, que iam do chão até o teto, e abriu rapidamente as cortinas. Mais arcos e galerias intermináveis, tudo em branco e dourado. Scarlett não sabia exatamente onde estava, mas não estava em um barco, nem nas docas nem no mar. Pelo jeito, voltara no tempo, antes de as ruínas de Valenda se tornarem ruínas.

Virou-se e correu, afundando os pés no carpete fofo, cor de creme, à procura de uma porta. Ainda estava com a Chave de Devaneio no bolso, só precisava encontrar uma fechadura. Mas ela encontrou apenas um véu de cortinas cor-de-rosa, pouquíssima coisa mais grossas do que os lençóis diáfanos da cama.

Scarlett abriu as cortinas com um movimento rápido e correu em disparada até uma saleta, onde havia mais afrescos. Mas foi a gaiola dourada que a fez parar. Ocupava quase metade do cômodo. Do outro lado da gaiola, havia uma porta. E dentro dela havia uma jovem de vestido cor de lavanda, empoleirada em um balanço, feito uma ave de estimação.

Ela poderia ter passado reto pela jovem. A mulher em cativeiro estava de cabeça baixa, com os olhos fechados, parecia que balançara até pegar no sono. Se Scarlett não fizesse barulho, não iria acordá-la. Mas não podia fugir e deixar outra garota aprisionada.

Sendo assim, deu um passo à frente, com todo o cuidado.

Nenhuma cor deletéria rodopiava em volta da jovem em cativeiro, mas Scarlett sentiu uma onda de incerteza ao se aproximar. Tinha a impressão de que aquela cena não lhe era estranha, mas ainda estava com a cabeça muito confusa por causa das drogas para conseguir ligar os pontos.

A fechadura reluzente da porta de ouro da gaiola era maior que o punho fechado de Scarlett. Ela foi colocando a mão no bolso, em dúvida se a Chave de Devaneio iria ou não abri-la, mas o vestido fechou o bolso antes que desse tempo de pôr os dedos dentro dele. Nesse exato momento, a mulher em cativeiro ergueu a cabeça de repente, revelando olhos cor de lavanda, bem alertas, da mesma cor do vestido.

– Que preciosa, você – disse ela, com a voz rouca. Parecia que não falava havia muito tempo. – Infelizmente, você não pode me libertar, humanazinha. Só quando ele morrer de verdade terei permissão para sair dessa gaiola.

– Só que eu não morro de verdade – disse outra voz.

Scarlett virou para o lado.

Por um instante, achou que estava vendo um anjo. O homem corpulento diante dela estava vestido em alvíssimo tom de branco e rodeado de faíscas. Aquilo a fez pensar que o ar ao redor daquele homem estava a um milímetro de pegar fogo.

Ela jurou que a gaiola de ouro se tornara mais opaca com ele ali do lado. A pele cor de oliva brilhava, e o cabelo castanho e grosso tinha fios de ouro, assim como os olhos brilhantes. Visivelmente, não era humano.

– Olá, Scarlett – disse o homem, que foi esboçando um esgar lentamente. Aquele poderia ter sido um sorriso convincente, se não fossem os olhos dourados, que brilhavam e se espremiam com um segundo de atraso: parecia que ele precisava ficar se lembrando que, quando sorria, tinha que fazer isso com o rosto inteiro. – Você é igualzinha à sua mãe. Só que ela jamais teria parado para libertar Anissa se achasse que teria chance de fugir. Paradise era impiedosa.

O homem disse a palavra "impiedosa" do mesmo jeito que outra pessoa teria dito "linda". O sorriso até chegou aos olhos, fazendo-os brilhar como estrelas roubadas: reluziram mais que as faíscas que o cercavam e aqueceram a saleta, feito chamas genuínas. Na mesma hora, Scarlett teve certeza de quem era aquele imortal que estava na sua frente: a Estrela Caída. O Arcano que assassinara a mãe dela, na frente de Donatella.

A jovem cambaleou para trás e bateu os ombros na gaiola. Não sabia o que a Estrela Caída queria com ela, mas não queria nem saber. Tentou desviar do Arcano e correu em direção à porta.

– Isso seria um erro.

A mão da Estrela Caída se abateu sobre o ombro de Scarlett, com força e peso suficiente para esmagar o braço inteiro dela com um único apertão.

– Seja um pouco mais delicado, Gavriel, senão vai quebrá-la – disse a mulher da gaiola.

A Estrela Caída relaxou os músculos, mas não a soltou.

– Não quero te machucar. Trouxe você para o Zoológico para protegê-la.

Scarlett só precisava ser protegida dele. Mas dizer isso, provavelmente, era uma péssima ideia. Tentou se concentrar no que o Arcano acabara de dizer. Quando saísse dali – porque iria sair dali –, queria conseguir contar para todos exatamente onde estivera.

– O Zoológico, por acaso, não é um dos lugares místicos? – perguntou.

Scarlett não estudara tanto os lugares místicos quanto estudara os imortais místicos, mas recordava que o Zoológico era habitado por inúmeras quimeras mágicas e seres parte humanos, parte animais – o que explicava todos aqueles afrescos perturbadores e a mulher engaiolada que estava ao seu lado.

Então imaginou que Gavriel poderia ter em mente mantê-la em cativeiro também. Os pensamentos desencontrados não conseguiam recordar muita coisa a respeito da Estrela Caída, além do fato de ele ter criado todos os Arcanos e de ter matado a mãe dela. Talvez também colecionasse mulheres como bichos de estimação, e Scarlett fosse sua próxima aquisição.

– Acho que você ainda está deixando-a com medo – chilreou a jovem da gaiola.

– Não precisa ter medo de mim, *auhtara*.

Ele relaxou um pouco mais os dedos quando empregou aquela palavra estrangeira. Scarlett conhecia várias línguas, mas aquela palavra não parecia ser de nenhuma delas.

– Por que você está me chamando disso?

Gavriel mostrou os dentes, em mais uma tentativa de dar um sorriso que não saiu como deveria.

– É o termo para "filha", na minha língua-mãe.

A saleta ornamentada girou em volta de Scarlett. Não sabia se Gavriel estava tentando amedrontá-la ou surpreendê-la. Torceu para que fosse uma piada de mau gosto. Mas duvidava que aquele imortal tivesse senso de humor. Era o monstro no qual todos os outros monstros se espelhavam. Se o que ele acabara de dizer fosse verdade, Scarlett não sabia ao certo o que esse fato fazia dela, mas não queria nem saber.

Não queria acreditar no Arcano.

Ele tinha que estar delirando.

Ele tinha que estar enganado.

Era um erro, com certeza. A garota já tinha um pai assassino e com sede de poder. Não merecia mais um.

Aquilo não podia ser verdade. Mesmo que no fundo, bem lá no fundo, Scarlett tenha lembrado que era comum as pessoas comentarem que Donatella era igualzinha ao pai, mas que ela não havia puxado nada do governador Dragna. A mãe, inclusive, havia se casado com o pai da garota depois de um romance intempestivo, do qual Scarlett tinha conhecimento porque ouvira a fofoca das criadas, havia alguns anos. Elas tinham falado que o casamento só tinha sido rápido daquele jeito porque Paloma estava grávida – e certas criadas juravam que o filho não era de Marcello Dragna.

– Teria dado mais certo se você não a tivesse sequestrado – chilreou a jovem da gaiola. – A pobrezinha está em estado de choque.

– Silêncio, Anissa. Ou amanhã você vai acordar em uma gaiola menor. – Nessa hora, a Estrela Caída voltou a olhar para Scarlett e falou: – Posso ver que você está com dificuldade de acreditar. Mas devia suspeitar que não é completamente humana. Tem algo que você é capaz de fazer que a maioria dos humanos não consegue?

– Mas eu sou humana – protestou Scarlett, apesar de enxergar os tons radiantes de medo roxo que rodopiavam ao redor dela. Era um talento que ela sabia não ser normal, assim como sua recente habilidade de ver os sentimentos dos outros. – Não sou Arcano.

– Não, você não é um Arcano. Mas, sendo minha filha, pode se tornar um.

O sorriso sobre-humano de Gavriel ficou mais largo. A jovem imaginou que ele estava tentando tranquilizá-la. Mas não havia nada de tranquilizador, nem remotamente, em um homem que acabara de dizer a uma mulher em cativeiro que iria colocá-la em uma gaiola menor e que também poderia transformar Scarlett em um monstro.

– Conte-me, *auhtara*, o que você consegue fazer?

Scarlett engoliu em seco. Não queria responder à pergunta dele. Mas sabia que era um teste e não queria descobrir o que poderia acontecer caso não passasse nele.

– Sempre vi minhas próprias emoções em cores – admitiu. – Mas recentemente comecei a ver os sentimentos das pessoas também.

– Você consegue enxergar alguma das minhas emoções? – perguntou o Arcano, com um tom de voz ainda calmo. Mais um teste. E Scarlett não sabia a resposta correta. Imaginava que a maioria das pessoas não gostaria que ela bisbilhotasse suas emoções. Se o pai que a criou tivesse feito essa pergunta, a resposta correta, certamente, seria "não". Só que a Estrela Caída era o Arcano que criara todos os demais Arcanos. Não ia gostar de ter uma filha sem talento nenhum.

A garota respirou fundo, para se acalmar. Nunca tinha tentado ver as emoções de outra pessoa de propósito, e a Estrela Caída era um Arcano, não um ser humano. Mas, pelo jeito, ela também não era completamente humana.

Endireitou a postura e pôs o medo, as preocupações e o pavor de lado. Então começou a vislumbrar cores que não eram suas. Esperava vermelhos raivosos e roxos perversos. Mas a Estrela Caída era feita de dourados magníficos.

Gavriel estava satisfeito e ficava mais encantado a cada segundo que passava. Scarlett pôde ver nuances de um verde afoito surgirem enquanto ele assistia à suposta filha empregar seus poderes para decifrá-lo.

– O que você vê?

– Você está feliz por eu estar aqui, mais feliz do que esperava ficar... e está orgulhoso. Consigo enxergar faíscas cor de bronze de orgulho em volta de você enquanto estou falando.

– Excelente. – Gavriel balançou a cabeça uma única vez, e os verdes afoitos que o cercavam ficaram mais escuros, um tom mais de ganância. – Eu sabia que você seria talentosa. Existe outro Arcano com habilidades semelhantes. Ele pode controlar emoções, mas este talento nunca funcionou nos imortais.

– Eu só consigo ver as emoções, não posso controlá-las – corrigiu Scarlett.

– Isso porque você ainda não contou com a minha ajuda.

Dito isso, a Estrela Caída esticou o braço para fazer carinho na cabeça de Scarlett.

A jovem não pôde evitar: se encolheu toda, para que Gavriel não encostasse nela. Ele podia sequestrá-la ou colocá-la dentro de uma gaiola, ela não tinha forças para impedi-lo. Mas jamais aceitaria afeto vindo dele. Talvez, essa não fosse a mais inteligente das estratégias de sobrevivência, mas nem tudo na vida é questão de sobrevivência.

A Estrela Caída baixou a mão. Mas, para surpresa de Scarlett, deu outro de seus sorrisos sobre-humanos.

– Se você me aceitasse com muita facilidade, eu teria me decepcionado. Mas não vai resistir para sempre. Você é minha única herdeira. Quando eu subir ao trono, vou dividir o Império Meridiano com você, desde que se torne o que eu quero que você seja.

O Arcano, então, sacudiu a mão enorme, e o pavor de Scarlett foi às alturas, porque as faíscas do ar explodiram, virando chamas que preencheram o vão acima deles e se retorceram, assumindo formas reluzentes. A garota viu uma imagem de si mesma, sentada em um trono, com um vestido de baile volumoso e um diadema de pedras preciosas na cabeça, diante de uma fila de pretendentes, alguns de joelhos e outros estendendo a mão, oferecendo presentes elaborados.

– Posso tornar realidade todos os seus sonhos mais extraordinários depois que você desenvolver seus poderes. Posso fazer de você um Arcano, como eu.

Quando ele sacudiu a mão de novo, e a imagem formada pelas chamas mudou, Scarlett se segurou para não dizer que usurpar o império com a Estrela Caída e se tornar um Arcano não estavam entre seus sonhos.

Na segunda imagem, Scarlett continuava sentada na sala do trono. Mas dessa vez estava aos pés da Estrela Caída. E, no lugar do diadema, havia uma gaiola em volta de sua cabeça.

– Vou permitir que você escolha um desses dois futuros. Pense um pouco enquanto eu estiver fora. Minha adorável Dama Prisioneira te fará companhia. E não se esqueça do que acontecerá se tentar ir embora do Zoológico.

Gavriel acariciou as grades da gaiola de ouro, e Scarlett se deu conta do porquê aquela jovem não lhe era estranha. A Dama Prisioneira era outro dos Arcanos. Nos Baralhos do Destino, sua carta tem duplo sentido: às vezes, é sinal de amor. Mas, normalmente, quer dizer sacrifício.

Scarlett não conseguia se lembrar quais eram os poderes da Dama Prisioneira, mas torceu para que não fosse alguma forma de prever o futuro quando os olhos da jovem passaram de roxo a branco, e ela disse:

– Mal posso esperar para ver você se transformando naquilo que ele quer que seja.

# Donatella

Quando finalmente sucumbiu ao sono, Tella torceu para encontrar Lenda. Nem ligava se o Mestre do Caraval estivesse distante, por ter sido rejeitado por ela, ou ainda um tanto morto, apenas torceu para que aparecesse. As saias rasgadas azul-tempestade arrastavam no chão do Castelo de Idyllwild, juntando partículas de *glitter* abandonado e estrelas de papel descartadas enquanto procurava em um salão de baile no qual não havia baile nenhum.

Sabia que estava sonhando, mas tinha a impressão de que tudo parecia mais uma lembrança abandonada. Ao contrário da primeira noite da última edição do Caraval, quando entrou ali acompanhada por Dante, o salão estava em silêncio, a não ser pelo *ping-ping* de uns poucos e ridículos chafarizes da festa. Na última edição do Caraval, um vinho violeta escuro fluía desses chafarizes. Mas naquele momento mal pingava um líquido vermelho enferrujado, cor de coração partido.

Jacks saiu calmamente da gaiola que havia no meio do salão, em um borrão elegante de roupas amarrotadas e mal abotoadas. O cabelo dourado caía nos olhos e brilhava mais do que qualquer coisa ali. Sua aparência era indomável e mais bela do que Donatella gostaria de admitir.

Com movimentos indolentes, mas graciosos, cortou um pedaço de uma maçã azul-tempestade, da mesmíssima cor do vestido da garota.

Ela de repente sentiu um calor no rosto e ficou corada quando o Arcano pôs o pedaço de fruta na boca e deu uma mordida bem grande.

– O que você está fazendo aqui? – indagou Tella.

– Estou me divertindo muito menos do que esperava.

Dito isso, chegou bem perto dela. O Príncipe de Copas estava com um aroma particularmente divino naquela noite: cheiro de maçã combinado com uma especiaria intensa que Donatella não conseguiu identificar. Tentou se convencer de que só gostara do perfume dele porque, quando estava acordada, só conseguia sentir cheiro de morte. Mas, quanto mais Jacks se aproximava, mais ela lutava contra o ímpeto de aspirar o cheiro do Arcano. Havia algo de muito errado com aquele sonho.

– Não é disso que estou falando – declarou Tella, bufando. – Eu só te dei permissão para entrar nos meus sonhos por uma noite.

– E, mesmo assim, você não tentou me impedir de entrar hoje? – Nessa hora, ele ficou passando a ponta afiada da adaga nos lábios perfeitos. – Em que você estava pensando antes de cair no sono?

– Não estava pensando em você.

– É mesmo? – debochou o Arcano. – Você não estava querendo que eu aparecesse para fazer você se sentir melhor?

O Príncipe de Copas continuou passando a faca na boca, mas a expressão em seus olhos sobrenaturais ficou mais suave quando ele mediu Tella, começando pelos cachos revoltos e descendo pelas mãos sem luvas, até parar na bainha desfiada do vestido de baile arruinado. Donatella quase chegou a pensar que o Arcano estava preocupado com ela, até que Jacks disse:

– Você está um caco.

– É falta de educação falar isso para uma garota – disparou ela.

– Não vim até aqui para ser educado, meu amor. – O Arcano, então, atirou a faca no chão, que caiu fazendo um ruído alto, chegou ainda mais perto e insistiu: – Estou aqui porque você queria a minha presença.

– Não queria, não.

– Então você não quer que eu tire essa dor de dentro de você? – Os olhos do Arcano estavam com o tom perfeito do vidro marinho polido. – Posso fazer você sentir o que quiser quando acordar. É só pedir.

Dito isso, Jacks segurou o rosto de Tella com a mão gelada e chegou um pouco mais perto.

A jovem deveria ter se desvencilhado do Arcano. A palavra "obsessão" lhe veio à mente, mais uma vez. Só que, quando Jacks encostou em Donatella, ela não teve forças para se preocupar se aquela era uma péssima ideia nem para odiar como deveria a sensação de ser tocada por Jacks. A pele gelada do Príncipe de Copas transmitia uma sensação de alívio ao rosto aquecido de Tella, incitando-a a fechar os olhos, aconchegar-se em Jacks e aceitar o que ele estava oferecendo.

– Não é melhor assim? – perguntou o Arcano, com os lábios gelados na orelha dela, roçando na pele sensível da garota. – É só dizer "sim", que tiro tudo o que dói de você. Posso fazer você esquecer de tudo isso. E posso te dar coisas que o seu principezinho morto não pode.

Um arrepio percorreu a espinha de Donatella, e seus olhos se abriram de repente. Não era aquilo que queria. O que estava doendo eram coisas pelas quais ela nutria sentimentos: Lenda, a mãe, Scarlett, o fato de os Arcanos estarem conquistando o império.

Tella sacudiu a cabeça e se afastou do Príncipe de Copas. Não precisava de Jacks para se sentir melhor. Precisava acordar, precisava encontrar a irmã e precisava ir ao Mercado Desaparecido comprar um segredo que poderia revelar como destruir a Estrela Caída. Não precisava apagar a dor que sentia: precisava dessa dor para compeli-la a entrar em ação. Só porque era uma emoção negativa, não queria dizer que não era uma emoção valiosa.

– Não vamos fazer isso.

Jacks fez uma expressão de surpresa e passou a língua nos dentes.

– Você não quer se sentir melhor? – perguntou.

– Não. E não quero saber de você!

O Príncipe de Copas deu risada, sacudiu os cabelos dourados e fez o som de seu riso ecoar pelo salão de baile abandonado.

– É o que você diz, meu amor. Só que um lado seu quer saber de mim, sim. Senão, eu nem estaria aqui.

## Scarlett

Scarlett fingiu que não estava apavorada. Fingiu que não estava aprisionada no Zoológico Místico. Fingiu que, em vez dos tons de ameixa petrificados, seus sentimentos tinham nuances tranquilas de cor-de-rosa que combinavam com a cama diáfana em forma de meia-lua, onde se obrigou a deitar.

Teve vontade de usar a Chave de Devaneio no mesmo instante em que a Estrela Caída saiu do recinto. Só que a Dama Prisioneira não tirou os olhos cor de lavanda de Scarlett. Por causa da gaiola, Anissa não poderia impedir a garota de ir embora, mas ela não queria que a Dama Prisioneira gritasse e avisasse um dos guardas antes que desse tempo de fugir. Seria mais seguro sair de fininho, depois que o Arcano pegasse no sono.

— Não sei qual é o seu plano, mas pode confiar em mim.

A Dama Prisioneira pulou delicadamente do poleiro, foi até a beirada da gaiola, e ficou observando Scarlett pelos vãos entre as grades de ouro. Seu sorriso era bem mais convincente do que o sorriso da Estrela Caída. Mas ela era um Arcano e, apesar de estar aprisionada, dera a impressão de ser muito leal à Estrela Caída antes de Gavriel ir embora.

Marcello, o *outro* pai de Scarlett, tinha guardas assim, mais jovens, a quem ordenara para serem simpáticos com as filhas, com o objetivo de se aproximarem das garotas e ficar bem de olho nelas.

— Não estou planejando nada – disse Scarlett.

— É claro que está – retrucou Anissa.

– Está falando isso por causa do seu poder? – Scarlett continuava sem confiar no Arcano aprisionado, mas tinha curiosidade a respeito de Anissa. Recordava o que a carta da Dama Prisioneira representava, mais ainda não se lembrara de quais eram suas habilidades. – Quando seus olhos ficaram brancos, há pouco, você estava vendo o futuro?

– Eu enxergava o futuro, lindinha. Antes de vir parar nesta gaiola, eu era amada pelos meus talentos. As pessoas tinham medo dos outros Arcanos, mas me adoravam. E sabiam que podiam confiar em mim porque não consigo mentir. Esta gaiola sufocou meus talentos. Agora só consigo ter pequenos vislumbres de coisas que vão acontecer. De vez em quando, tenho palpites de quais são as melhores decisões a tomar ou o que não se deve fazer. Mas o único de meus *talentos* que ainda realmente tenho é minha incapacidade de mentir.

O Arcano começou a passar os dedos nas grades da gaiola, e Scarlett ficou observando com ar de incredulidade. O que a Dama Prisioneira disse, a respeito de não conseguir mentir, não lhe era estranho, mas nem por isso confiou nela.

– Você continua olhando para mim como se eu fosse sua inimiga. Mas estou muito mais encurralada do que você. Por acaso sabe como é horrível ser feita de bicho de estimação?

*Não.* Mas Scarlett tinha a sensação de que, se não saísse logo dali, iria descobrir.

– Por que ele colocou você nessa gaiola?

– Não foi só ele. Outro Arcano também participou: o Boticário. Ele pode movimentar metais e pedras com a força do pensamento. O Boticário criou a gaiola, e Gavriel a selou com fogo, tornando-a impenetrável para todos, menos para ele. Fez a mesma coisa com a Morte Donzela: pediu para o Boticário colocar uma gaiola de pérolas na cabeça dela. Como a Morte Donzela, só poderei ser livre quando a Estrela Caída tiver morrido de verdade.

Os olhos violeta de Anissa se encheram de tristeza, mas Scarlett estava vendo fios de um roxo violento rodopiando em volta dela. A Dama Prisioneira não era leal a Estrela Caída. Mas isso não queria dizer que seria leal a Scarlett. A Dama Prisioneira só queria sair daquela gaiola.

– Gavriel sente prazer em aplicar castigos. Se você for esperta, me dará ouvidos. Assim que ele usurpar a coroa do Império Meridiano, dará início a uma dinastia de terror. O único motivo para a Estrela Caída não estar sentado no trono neste exato momento é que ele adorar brincar com os seres humanos e querer que seus súditos o adorem antes que comecem a odiá-lo.

– Ele não vai sair impune – garantiu Scarlett.

A garota não era muito fã de Lenda, mas o Mestre do Caraval faria tudo que estivesse ao seu alcance para permanecer no trono.

– Ah, querida – disse a Dama Prisioneira, com um suspiro. – Ele já está saindo impune. Enquanto você dormia, feito uma donzela em perigo, Gavriel enviou alguns de seus leais Arcanos para assassinar o futuro imperador.

– Como assim?

Scarlett sentiu que todo o sangue se esvaiu de seu rosto. Lenda não podia estar morto. Lenda era imortal. Imortais não morrem. Mas sabia, melhor do que ninguém, que Lenda poderia morrer – vira o cadáver dele durante o primeiro Caraval do qual participara. Ele voltaria à vida, uma hora ou outra. Mas, se realmente estivesse morto, o que teria acontecido com Julian e Tella?

Quando Scarlett saiu do palácio para se encontrar com Nicolas, tanto Tella quanto Julian estavam lá. Donatella sabia a hora de fugir. Mas Julian gostava de brigar: era irmão de Lenda, fazia parte dos joguinhos dele e da corte do irmão. E, ao contrário de Lenda, Julian era mortal. Se morresse fora do período do Caraval, não voltaria à vida.

Scarlett ficou com a boca seca. Precisava muito sair dali e encontrar Julian e a irmã.

– Fico feliz por você, finalmente, acreditar em algo que eu disse. O Rei Assassinado e a Rainha Morta-Viva estão no comando. Os seus livros de história contam que os dois foram nossos governantes, mas ambos eram subordinados de Gavriel. Ele deu ordens para aterrorizar todos ao máximo, até a cidade inteira ficar apavorada. E é aí que Gavriel vai surgir, no papel de salvador do império, e se apossar do trono. Até lá, as pessoas vão estar prontas para acreditar em qualquer mentira que ele contar. A menos que você resolva detê-lo.

Anissa, então, se segurou nas grades da gaiola e ficou olhando para Scarlett, do outro lado do cômodo.

– Você precisa se tornar o que ele mais quer. Você é a única que tem o poder de derrotá-lo.

Os olhos da Dama Prisioneira mudaram de cor, passando de lavanda para um branco leitoso. E aí seus ombros se encolheram. Ela soltou as grades, voltou para o poleiro, fechou os olhos e pegou no sono de novo, como se não tivesse acabado de dizer para Scarlett que o fim do mundo estava próximo e cabia à garota salvá-lo.

Só que Scarlett só conseguia pensar em salvar duas pessoas: Tella e Julian. Precisava fugir dali e se certificar de que os dois estavam bem.

Sentou-se na cama baixa e ficou balançando as pernas: não conseguia mais fingir que não estava apavorada. Pelo jeito, Anissa estava dormindo, mas ela esperou até a respiração do Arcano ficar mais parecida com uma série de roncos suaves.

Scarlett levantou da cama com todo o cuidado e deu um passo.

Anissa continuou roncando.

Scarlett deu mais um passo.

Depois, mais um.

E mais outro. E aí, sem ter a intenção, estava correndo até a porta principal e enfiando a Chave de Devaneio na fechadura.

*Julian. Julian. Julian.*

Pensar no nome dele enquanto girava a chave na fechadura foi a decisão mais rápida que Scarlett já tomara na vida. Se Julian estivesse vivo, ela precisava…

Seus pensamentos foram interrompidos quando atravessou a porta e se encontrou de pé, debaixo de uma estrutura de madeira meio bamba, olhando para um mar de palha e feno, com um rapaz bonito e cansado bem no meio.

Perdera a casaca, estava com as mangas da camisa arregaçadas, as calças rasgadas, e o coração de Scarlett foi parar na boca no mesmo instante em que o viu.

Os olhos cor de âmbar de Julian se arregalaram ao vê-la e, provavelmente, ao ver o vestido dela, que havia se transformado em um traje de baile cintilante, com uma saia volumosa, totalmente coberta de rubis. Era difícil correr com aquele vestido, mas isso não impediu Scarlett de se atirar para a frente e abraçá-lo.

Julian tinha cheiro de terra, de lágrimas e de perfeição. E a jovem decidiu que nunca, jamais, o soltaria. Gostaria que houvesse uma maneira de amarrar o próprio coração ao dele. Para que, mesmo quando estivessem separados, permanecessem ligados. Existiam coisas no mundo das quais Scarlett realmente deveria ter medo. Mas amar Julian não era uma delas.

– Estou tão feliz por você estar vivo! Quando fiquei sabendo o que aconteceu com Lenda, fiquei apavorada, achando que você também poderia estar ferido.

– Estou bem. Estou bem. – Julian abraçou Scarlett mais apertado, como se também nunca mais quisesse soltá-la. – Eu só fiquei preocupado com você. Como conseguiu chegar aqui?

– Usei a chave. – Scarlett se afastou um pouquinho, só para poder olhar Julian nos olhos. – Precisava encontrar vocês.

Antes que desse tempo para ele responder, Scarlett inclinou o corpo para a frente e o beijou com todas as suas forças.

No instante em que Scarlett encostou os lábios nos de Julian, ele enroscou os dedos no cabelo dela e a devorou com a língua, ocupando cada centímetro da boca da jovem.

Normalmente, ele era terno quando a beijava, a adorava com os lábios e acariciava seu corpo delicadamente. Mas não havia ternura nenhuma naquele beijo. Era um beijo desesperado e devorador. Um beijo com dentes e garras, como se os dois precisassem ficar unidos não apenas com as mãos. As costas do vestido de Scarlett sumiram e as mãos de Julian percorreram a pele que ficou à mostra.

Ela sabia que deveriam falar de outros assuntos, mais prementes. Mas nada parecia ser mais urgente do que aquilo. Se os últimos dias haviam provado alguma coisa, era que o mundo poderia mudar de uma hora para a outra, de um jeito doloroso. Pessoas morriam. Pessoas eram sequestradas. Pessoas se revelavam bem diferentes do que Scarlett imaginava.

Mas ela sabia quem Julian era. Tinha seus defeitos, era imperfeito, imprudente e impulsivo. E também era apaixonado, leal e amoroso – e era ele que a garota queria. Era a mão de Julian que Scarlett queria segurar. A voz dele era o som que queria ouvir, e o sorriso dele não era apenas algo que ela queria ver: queria ser o motivo para Julian sorrir.

Aquele rapaz jamais seria perfeito: já havia dito isso para Scarlett. Só que ela não queria alguém perfeito – só queria Julian. E começou a desabotoar a camisa dele.

– Calminha aí, Carmim… – Nessa hora, Julian segurou delicadamente os pulsos de Scarlett e completou: – Por mais que eu esteja adorando, precisamos parar.

Com todo o cuidado, ele tirou as mãos dela da camisa. Quando fez isso, ela viu um relevo vermelho no braço dele, onde antes havia um curativo. A atadura de tecido tinha sumido e, em seu lugar, na parte de baixo do braço, havia uma tatuagem de estrela, preenchida com um tom bem forte de vermelho.

Na mesma hora, lágrimas se acumularam nos cantos dos olhos de Scarlett.

– É escarlate – comentou, com um suspiro.

Julian deu um sorriso tímido e corrigiu:

– Na verdade, é carmim.

– Mas... mas... – gaguejou a garota, sem saber direito o que dizer. Julian fizera aquela tatuagem quando os dois não estavam nem se falando e não tinha nenhuma garantia que continuariam juntos.

– Eu não quis esperar – explicou o rapaz, lendo os pensamentos dela com toda a facilidade, pela cara que Scarlett fez. – Eu sabia que, se voltasse de viagem e as coisas não dessem certo, me arrependeria de ter perdido você. Mas jamais me arrependeria de ter em mim algo que lembrasse você.

– Te amo, Julian.

O sorriso que o rapaz deu poderia salvar o mundo.

– *Graças aos defuntos santos*! Eu estava esperando você me dizer isso faz muito tempo.

Ele grudou os lábios nos dela, devorando-a com um beijo mais uma vez.

– Eu devia ter dito isso antes – falou Scarlett, pronunciando essas palavras entre um beijo e outro, sem conseguir se segurar. – Eu deveria ter dito isso no instante em que saímos do palacete de Nicolas e me dei conta de que o jogo que inventei era um erro. Eu escolho você, Julian, e prometo que sempre vou escolher você e sempre vou te amar. Vou te amar com cada osso do meu corpo, para que, mesmo depois que meu coração parar de bater, uma parte de mim continue amando você para sempre.

Julian lhe deu mais um beijo, mais terno dessa vez, com lábios atenciosos e macios, sussurrando, encostado nos lábios dela:

– Te amo desde aquela noite em que você apareceu na praia, lá em Trisda, achando que conseguiria me subornar para eu ir embora sozinho. Vi o quanto você estava apavorada quando apareci, mas você não se intimidou.

– E aí você me sequestrou.

O sorriso de Julian se tornou lupino.

– Isso aí foi ideia da sua irmã. Mas tenho tentado roubar você desde então.

Julian massageou as costas de Scarlett, a puxou para perto de si e lhe deu mais um beijo.

Só que Scarlett se assustou porque ouviu um ruído, vindo de cima.

Ela desviou o olhar e deu de cara com Tella, que observava os dois, do mezanino do celeiro. Pelo jeito, havia acabado de acordar de um sono muito pouco satisfatório. Estava com o cabelo cheio de feno, os olhos vermelhos, e os lábios formavam uma careta.

# Scarlett

A cara de Tella expressava o que Scarlett havia sentido logo após ter sido sequestrada pela Estrela Caída: exausta, arrasada e sem saber o que fazer.

– Scar... – disse Donatella, com a voz rouca, de quem tinha acabado de acordar. Em seguida, ouviu-se um som díspar, de pés trôpegos, porque ela desceu correndo a escadinha do mezanino do celeiro. Antes de chegar ao último degrau, ela pulou e abraçou Scarlett. – Estou tão feliz por você estar bem.

– Nada vai acontecer comigo. – Nessa hora, Scarlett abraçou a irmã mais nova, bem apertado. – Desculpe não ter contado aonde ia. Encontrar Nicolas foi um erro.

Um silêncio se fez no celeiro. Scarlett só conseguia ouvir o farfalhar do feno sob os pés de Tella e de Julian, que trocaram olhares perturbadores.

– O que aconteceu?

Donatella soltou a irmã, e Julian massageou a nuca.

– O que aconteceu? – repetiu Scarlett.

– Nicolas morreu – contou Tella. – Achamos que ele foi assassinado pela Estrela Caída.

Se Scarlett ainda conseguisse sentir mais emoções, teria ficado com as pernas bambas ou poderia ter sentido lágrimas se acumulando atrás dos olhos pelo homem com quem, um dia, tivera a intenção de se casar. Mas, por um piscar de olhos, preto e branco foram as únicas cores que conseguiu ver: parecia que suas emoções estavam bloqueadas, para não a consumir ainda mais.

A jovem nunca imaginou que a disputa que havia proposto terminaria assim.

– Como vocês sabem que foi a Estrela Caída?

– Por causa do jeito que o conde morreu – respondeu Julian, com a cabeça baixa. – Ele foi carbonizado.

– Pobre do Nicolas.

Scarlett abraçou o próprio peito, querendo poder voltar no tempo, querendo ter perdoado Julian antes e nunca ter reacendido o relacionamento com Nicolas. A Estrela Caída, sem dúvida, fora lá em busca dela, e o conde é que pagara o preço.

– Como você conseguiu fugir? – indagou Tella. – Onde você estava?

Inventar uma mentira era tentador. Depois de, finalmente, ter confessado seus sentimentos para Julian, Scarlett não queria que o rapaz a visse de um jeito diferente. E Tella já parecia tão frágil. Scarlett tinha a impressão de que uma pluma poderia derrubá-la, e a irmã mais nova poderia desmoronar se descobrisse que o Arcano que matou a mãe delas era o pai biológico de Scarlett. Mas aquele era um segredo perigoso demais para permanecer guardado.

Começou pela informação menos chocante: contou que ganhara a Chave de Devaneio de presente e que podia usá-la para fugir de qualquer lugar. Tella se animou, com um pouco de assombro e uma pitada de inveja, o que era bem melhor do que fragilidade e medo. Mas Scarlett duvidava que a irmã reagiria da mesma forma à próxima revelação. Ainda não sabia o que pensar daquilo, mas sabia que não podia guardar aquele segredo.

Respirou fundo e começou a contar:

– Ainda bem que eu estava com a chave. Porque, na verdade, não fugi do palácio, fui sequestrada pela Estrela Caída. Tella, você tem razão a respeito do motivo para ele ter vindo aqui. Só que a Estrela Caída não estava procurando por nós duas: estava só me procurando. Ele é meu pai.

Scarlett meio que esperava que o chão tremesse ou que o teto mal-ajambrado do celeiro caísse quando disse essas palavras.

O rosto de Tella ficou branco feito osso, mas sua expressão era feroz, e sua mão estava quente e firme: pegou na mão de Scarlett e a apertou com força.

– Você é a mesma pessoa que sempre foi. Só que agora sabemos mais coisas a seu respeito. Mas isso não muda quem você é: a menos que você permita que isso te mude. E essa notícia tampouco muda o que existe entre *nós*. Mesmo que não fôssemos parentes de sangue, eu ainda te chamaria de irmã e lutaria contra qualquer pessoa que tentasse dizer que isso não é verdade. Você é a minha família, Scarlett. Quem seu pai biológico é não muda isso.

– Eu também continuo vendo você do mesmo jeito – declarou Julian, passando o braço na cintura de Scarlett. Só que, quando falou novamente, sua voz tinha um tom de dúvida. – Por acaso isso faz de você um Arcano?

– Não – respondeu Tella, imediatamente. – A bruxa que ajudou a Estrela Caída a criar os Arcanos disse que eles foram criados, não nasceram. E Scarlett jamais poderia ser um Arcano: Arcanos são incapazes de amar. Se um imortal amar, se torna humano. E você sabe, tão bem quanto eu, da capacidade enorme que Scarlett tem de amar.

– Tella tem razão: não sou um Arcano – confirmou a garota. Mas, quando tentou dar um tom alegre às suas palavras, sua voz fraquejou, porque recordou que a Estrela Caída havia ameaçado transformá-la em um.

Scarlett não estava com Gavriel naquele momento. Mas seus poderes estavam crescendo por si só – e se já estivesse se transformando em Arcano?

Julian a apertou mais forte e garantiu:

– Agora está tudo bem, Carmim. Você está em segurança. Não vamos deixar ele te encontrar.

– Não é com isso que estou preocupada – confessou Scarlett. – A Estrela Caída disse que queria me ajudar a desenvolver meus poderes e me transformar em Arcano.

Julian, que estava ao lado dela, ficou com o corpo todo rígido.

– Você não precisa se preocupar. Não está mais em poder dele – garantiu Tella.

– E se isso acontecer mesmo sem a intervenção dele? Eu sempre enxerguei minhas emoções em cores. Mas, ultimamente, passei a ver os sentimentos das pessoas também.

– Os nossos sentimentos, por exemplo? – perguntou Julian.

Scarlett fez que sim e explicou:

– No início, eram só relances. Mas consigo sentir essa habilidade ficando mais poderosa...

A jovem parou de falar por que ouviu um ganido bem próximo, alto ao ponto de fazer todos olharem para a entrada do celeiro, onde Tora, o cachorro de Nicolas, ganiu de novo. Um ganido mais aflito.

## 30

## *Donatella*

Tella adorava cachorros. Lá em Trisda, chegara até a roubar um filhotinho. Ao qual dera o criativo nome de Príncipe Cláodestino, o Canino. Mas, depois que o pai descobriu, a garota nunca mais viu Príncipe Cláodestino. Passou tão pouco tempo com o animal que tinha uma compreensão limitada de como os cães se comunicam. Mas era óbvio que o bichinho de estimação de Nicolas estava tentando dizer alguma coisa.

O enorme cão preto uivou. Depois virou a cabeça gigante para a área externa do celeiro, como se quisesse que os três o seguissem.

– Vocês acham que ele está tentando dizer que Nicolas, de algum modo, ainda está vivo? – perguntou Scarlett.

– Não – respondeu Tella.

Mas, talvez, outra pessoa estivesse viva: *Lenda, por exemplo*.

Os três se dirigiram às portas rachadas do celeiro e saíram. Já era fim da tarde e Julian segurou a mão de Scarlett como se não quisesse jamais perdê-la de vista. Donatella torceu para que isso acontecesse. A irmã estava de volta, e Tella precisava ir ao Mercado Desaparecido e fazer tudo o que fosse preciso para comprar um segredo que poderia revelar como destruir a Estrela Caída – antes que ele colocasse as mãos malignas na irmã e a transformasse em Arcano.

Tella queria acreditar que aquilo não era possível. Mas também parecia impossível que um Arcano fosse o pai verdadeiro de Scarlett – assim como a habilidade da irmã mais velha de ver os sentimentos dos outros. Não que isso mudasse alguma coisa. Donatella fora sincera quando disse que não mudaria, mesmo que as duas não tivessem um pingo de sangue em comum, Scarlett ainda seria sua irmã.

O vento do início da noite soprou, e Tella continuou a seguir os passos pesados de Tora, até que chegaram ao terreno dos fundos da mansão. Tinha a sensação de não ter descansado nem um pouco. Sentia-se tão gasta como os sapatinhos que calçavam seus pés. Mas o coração disparou quando Tora os levou por uma trilha de pedregulhos cheia de mato e arbustos arroxeados de amora silvestre que ela e Julian não tinham visto quando fizeram a primeira busca pelo local.

O cachorro parou e ficou latindo até os três conseguirem abrir caminho entre as plantas espinhosas.

Assim que conseguiu passar, o animal foi correndo na frente.

Tella foi atrás dele, e o ar ficou com um cheiro acre. A garota torceu o nariz ao sentir o fedor de sangue, suor e vergonha. De repente, torceu para que Lenda não estivesse do outro lado da trilha. O cheiro era quase tão fétido quanto o do interior da casa de Nicolas, e Donatella sentiu um pavor crescente quando um anfiteatro muito antigo surgiu em seu campo de visão. A primeira coisa que viu foram os degraus: as pedras eram quase azuis na luz que se esvaía, da cor de mãos geladas e das veias por onde o sangue corre, debaixo da pele. Não eram muitos. O anfiteatro era pequeno, do tipo construído para peças encenadas em família ou outras formas de diversão ligeira. Mas não havia nada de divertido na farsa forçada que se desenrolava no centro do palco.

As pessoas usavam roupas de criado e máscaras horrorosas, que cobriam apenas metade do rosto, em tons azedos de ameixa, cereja, *blueberry*, verde-limão e laranja. As cores fizeram Tella pensar em confetes podres flutuantes que se moviam de acordo com o movimento dos criados pelo palco. Os criados tinham os braços e as pernas presos a uma corda que os transformava em marionetes humanas.

Donatella soltou um palavrão.

Scarlett soltou um suspiro de assombro.

Pela cara de Julian, o que havia comido no celeiro tinha voltado e queimado sua garganta.

Ao que parecia, não havia ninguém movimentando as cordas dos criados. Todas se mexiam por magia, que sacudia aquelas pessoas pelo palco em uma dança forçada, repleta de meneios e reverências perturbadoras.

Os olhos de Donatella se fixaram no mais jovem dos dançarinos, um menino de cachos lindos, de boneca, e o rosto manchado de lágrimas que já haviam secado.

– Não é para menos que não encontramos criado nenhum na casa – comentou Julian.

– Por quanto tempo vocês acham que eles estão assim? – perguntou Scarlett.

Ninguém sabia a resposta para essa pergunta. Se os criados tivessem sido transformados em marionetes quando o conde foi assassinado, deviam estar assim há, pelo menos, um dia inteiro. Boa parte deles nem sequer parecia estar consciente, continuavam com a cabeça baixa, enquanto o corpo era sacudido pelo palco.

Tella foi correndo até o palco, torcendo para não ser tarde demais para salvá-los.

– Isso parece coisa do Bufão Louco. Esse Arcano tem a habilidade de animar objetos. Deve ter amarrado todos eles e aí empregado magia nas cordas, para que eles não parem de se movimentar.

– Como desfazemos isso? – indagou Scarlett. – Quando o Envenenador transformou aquela família em pedra, deixou um bilhete.

Só que eles não encontraram um bilhete no palco.

– Acho que só precisamos cortar as cordas ou desamarrá-las – sugeriu Julian.

Coisa que era mais fácil de dizer do que de fazer.

Os braços e as pernas dos coitados dos criados se mexiam mais rápido a cada tentativa de libertá-los. Julian era o único que tinha uma faca, e a entregou para Scarlett. Só que foi difícil para todos os três. Tiveram que pular para trás, mais de uma vez, para não levarem um chute no estômago ou um soco na cara enquanto tentavam desfazer as amarras daquelas pessoas. Ainda bem que Nicolas não empregava muitas pessoas.

Era só meia dúzia de pessoas. O coração deles ainda batia, só que mal e mal. Quando foram libertados, não conseguiram ficar de pé por muito tempo.

– O mestre tem unguentos à base de plantas que combatem a infecção dos ferimentos, lá na estufa – murmurou um homem mais velho, arrancando a máscara de *blueberry* podre do rosto.

Tella pensou que ele deveria ser o mordomo. Tinha o olhar mais triste entre todas aquelas pessoas e ficou observando os colegas caírem no chão, em cima do palco, todos ao mesmo tempo.

Julian foi procurar os unguentos, Tella foi buscar água e Scarlett pegou ataduras em um pequeno armário, para fazer curativos nos pés e tornozelos em carne viva daquelas pessoas. Todo aquele suplício era terrivelmente sinistro. Scarlett, Julian e Tella não contaram para ninguém o que havia acontecido com Nicolas, e nenhum dos criados perguntou. Donatella suspeitou que já deveriam saber. Ou que haviam passado por um horror tão tremendo que não queriam saber.

Recebeu vários "obrigado" murmurados, mas ninguém a olhou nos olhos: parecia que estavam com vergonha do que tinha acontecido com eles. O menino dos cachos foi o único que olhou diretamente para Donatella. Até conseguiu esboçar um sorriso torto, como se ela fosse uma espécie de heroína, coisa que não era, nem de longe. Em parte, a garota era o motivo para tudo aquilo ter acontecido. E, naquele momento, jurou que iria se redimir pelo papel que desempenhou na libertação dos Arcanos.

— Vou descobrir quem fez isso com vocês e garanto que ele nunca mais vai machucar ninguém.

— Ele usava uma máscara — contou o menino. — Mas não era igual a essa. — Nessa hora, o criado chutou o trapo de tecido cor de cereja que fora amarrado ao seu rosto. — A máscara dele era lustrosa, parecia de porcelana, mostrava os dentes de um lado e, do outro, piscava e mostrava metade da língua.

— É o Bufão Louco — explicou Tella. — Ele é um Arcano.

Quando disse isso, vários dos adultos olharam para ela, de repente: pelo menos um dos criados fez cara de quem achava que ela não deveria dizer nada daquilo na frente do menininho. Mas, depois do que tinham acabado de passar, ninguém quis contradizer Donatella.

Tella não entrou em detalhes a respeito da história dos Arcanos nem de como tinham sido libertados de um Baralho do Destino, mas comentou o suficiente para que, quando os criados e o menino sarassem, pudessem avisar outras pessoas do perigo que havia se instaurado em Valenda.

Isso lhe pareceu um esforço insignificante. Mas, com sorte, evitaria que outras pessoas fossem transformadas em brinquedos humanos ou assassinadas – como a mãe dela e Lenda foram.

A garota olhou para o horizonte do crepúsculo, como se Lenda pudesse surgir ali, brilhando mais do que as estrelas que começavam a aparecer no céu. Continuou procurando indícios da volta do Mestre do Caraval à vida depois que todos os criados foram alimentados, ganharam curativos e foram acompanhados até seus quartos, na parte de trás da mansão, ainda intocada pela podridão que cobrira a biblioteca do conde.

Donatella já ia entrar com eles, para se lavar. Mas Scarlett ficou parada do lado de fora da porta, em um trecho cheio de mato, tapado de margaridas insólitas.

— Não quer entrar comigo e se lavar? — perguntou Tella.

O ar estava parado, mas as saias de Scarlett farfalharam na altura dos tornozelos. Donatella não tinha percebido a mudança de cor do vestido. Antes, era um vermelho cintilante, de vestido de festa. Agora, estava preto, de luto.

— Meus pêsames por Nicolas — disse Tella. — Ele não merecia morrer daquele jeito.

— Não merecia, não. Foi um erro ter entrado em contato com ele. Se não tivesse feito isso, Nicolas ainda estaria vivo. — Nessa hora, Scarlett ergueu o rosto para Tella, e seus olhos se encheram de lágrimas. — Não podemos permitir que a Estrela Caída faça isso com mais ninguém.

— Não vamos permitir.

Donatella tentou pegar na mão da irmã.

Só que Scarlett deu um passo para trás, com a testa franzida de preocupação.

— Desculpe, Tella. Pensei que poderia ficar aqui com você e com Julian, mas preciso voltar para a casa da Estrela Caída.

— Como assim? Não! — A voz de Tella foi acompanhada pela de Julian, que estava saindo do dormitório dos criados. — Você não pode fazer isso.

O rapaz tinha acabado de tomar banho e a água foi pingando do cabelo castanho-escuro por toda a trilha cheia de mato. Scarlett se aproximou da mansão, afastando-se das janelas abertas do dormitório.

— Sinto muito — disse a garota. — Mas preciso fazer isso. Acho que posso ser a chave para derrotar os Arcanos.

— De jeito nenhum! — berrou Julian.

Na mesma hora, Tella gritou:

– Você ouviu bem o que está falando? Ele matou nossa mãe e ameaçou transformar você em Arcano. Você não pode voltar para a casa dele!

– Não quero voltar. Mas assim que vi a situação dessas pessoas tive certeza de que preciso fazer isso. Se tivessem ficado daquele jeito por muito mais tempo, não teriam sobrevivido.

– Mas como você voltar para lá vai ajudar as pessoas? – argumentou Tella. Ela queria a mesma coisa que a irmã. Queria encontrar uma maneira de matar a Estrela Caída e proteger a todos do terror que ele e seus Arcanos representavam. Mas essa *não* era a melhor maneira de fazer isso. – O Mercado Desaparecido é um dos lugares místicos – explicou. – Lá tem uma barraca de irmãs que vendem segredos, e acho que elas podem possuir um segredo capaz de nos revelar como matar a Estrela Caída.

– E se não tiverem? – argumentou Scarlett.

– Então vamos descobrir um outro jeito – interveio Julian.

– Acho que o outro jeito é esse – insistiu Scarlett. – A Estrela Caída quer que eu domine meus poderes, e acho que essa pode ser a chave para detê-lo. Havia outro Arcano lá, a Dama Prisioneira. Ela falou que, para derrotar a Estrela Caída, preciso me tornar o que Gavriel quer que eu seja.

– É claro que ela disse isso – retrucou Tella. – A Dama Prisioneira é um Arcano.

– Gavriel a trancafiou dentro de uma gaiola: ela não pode sair de lá, a menos que a Estrela Caída morra. E, mesmo que esteja tentando me manipular, não quer dizer que está enganada. O que a Dama Prisioneira me disse faz sentido, Tella. Você falou que, se um imortal amar, se torna humano. Se eu conseguir dominar meus poderes, posso fazer com que ele ame. Posso transformar o Arcano em humano, e aí ele será derrotado.

– Ou você pode dominar seus poderes e se transformar em um Arcano – disse Donatella.

– E o amor não funciona assim – completou Julian. – A magia pode fazer várias coisas, mas acho que você não vai conseguir obrigar ninguém a amar usando magia. É perigoso demais.

– Não estou pedindo *a permissão* de vocês para fazer isso. A decisão é minha, não de vocês. Só estou pedindo para vocês não me impedirem. A menos que encontremos outra maneira, sou a única que pode destruir o Arcano, e *quero* fazer isso. Você sempre me disse, Tella, que a vida não é só segurança...

— Eu estava falando que você devia se divertir, não ir morar com dois assassinos!

— Bom, acho que nenhum de nós três vai se divertir se a Estrela Caída conquistar o império. E vocês sabem, tão bem quanto eu, que fariam a mesma coisa.

Scarlett deu mais um abraço na irmã. Sabia dar abraços incríveis. Sabia exatamente o quanto apertar, quando ficar calada e quando soltar. Mas, por mais que aquele abraço demorasse, não duraria o suficiente.

Tella abraçou a irmã mais apertado. Queria continuar discutindo. Se continuasse resistindo, se contasse para Scarlett o quanto estava apavorada, se entrasse em detalhes a respeito da morte pavorosa de Nicolas e recordasse a irmã da maneira que Estrela Caída havia assassinado a mãe das duas, sabia que poderia convencer Scarlett a ficar ali. Queria tanto fazer isso... Só que havia acabado de jurar que faria tudo o que fosse necessário para derrotar a Estrela Caída, e estava falando sério. Só não pensara que a irmã seria necessária para isso.

Ela se aninhou em Scarlett bem na hora que o céu terminou de escurecer, trazendo uma noite de puro breu revolto.

— Você tem certeza de que não quer bancar a egoísta agora e pensar apenas em salvar a sua própria vida?

— É claro que quero. Mas preciso voltar. Por mim, por você, por Julian, por todas essas pessoas que acabamos de ajudar, que não podem fazer o que eu posso. Não vou ficar parada sem fazer nada, sabendo que tenho a habilidade de fazer alguma coisa. E tenho a Chave de Devaneio: se a situação ficar muito perigosa, é só fugir.

— Chaves podem ser roubadas — murmurou Tella.

— Vou tomar cuidado.

Scarlett abraçou a irmã ainda mais apertado, até Donatella se soltar dela. Coisa que não queria fazer. Mas, se Scarlett fosse mesmo voltar para a companhia da Estrela Caída, precisava fazer isso logo, antes que sua ausência fosse notada. E, provavelmente, também queria se despedir de Julian como devia.

E, por "como devia", Tella imaginou que aquela não seria o tipo de despedida que os olhos curiosos de uma irmã deveriam testemunhar.

31

## *Scarlett*

Enquanto Tella estava no dormitório dos criados, tentando se livrar, com água, da sujeira, das tristezas e dos resquícios de culpa, Scarlett ficou sob o luar, preparando-se para mais uma despedida indesejada.

Pelo jeito, Julian se sentia da mesma maneira. Estava com a testa franzida, os lábios apertados e, quando abraçou a jovem, foi sem nenhuma delicadeza ou ternura.

– Sei que você disse que a decisão não é minha, mas você não pode me dizer que decidiu ficar comigo e não permitir que eu dê minha opinião sobre o que você deve ou não fazer.

– Por acaso essa é a sua maneira de me pedir, mais uma vez, para não ir?

– Não. – Nessa hora, Julian a abraçou mais apertado e aninhou a cabeça de Scarlett no peito dele. – No futuro, porque *teremos* um futuro para nós, eu só gostaria que você conversasse comigo sobre esse tipo de coisa, em vez de já dizer que tomou uma decisão.

– Tudo bem – concordou Scarlett. – Mas então você também vai fazer a mesma coisa.

– Eu não te pediria se não pretendesse fazer isso.

Julian a segurou pela cintura, bem apertado, como se ainda pudesse dar um jeito de resolver tudo aquilo sem precisar ficar longe de Scarlett.

E como ela gostaria que fosse possível. Não queria mesmo voltar para a companhia da Estrela Caída. Mas, naquele momento, estava mais preocupada com Julian. Assim como Tella, ele era impulsivo e se deixava dominar pelas emoções. Scarlett podia enxergar que seus sentimentos estavam cinzentos, feito nuvens de tempestade, repletas de preocupação.

– E se eu tentar mandar cartas escondido a cada dois ou três dias? Acho que não será seguro visitar vocês de novo. – E ela tampouco achava que seria seguro enviar mensagens para Julian, mas receava que, se não desse um jeito de garantir para o rapaz que estava bem, uma hora ou outra Julian iria atrás dela e correria perigo. – Posso abrir uma porta com a Chave de Devaneio e enviar bilhetes, só para dizer que estou bem.

– Continuo não gostando.

– Se você gostasse, acho que eu ficaria bem magoada.

Ele deu um beijo na testa de Scarlett e, por um instante, seus lábios permaneceram ali.

– Tome cuidado, Carmim.

– Eu sempre tomo cuidado.

– Não sei... – Julian, então, se afastou apenas o suficiente para Scarlett conseguir enxergar que ele estava fazendo uma careta. – Uma garota que sempre toma cuidado não diria que me ama.

– Você está muito enganado. Acho que meu coração não poderia estar em um lugar mais seguro do que as suas mãos.

Mas, no instante em que disse isso, ficou com o coração pesado.

Os lábios de Julian ainda expunham um meio-sorriso, mas os olhos expressavam outra coisa. Scarlett sempre adorou os olhos dele: eram castanhos, ternos e cheios das emoções que o governavam. Julian nem sempre dizia a verdade, mas seus olhos diziam. E, naquele exato momento, o rapaz olhava para Scarlett como se estivesse com medo de que, da próxima vez que a visse, ela estaria diferente.

– Vou voltar e ficar com você – prometeu a jovem.

– Não é só com isso que estou preocupado. – A voz dele estava rouca. – Passei boa parte da vida convivendo com a magia: a magia do meu irmão me trouxe de volta à vida tantas vezes que perdi a conta. Tentei me afastar, mas é difícil abandonar uma magia dessas. Sei que, neste exato momento, você acha vai conseguir dominar seus poderes e a Estrela Caída, mas pode acontecer que sua magia acabe controlando você.

Julian parou de encarar Scarlett e lançou um olhar para o vestido encantado dela. Em seguida, pousou os olhos na chave mística que estava na mão da garota, que ganhara um brilho prateado na luz do crepúsculo.

Scarlett nem se dera conta de que já havia tirado a chave do bolso. Depender daquela chave estava se tornando um hábito, assim como usar o vestido encantado. Mas ela não queria depender da magia, só queria dominá-la o suficiente para obrigar a Estrela Caída a amá-la e transformá-lo em mortal. Depois disso, ficaria muito contente de nunca mais usá-la.

– Você não precisa se preocupar comigo.

Scarlett ergueu a cabeça e deu mais um beijo em Julian, querendo poder dizer mais, mas sabendo que já passara da hora de voltar.

Quando usou a chave pela primeira vez, não tinha planos de voltar e, sendo assim, não prestou atenção em quanto tempo havia passado. Torceu para que a Estrela Caída não aparecesse em seu quarto tão cedo para uma visita. E também tinha receio de que a Dama Prisioneira tivesse acordado.

Depois de virar a chave, Scarlett andou com passos bem leves. Mas, assim que entrou no quarto do Zoológico, teve certeza de que as coisas não estavam do jeito que as deixara.

A Dama Prisioneira estava acordada, balançando em silêncio no poleiro, roçando as saias cor de lavanda no chão lustroso da gaiola de ouro.

– Se você pretende sair escondida, é melhor não demorar tanto para voltar. E não faça essa cara de surpresa: achou mesmo que eu não ia descobrir?

Dito isso, ela fingiu que estava dormindo, roncando suavemente.

– Por que você fingiu? – perguntou Scarlett.

– Porque eu sabia que você não tentaria sair se achasse que eu estava acordada. Mas precisa ser mais esperta. – Nessa hora, Anissa baixou a voz até se tornar um sussurro, e os olhos sobre-humanos mudaram de roxo para branco, do mesmo jeito que Scarlett já tinha visto eles mudarem. – Ficar fora por horas a fio só vai fazer com que você seja pega com essa chave antes da hora.

# Donatella

Um novo dia nasceu e se foi, e Lenda continuava morto. O Mestre do Caraval precisava voltar à vida. Lendas não deveriam morrer, e Tella ainda tinha assuntos pendentes com ele.

– Quanto tempo costuma demorar para seu irmão voltar à vida? – perguntou para Julian, enquanto eles caminhavam em direção ao palacete do conde.

– Normalmente, ele volta logo depois do amanhecer. Nunca demora mais do que um dia – respondeu Julian.

Foi difícil convencê-lo a contar muito mais do que isso. Donatella ficou com a sensação de que havia alguma magia impedindo o rapaz de revelar aqueles segredos. Mas Julian acabou confessando que Lenda tinha uma conexão com todos os seus artistas e que ele sentiria quando o irmão tivesse voltado à vida. E também contou que, se o Mestre do Caraval quisesse encontrar Julian, ele conseguiria fazer isso facilmente. Mas Lenda não apareceu, e Julian ainda não sentira a conexão com o irmão.

Quando Tella e Julian saíram do palacete do conde rumo ao Mercado Desaparecido, a garota não sabia que horas eram, só tinha a sensação de que era a parte mais escura da noite.

Jacks havia dito que o Mercado Desaparecido poderia ser invocado se Donatella fosse a um conjunto de ruínas que ficava mais à esquerda do Distrito dos Templos. Como Nicolas morava fora da cidade, o trajeto era de vários quilômetros. Julian caminhou em silêncio a maior parte do tempo. O tipo de silêncio que fez Tella pensar que o rapaz não teria sossego enquanto Scarlett estivesse ausente.

Donatella poderia ter ficado do mesmo jeito. Era super a favor de cometer erros e corrigi-los assim que aparecesse uma oportunidade, mas temia que não houvesse uma próxima oportunidade caso a irmã desse um passo em falso.

Fez uma prece para todos os consagrados – até para aqueles dos quais nem gostava tanto. E também fez uma prece pedindo que Lenda voltasse à vida em segurança, mas sabia que isso não dependia dos santos.

O Mestre do Caraval tinha uma única fraqueza que poderia fazê-lo morrer de forma definitiva: o amor.

Donatella estava tentando não pensar nisso. Não queria recordar que tinha praticamente implorado pelo amor de Lenda pouco antes de ele ser assassinado.

Na ocasião, não acreditou muito quando o então futuro imperador disse que era incapaz de amá-la. Acreditou que Lenda estava apenas com medo de amá-la, porque não queria sacrificar a própria imortalidade, tornando-se humano. Mas agora ela entendia a razão.

Tentou se convencer a parar de se preocupar. Ela não precisava se inquietar por causa de Lenda, alguém que era impiedoso quando se tratava de magia e de imortalidade. Ele jamais se permitiria morrer por amor. Mas então, quando Tella se deu conta, ainda estava tentando recordar do beijo que ele havia lhe dado naquela noite, dentro do labirinto. Será que o futuro imperador sentira apenas volúpia, desejo e obsessão naquela ocasião? Ou será que foi um beijo motivado pelo amor? Houve um momento, no labirinto, em que a garota pensou que as palavras "quero ficar com você" foram um sinal de possessividade e não de romantismo. Só que, naquele momento, Donatella se deu conta de que estava torcendo para que o Mestre do Caraval de fato só tivesse um sentimento de posse por ela, o mesmo que, naquela noite, a deixou tão magoada.

– Estamos quase chegando – avisou Julian.

A garota conseguiu enxergar, ao longe, um contorno vago. Naquele breu ficava difícil distinguir as pedras das sombras. Mas, pelo jeito, uma estrada passava no meio das ruínas logo adiante, uma estrada ladeada por árvores fossilizadas, galerias caindo aos pedaços em cada extremidade e umas poucas estátuas de um realismo assustador. Tella torceu, desesperada, para que as estátuas não fossem seres humanos petrificados.

Pelo menos não havia nenhum Arcano por perto.

Ela parou de andar pouco antes de chegarem ao início das ruínas, em um ponto iluminado por um luar perfeitamente branco e pálido.

– Você me acha tola? – perguntou.

Julian também parou de andar e olhou para Tella.

– Depende do que você está falando. Se estiver falando do seu plano de fazer um sacrifício de sangue para ter acesso a um dos lugares místicos, baseado nas palavras de outro Arcano, não. Porque eu também estou aqui e não sou tolo. Mas, se está falando de qualquer coisa relacionada ao meu irmão, pode ser.

– Obrigada por dizer isso de um jeito tão gentil.

Julian sacudiu um dos ombros e explicou:

– Só estou tentando ser sincero. Quando minto, sua irmã briga comigo.

– Não quero que você minta. Apenas gostaria que você tivesse alguma verdade para me dizer que eu quisesse ouvir.

O rapaz, então, passou a mão no queixo. A combinação de sombras e luar o deixavam meio parecido com o irmão, só que um pouco mais mordaz, um pouco mais ríspido. Mas, mesmo na penumbra, o olhar de Julian era mais terno e bondoso do que o de Lenda jamais havia sido.

– Se você quer que eu diga que algum dia o meu irmão vai te amar, não posso dizer isso. Convivo com ele desde que me conheço por gente. Sou uma das poucas pessoas que o conheceu antes de ele se tornar Lenda, e meu irmão nunca amou ninguém. Mas tem outras qualidades. Ele não desiste nem abandona a luta. Quando se interessa por alguém, sempre faz a pessoa se sentir a mais importante do mundo e... – Julian deixou a frase no ar, como se não quisesse mais falar. Mas, em seguida, completou, com certa relutância: – E eu acho, sim, que você é importante para ele.

Mas será que isso bastava?

– Agora, pare com isso – disse Julian, com um tom mais ríspido. – Se Lenda voltasse à vida neste exato momento, poderia me matar por deixar você ficar aí parada, no meio da estrada, tão exposta ao perigo.

– Espere... – Donatella pulou na frente de Julian antes que ele voltasse a caminhar em direção às ruínas. – Tenho só mais uma pergunta. Lenda pediu para me transformar em imortal.

– Isso não é uma pergunta, Tella.

– Não sei o que fazer.

Achava que sabia. Queria o amor de Lenda. Mas, quando o Mestre do Caraval morreu, Tella se deu conta de que nunca mais poderia pedir que ele a amasse.

– Isso também não é uma pergunta. E, mesmo que fosse, essa é uma decisão que não quero tomar por ninguém.

Julian voltou a andar e passou reto por Donatella. Em seguida parou, virou para trás e falou:

– Se você aceitar, tenha cem por cento de certeza de que é isso que você quer. Não dá para voltar atrás depois de se transformar em imortal.

– A menos que eu me apaixone.

Ele sacudiu a cabeça e respondeu:

– Não conte com isso. Imortais não se apaixonam por outros imortais e são pouquíssimos os seres humanos que os deixam tentados a amar. Mesmo com tudo o que meu irmão já fez, nunca deixei de amá-lo. Mas ele nunca retribuiu meu amor.

Julian falou sem mudar de tom, como se aquilo não o magoasse. Mas Tella sabia que era uma situação que o entristecia. Lenda era irmão dele. Tella não conseguia sequer imaginar o quanto ficaria arrasada se a irmã não a amasse.

Tella teve a sensação de que Julian não queria que ela ficasse com pena dele. O rapaz lhe deu as costas quase no mesmo instante em que terminou de falar e foi se dirigindo às ruínas a passos largos, deixando bem claro que gostaria que Donatella ficasse para trás naquele exato momento.

Quando por fim ele diminuiu o ritmo, os dois vasculharam as ruínas juntos, em silêncio. Julian já havia dito tudo que tinha para dizer e, mesmo que não tivesse nenhum Arcano à espreita, precisavam ser discretos. Para não chamar atenção, não acenderam tochas para procurar o símbolo da ampulheta, e Tella ficou com medo de jamais encontrar o tal símbolo. Julian jurou que tinha uma visão noturna perfeita. Mas, apesar de ter acabado de falar em não mentir, Donatella duvidou do que ele dissera.

– Achei! – exclamou Julian, com um tom um tanto presunçoso e alto demais.

A ampulheta era mais ou menos do tamanho de um palmo e estava escondida na parte de dentro de uma galeria de pedra dilapidada

– brilhava como se estivesse acesa por magia. Iluminou só o suficiente para Tella enxergar as saliências pontudas na parte de cima, meio que implorando pelo sangue que a garota precisava verter para invocar o mercado.

– Tem certeza de que quer entrar aí sozinha? – perguntou Julian.

– Uma hora lá dentro equivale a um dia aqui fora – lembrou Donatella. – Se, por algum motivo, Scar tentar usar a chave para te encontrar, não estará segura dentro do mercado. A Estrela Caída poderia descobrir se ela demorar demais para voltar ao Zoológico.

– Mas e se ela vier procurar você?

– Ah, que doçura. Mas acho que você sabe, tão bem quanto eu, que Scarlett não virá exatamente *me* procurar se usar a chave.

Donatella assistira há pouco, lá do mezanino do celeiro, à volta de Scarlett, e não ouviu tudo o que ela e Julian disseram. Mas viu como a irmã olhou para o rapaz. Foi um olhar que boa parte das pessoas espera uma vida inteira para merecer, e outras passam a vida sem receber. Tella não parava de ter esperança de ver aquele olhar nos olhos de Lenda.

– Eu sempre vou ser irmã de Scarlett, não tem como você roubar esse papel de mim. Mas acho que, agora, você é o amor número um de minha irmã, e é assim que deve ser. Se não tivesse parado de priorizar seu irmão e não minha irmã, acho que não a mereceria. Só estou pedindo para você não fazer nenhuma bobagem e estragar tudo. Não apenas retribua o amor de Scarlett, Julian. Lute por ela todos os dias.

– É o que pretendo fazer.

E, depois disso, Donatella apertou uma das saliências que havia em cima da ampulheta e deixou o sangue pingar de seu dedo e cair na pedra gravada em relevo.

Uma luz etérea se esparramou pela galeria. De repente, Tella viu uma estrada antiga, em curva, ladeada por árvores estranhas que estavam prestes a perder todas as folhas vermelhas e cintilantes. Barracas se esparramavam entre as árvores, feito coloridas asas de pássaro, todas manchadas de natureza e desgaste. Não eram as barracas mágicas que Donatella vira durante seu primeiro Caraval. As barracas de Lenda eram faixas perfeitas de seda acetinada, e essas tinham cobertura de brocados esfarrapados, com borlas gastas pelo tempo. E, apesar disso, ainda tinham um quê de sobrenatural. Assim que a garota virou a cabeça para se despedir de Julian, teve a impressão de que todas as barracas tinham se transformado: por um instante, os rasgos e desbotados sumiram e as barracas ficaram ainda mais impressionantes do que as do Caraval.

Tella criou coragem, passou debaixo do arco e entrou no Mercado Desaparecido.

Teve a sensação de entrar em um livro de histórias ilustrado. As mulheres usavam vestidos com mangas boca de sino, de cintura baixa, e cintos pendentes, ricamente bordados. E os homens trajavam camisas rústicas, amarradas na frente, com calças soltas para dentro das botas de abas largas.

No meio das barracas, as crianças – que usavam roupas parecidas – brincavam de luta com espadas de madeira ou estavam sentadas, fazendo guirlandas de flores.

– Saudações! Saudações! Saudações! O Mercado Desaparecido está à sua disposição. Você pode até ir embora sem o que quer, mas vamos te dar o que você precisa! – gritou um homem, vestido de arauto, quando Tella adentrou o mercado.

Ficou óbvio que estavam acostumados a receber visitantes de outras épocas. Ninguém ali parecia se importar com o fato de os trajes que Donatella havia pegado emprestado de uma criada – um vestido na altura da panturrilha e botas de couro gastas – não se encaixarem no ambiente. Pelo contrário: todos pareciam empolgados com as roupas da garota.

– Olá, belezinha! Gostaria de algo para hidratar a pele e trazer seu amor de volta? – perguntou uma mulher que tinha um fino diadema de ouro na testa e oferecia um amuleto cheio de um líquido cor-de-rosa para passar nas bochechas.

– Que tal um pouco de alga marinha recém-torrada? – anunciou outro vendedor. – Cura coração e nariz partido.

– Ela não quer saber das suas algas podres. Elas não curam nada! O que esta jovem dama realmente precisa é disto. – O mercador da barraca da frente, um homem de rosto muito enrugado e sem vários dentes, mostrou um adorno de cabeça elaborado, cheio de contas, da largura de uma sombrinha e com véus esvoaçantes, finos como teias de aranha. – Se não tomar cuidado, *milady*, sua pele vai ficar enrugada como a minha logo, logo.

– Não diga isso para a garota. Ela é linda – gritou uma mulher negra de touca cor de marfim. A barraca dela era a mais lotada de todas.

Do lado de dentro, nem sequer tinha mesas para expor as mercadorias, só pilhas de relíquias reluzentes. – Olha aqui, dê uma espiada no meu espelho, criança. – A mulher enfiou o braço na frente de Tella.

– Não estou...

Donatella se calou quando olhou bem para o espelho. As bordas tinham espirais grossas feitas de ouro fundido, iguaizinhas às do Aráculo – um objeto místico que Tella costumava consultar um pouco em demasia quando o Arcano ainda vivia aprisionado dentro de uma carta.

A garota não sabia se aquele era o verdadeiro Aráculo que havia se libertado do baralho, mas logo desviou o olhar e deu um passo para trás, antes que o espelho mostrasse alguma imagem nefasta do futuro.

– Nas mãos certas, revela muito mais do que seu reflexo – propagandeou a mulher.

– Não estou interessada! Gosto do meu reflexo do jeito que é.

Donatella continuou se afastando, aos tropeços. Depois disso, se esforçou ao máximo para não se distrair, porque os mercadores tentaram lhe empurrar escovas que, se usasse, jamais perderia o cabelo; colírios que deixariam seus olhos com a cor que ela quisesse e um doce perturbador, chamado "torta de beija-flor".

Todos eram simpáticos e um tanto afoitos, parecia até que Tella era a primeira freguesa que tinham em séculos, coisa que até poderia ser verdade, já que o Mercado Desaparecido também ficara aprisionado em um Baralho do Destino amaldiçoado.

– Com estes sapatos, você nunca mais vai se perder. São seus em troca de todos esses lindos cachos.

O mercador entusiasmado já estava com uma tesoura pesada na mão.

Donatella teve certeza de que, se não fosse correndo para a próxima barraca, o homem iria tosar o cabelo dela, mesmo que não desse permissão. A próxima barraca estava mais vazia do que as demais. Não passava de uma dupla de cortinas listradas de turquesa e cor de pêssego que arrastavam no chão de terra e pendiam do teto de tecido.

Sentada em uma banqueta alta, na frente da barraca, havia uma garota deslumbrante, mais ou menos da idade de Tella, de pele perfeita e olhos encantadores de azul-cobalto, o mesmo tom do cabelo. Cumprimentou Donatella com um sorriso incandescente, mas Tella tinha certeza de que pinturas tinham mais profundidade no olhar do que aquela garota. Ao contrário dos demais vendedores, não tentou lhe empurrar nada. Ficou só balançando as pernas, feito criança.

Donatella já ia dar as costas e ir embora quando outra mulher saiu do meio das cortinas, lentamente. Era muito mais velha, tinha a pele enrugada e um cabelo azul opaco, que parecia uma versão desbotada do cabelo da mais jovem. As duas tinham os mesmos olhos de azul-cobalto, mas enquanto os da jovem eram vazios, os da velha eram aguçados e astutos.

Tella teve a sensação de estar olhando para duas versões diferentes da mesma pessoa. Uma havia perdido a juventude. A outra, a cabeça.

— Vocês duas são irmãs? — arriscou.

— Somos gêmeas — respondeu a mais velha.

— Como assim?

Donatella deixou a pergunta escapar. Isso não tinha importância. A única preocupação que ela deveria ter era descobrir se aquele era ou não o local que estava procurando. Mas alguma coisa naquelas "gêmeas" encheu seu estômago de chumbo.

A mais nova continuou balançando as pernas alegremente, e a expressão no rosto enrugado da outra se tornou pesarosa.

— Há muito tempo, fizemos um trato que nos custou muito mais do que imaginávamos. Então, fique sabendo: não faça negócio conosco a menos que esteja disposta a pagar um preço imprevisível. Não aceitamos devoluções nem trocas. Não haverá uma segunda chance. Assim que comprar um segredo nosso, ele é seu: não vamos mais nos lembrar dele, assim como você vai esquecer o que tirarmos de você.

— Você está tentando conquistar ou afugentar a freguesia? — perguntou Tella.

— Estou tentando ser justa. Não temos a intenção de enganar nossos fregueses. Mas, dada a natureza de nosso negócio, ninguém nunca sabe o que realmente está ganhando ou perdendo.

Ninguém precisava ter avisado Tella disso. A garota sabia que qualquer negociação realizada em um local místico custaria mais caro do que ela havia imaginado. Mas, se aquelas duas tivessem um segredo que revelasse uma fraqueza que possibilitasse a morte da Estrela Caída, não podia dar as costas para as gêmeas. Arcanos são perigosos, mas cumprem o que prometem, e o Mercado Desaparecido prometia, a quem entrasse nele, que encontraria o que precisava. E Donatella precisava de um segredo.

Precisava de um segredo para que a irmã não corresse mais perigo, para que ninguém mais fosse transformado em marionete e para que ninguém mais fosse assassinado – como a mãe dela, Lenda e Nicolas foram.

– Tudo bem. O que vai me custar para descobrir um segredo de um Arcano?

– Depende do Arcano e do tipo de segredo.

– Quero saber como matar a Estrela Caída.

– Isso não é segredo, tesouro. Imortais têm uma única fraqueza. O amor.

– Mas ele tem que ter outra fraqueza, uma que não quer que ninguém saiba.

Essa outra fraqueza seria uma maneira de afastar a irmã de Tella do perigo. Se o amor fosse a única fraqueza da Estrela Caída, Scarlett era a pessoa que mais tinha chances de derrotar o Arcano – ou de morrer tentando.

Donatella não podia permitir que a irmã morresse. E, mesmo assim, tinha a sensação de que estava ouvindo o tique-taque do relógio da vida de Scarlett passando. A mais nova das irmãs de cabelo azul continuava balançando os pés sem parar, e a mais velha fechou os olhos, pensativa.

– Eu tenho, sim, um segredo dele – disse a mulher, depois de um tempo. Em seguida, virou para a irmã mais nova e pediu: – Millicent, querida, abra o cofre.

A garota mais jovem puxou um pingente de metal no qual Tella não havia reparado até então, e as pesadas cortinas atrás da mulher mais velha se abriram imediatamente, revelando fileiras e mais fileiras de prateleiras de antigos baús do tesouro de todos os tamanhos e cores. Alguns pareciam estar se desfazendo de tão velhos; outros brilhavam, porque o verniz ainda estava molhado. Uns poucos eram mais ou menos do tamanho da palma da mão de Donatella, e vários eram tão grandes que caberia um cadáver dentro deles.

Cerca de um minuto depois, a mais velha das irmãs retornou do meio das prateleiras segurando um baú quadrado, de jaspe vermelho, que tinha um coração rodeado de chamas pintadas na tampa. À primeira vista, a tinta amarela e laranja parecia levemente descascada e um pouco opaca. Mas, quando Tella tirou os olhos do baú e os dirigiu para o rosto da mais velha das gêmeas, a imagem piscou. E, por um instante, a garota viu chamas verdadeiras lamberem o coração.

– Se usar o segredo guardado aí dentro corretamente, ele vai te ajudar a derrotar a Estrela Caída. Contudo... – A mulher aproximou o baú do próprio peito. – ... antes de entregá-lo, preciso que você me conte um segredo seu.

– Posso escolher o segredo? – perguntou Tella.

A mulher deu um sorriso insólito, que iluminou seus olhos sem movimentar os lábios de fato.

– Temo que seus segredos não tenham valor suficiente para efetuar a troca, senhorita Dragna. O segredo que queremos pertence à sua filha.

– Não tenho uma filha.

– Mas terá. Cruzamos com você no nosso passado e no seu futuro e sabemos que você terá uma filha.

– E sabem quem é o pai desta filha?

A voz que disse isso era grave e profunda e, ao ouvir o som dela, o coração de Donatella disparou e começou a bater duas vezes mais rápido.

A garota virou para trás.

Tudo o que havia no Mercado Desaparecido ficou borrado, e as cores se misturaram, como se o mundo em volta dela estivesse girando rápido demais. Com exceção do belo rapaz parado na frente de Tella, ocupando toda a entrada da barraca.

Lenda estava ali.

# Donatella

Lenda estava ali e estava vivo. Tão vivo que, só de vê-lo, Tella sorriu até suas bochechas ficarem doendo.

– Você voltou.

A garota disse essas palavras com um tom ofegante, mas nem ligou.

Já passara do ponto de tentar fingir que o ver não a deixava sem ar. Lenda parecia um desejo realizado que acabara de despertar. Seus olhos estavam cheios de estrelas, sua pele cor de bronze tinha um brilho sutil, e o cabelo castanho-escuro estava um pouco bagunçado. Não usava lenço no pescoço, e os primeiros botões de sua camisa preta estavam abertos: parecia ter se vestido com pressa para sair de casa – para encontrar com *ela*.

Se o sorriso de Donatella já não estivesse espichado ao máximo, ela poderia ter dado um sorriso ainda mais largo.

– Por acaso você achou que eu não ia voltar?

O Mestre do Caraval olhou a garota nos olhos e retorceu o canto do lábio, dando aquele esgar arrogante que Tella tanto adorava.

– Eu...

Donatella deixou a frase no ar. As palavras "estava preocupada" ficaram entaladas em sua garganta. Só havia um motivo para ter se preocupado com aquele homem.

Engoliu as palavras e se esforçou para continuar sorrindo. Lenda estava vivo. Estava vivo e bem ali. Nada mais importava. Ele estava vivo. A garota jamais superaria se o Mestre do Caraval tivesse morrido porque a amava. E também foi tão dolorido se dar conta de que Lenda só estava ali, parado, parecendo um sonho que se tornou realidade, porque não a amava, ao passo que Tella o amava desesperadamente.

– *Hän-hän* – disse a mais velha das irmãs. – Caso vocês dois tenham se esquecido, o tempo aqui passa de um jeito diferente, e eu estava falando.

Lenda apertou os lábios e virou para a mulher, espremendo os olhos de leve, como se quisesse ter criado uma ilusão que a fizesse sumir. Talvez estivesse tentando fazer isso, mas sua magia não funcionava direito dentro daquele local místico.

O que foi bom, porque Tella precisava daquele lugar e daquela mulher.

– Você estava dizendo que terei uma filha – disse a garota.

– Sim. O pai de sua filha possuirá magia – prosseguiu a mulher. – Ela vai nascer com um talento muito poderoso. Mas a criança terá uma fraqueza fatal. Em troca do segredo mais bem guardado da Estrela Caída, queremos que você descubra a fraqueza secreta de sua filha e volte aqui para nos dar essa informação.

– Tem certeza de que vocês não querem nenhum dos meus segredos?

Tella ainda não havia digerido o fato de ter uma filha. Nem que visitaria aquele mercado de novo, no futuro, o que a fez pensar que sobreviveria a tudo aquilo. Mas odiava ter que pensar que aquela era a única maneira.

– Você ainda não nos contou quem será o pai – disse Lenda, indolente, apoiando os ombros largos em uma das estacas da barraca.

Só que Donatella teve a impressão de que viu um músculo do maxilar dele se repuxar.

– Não temos permissão para passar esta informação – disse a mais velha das irmãs. – E não é bom saber demais do futuro.

Tella concordava. A carta do Aráculo, que havia lhe mostrado relances do futuro, quase a matara. E, apesar disso, não resistiu e perguntou:

– Você não pode só me dizer se *ele* é o pai?

– Quem mais poderia ser o pai? – vociferou Lenda.

– Não fique bravo comigo! – disparou a garota. – Foi você que perguntou primeiro.

*E você não me ama*, disseram os olhos dela.

As partículas de ouro dos olhos de Lenda brilharam. E, de repente, o Mestre do Caraval estava dentro da barraca, bem na frente de

Donatella, olhando para ela com aquele rosto lindo, que Tella temera tanto jamais voltar a ver.

– Eu bem que te pedi para deixar que eu te transformasse em imortal.

Então Lenda passou uma mão quente, forte e firme na cintura de Donatella e pôs a outra mão na nuca da garota. Em seguida, a puxou mais para perto de si, com um sorriso demoníaco.

Tella ficou sem ar e perguntou:

– O que você acha que está fazendo?

– Pedindo de novo.

Dito isso, o Mestre do Caraval a beijou, um beijo apressado, bruto e um tanto selvagem. Tella entreabriu os lábios, mas foi só o que conseguiu fazer. A mão que segurava a cintura da garota a mantinha apertada contra o corpo de Lenda, que abriu os dedos que estavam no pescoço dela, tapando a garganta e levando a cabeça de Donatella para trás, assumindo total controle e intensificando o beijo. Lenda estava tomando posse de Tella a cada vez que movimentava a língua e pressionava os lábios, falando, sem palavras – mais uma vez – que desejava que a garota fosse sua para sempre. Não a beijou como se simplesmente tivesse acabado de voltar à vida. Lenda a beijou como se tivesse morrido, sido enterrado e saído da cova tirando a terra com as próprias mãos, só para voltar a ficar do lado dela.

Donatella nunca havia sentido nada tão inebriante na vida. Lenda podia até não a amar, mas Julian tinha razão quando disse que o irmão sabia como fazer alguém se sentir desejado.

– É só dizer "sim" – insistiu ele, com os lábios encostados nos dela. – Deixe que eu te faça imortal.

– Você está jogando sujo – murmurou Tella.

– Nunca neguei isso e vou jogar sujo desta vez. – Ele acariciou a nuca sensível da garota. – Você é importante demais, Tella.

*Mas você não me ama.*

Por mais doloroso que fosse saber que Lenda não a amava, Donatella também sabia que, se ele a amasse, não estaria vivo naquele exato momento.

– *Hán-hán* – pigarreou a mais velha das irmãs. – Se vocês querem começar a fazer essa filha neste exato momento, receio que este não seja o local mais apropriado.

Tella deu um pulo, afastando-se de Lenda, e voltou, de supetão, à terrível realidade. Nunca na vida ficara tão corada de vergonha.

– Agora sugiro darmos prosseguimento – prosseguiu a mais velha das irmãs. – Se vocês dois continuarem fazendo o que estão fazendo, semanas terão passado no seu mundo quando saírem do nosso.

*Santos miseráveis.* Donatella realmente havia se esquecido do tempo. Não ouvira nenhum sino tocar, mas imaginou que já devia ter se passado mais de uma hora, talvez até mais. Ou seja: no mínimo um dia inteiro havia se passado no mundo dela. Mais um dia em que a irmã ficava em cativeiro, aprisionada pelo Arcano que assassinara a mãe das duas. Mais um dia que o povo de Valenda sofria horrores inenarráveis, porque outros Arcanos brincavam com elas como se fossem brinquedos que queriam quebrar.

E ela, ali, beijando Lenda.

Tella olhou para o baú de jaspe vermelho que a mulher mais velha segurava. Ela estava ali para isso – descobrir um segredo que poderia salvar a vida de todos – e precisava daquele baú, seja lá qual fosse o preço.

– Aceito. Vou fazer a troca.

– Tella, você não precisa fazer isso. – Lenda, então, se dirigiu à mais velha das irmãs, inclinou a cabeça e deu um sorriso que teria feito a maioria das damas desmaiar. – Pode ficar com um dos meus segredos.

A mulher apertou os lábios e respondeu:

– Não estamos interessadas.

Uma ruga se formou entre as sobrancelhas castanho-escuras de Lenda: ele ficou ofendido.

– Então deve ter alguma outra coisa que vocês queiram.

Do lado de fora, o sol ainda lançava sua luz verde-limão no mundo, mas nenhum raio chegava ao interior da barraca. Estava ficando mais frio, e nuvens pesadas, de uma névoa azul prateada, se alastravam.

– Lenda... – Tella pôs a mão no braço dele, antes que a névoa se tornasse tão densa que não desse mais para enxergar. – Não tem problema, você não precisa me salvar. Sei o que estou fazendo.

– Mas não é certo *você* ter que fazer isso.

O Mestre do Caraval se virou para a garota de novo e, apesar de não ter dito mais nem uma palavra, ficou com um olhar terno, que pedia desculpas. E Donatella teve certeza de que não eram desculpas por suas atitudes ou por seus segredos.

Lenda estava pensando na única coisa em que Tella não queria pensar. Ou melhor: na única pessoa em que ela não queria pensar – *a mãe*.

Quando Paloma possuía o Baralho do Destino que aprisionava os Arcanos, o Templo das Estrelas queria que entregasse Scarlett para eles, em troca de esconder o Baralho do Destino amaldiçoado. A mãe se recusou a fazer isso, mas não teve nenhuma dificuldade de oferecer a filha mais nova para o templo. E Donatella sentiu que essa era pior das traições, algo muito parecido com o que estava fazendo naquele momento.

– Você não precisa fazer isso – insistiu Lenda.

Só que Tella não conseguia enxergar uma alternativa e sabia que não podia correr o risco de desperdiçar mais tempo tentando encontrar uma.

– Minha irmã… A Estrela Caída está com ela. Scarlett só deixará de correr perigo depois que o Arcano morrer.

– Eu sei. Julian me contou, pouco antes de eu vir aqui te procurar.

– Então você deve saber que preciso fazer isso. – Donatella deu as costas para ele antes que sua consciência tentasse convencê-la a mudar de ideia. – Fechado.

– Ótimo – disse a mais velha das irmãs. – Só precisamos selar sua promessa. Se você não conseguir descobrir qual é a fraqueza secreta de sua filha até ela completar 17 anos, ou resolver não a contar para nós, pagará com sua vida.

E, antes que desse tempo de alguém protestar, a mais nova das irmãs encostou um bastão de ferro largo na parte de baixo do pulso de Donatella.

Ela gritou a plenos pulmões.

Lenda se aproximou correndo e segurou a outra mão da garota.

– Olhe para mim, Tella.

O Mestre do Caraval segurava a mão dela com firmeza, tranquilizando-a, mas estava longe de distraí-la da dor e da tristeza. Tanta tristeza…

Tella sabia como era se sentir com o coração partido, mas aquele era o tipo de dor que se sente por ter machucado o coração de outra pessoa. Um coração frágil. Um coração de criança. Um coração de filha.

Donatella fechou os olhos para conter as lágrimas.

A mais jovem das duas irmãs tirou o ferro do pulso dela. Onde antes a pele era perfeita, agora havia uma fina cicatriz branca, um cadeado formado por espinhos. E não doía mais. A dor sumiu instantaneamente, assim que a marca surgiu. Mas, apesar de Tella não sentir mais dor nem tristeza, tampouco se sentia a mesma de antes.

Pensou na mãe e no que tinha visto no templo, a cena em que Paloma a oferecia para o Templo das Estrelas. Donatella jamais saberia por que a mãe tomara tais decisões. Mas, naquele momento, Tella acreditou que ela não havia feito aquilo porque não se importava com a filha. Ao contrário: tinha feito o que fez porque *se importava*. Paloma se importava com as filhas ao ponto de fazer o que precisava ser feito. Talvez fosse por isso que optara por entregar Tella e não Scarlett. Scarlett se sacrificaria – se destruiria – de livre e espontânea vontade, se achasse que essa era a coisa certa a fazer. Donatella era mais parecida com Paloma, disposta a fazer o que fosse preciso, mesmo que fosse errado, se isso a fizesse conseguir o que precisava. Talvez Paloma tivesse oferecido Tella porque sabia que isso não iria destruí-la.

Mas, em pensamento, a garota jurou que faria de tudo para que a filha nunca tivesse que tomar tal tipo de decisão na vida. Quando tudo aquilo terminasse, Donatella encontraria um jeito de remediar aquilo, custasse o que custasse.


Tella segurou o baú de jaspe vermelho com uma mão e deu a outra para Lenda. O Mestre do Caraval não a soltara desde que pegara na mão dela, lá dentro da barraca. Quando voltaram para a saída, desviando das pessoas que estavam no movimentado mercado, continuou com os dedos pesados bem entrelaçados nos de Donatella, mantendo a garota na lateral do seu corpo. Não tentou beijá-la novamente. Mas, às vezes, quando Tella olhava para Lenda, via um sorriso satisfeito. Tinha vontade de espiar o que havia na caixa, tinha vontade de saber qual era o segredo pelo qual prometera pagar um preço tão alto. Mas não queria ficar ali por mais tempo do que o necessário. Imaginava ter passado uma ou duas horas no mercado, mas talvez fosse mais. Talvez ela e Lenda tivessem perdido três ou quatro dias e não apenas um ou dois.

Quando passaram pela galeria que os levou de volta a Valenda, o céu estava azul-noite, tornando impossível saber que horas eram ou quanto tempo havia passado.

O Mestre do Caraval dispunha de residências por toda a cidade. Supostamente, Julian estava esperando por eles na Casa Estreita, que ficava no Bairro das Especiarias. De todos os seus artistas, Aiko, Nigel, Caspar e Jovan eram os únicos que sabiam o endereço.

Dirigir-se para lá deveria ter dado uma sensação de segurança maior do que ficar perambulando pelas ruas acidentadas de Valenda: não demorara muito para a escória se reunir depois que que a monarquia fora ameaçada. Tella não avistou nenhum Arcano, mas detectou a presença deletéria deles fixando residência onde, antes, os amantes da noite se encontravam.

O baú de jaspe ficou mais pesado em sua mão. Ela teve o ímpeto de abri-lo naquele exato momento, mas já estavam quase chegando na entrada da Casa Estreita, que realmente era uma construção exígua. À primeira vista, parecia ser pouco mais larga do que uma porta e era tão torta quanto as demais casas daquela parte da cidade. Mas, quanto mais se aproximavam, mais larga ficava.

Donatella ficou observando janelas arqueadas decorativas aparecerem dos dois lados da porta. Debaixo delas, se esparramavam floreiras cheias de dedaleiras brancas – Tella tinha certeza de que não estavam ali poucos instantes antes.

A casa poderia ser curiosamente convidativa se a garota não tivesse olhado para cima e visto a Morte Donzela. Estava parada, no meio da janela do segundo andar, dando um sorriso macabro por trás de sua gaiola de pérolas.

Lenda apertou a mão de Tella com mais força.

Nos Baralhos do Destino, a carta da Morte Donzela indica a perda de alguém amado ou de um ente querido. E foi essa carta que previu que Donatella perderia a mãe, na primeira vez que isso aconteceu.

O ar ao redor da garota crepitou e, uma fração de segundo depois, um vulto encapuzado se materializou no meio de Tella e de Lenda.

Donatella congelou. Não conseguia enxergar o rosto do vulto, que estava escondido pelo capuz da capa que usava. Mas nem precisava. Só havia um Arcano com a habilidade de viajar através do tempo e do espaço e se materializar onde bem entendesse: o Assassino. Que, de acordo com Jacks, também era demente.

– A Morte Donzela está aqui para falar com vocês dois – declarou o Arcano.

# 34

## *Donatella*

A Casa Estreita era mais uma das farsas de Lenda.

Tella conseguira ver além do feitiço da fachada e achou que a construção era encantadora. Mas o lado de dentro a fez recordar da ilusão que Lenda havia criado no calabouço, quando transformou a cela em que a garota estava em uma sala de estudos com pé-direito de mais de dez metros de altura. O teto da Casa Estreita era ainda mais alto, e os livros nas estantes que tapavam as paredes não tinham a mesma aparência impecável dos livros daquela ilusão. Alguns volumes eram velhos, rachados e frágeis: parecia que tinham vivido várias outras vidas antes de fixar residência naquelas prateleiras.

Quando entraram no cômodo abobadado, o Mestre do Caraval passou o braço nos ombros da garota, em um gesto protetor. Ele não quis que ela entrasse na casa, mas o Assassino fora muito insistente, assim como Tella: aquela luta era tão dela quanto de Lenda.

O cenário onde entraram poderia ser um quadro intitulado *Reféns em um chá da tarde*. Os artistas da confiança do Mestre do Caraval estavam sentados, rígidos, em cadeiras vermelhas capitonê, em volta de uma mesa de ébano lustrosa, onde estava disposto um aparelho de chá de estanho no qual ninguém encostava, com exceção de Nigel, o adivinho coberto de tatuagens que fazia parte da trupe. Julian e Jovan estavam na reunião, assim como Aiko – a historiógrafa de Lenda, que registrava a história do Caraval por meio de desenhos – e Caspar. Que, certa vez, fingira ser noivo de Tella.

Atrás deles, pairavam o Assassino e a Morte Donzela, feito anfitriões macabros. Tella já vira alguns arcanos e alguns deles brilhavam. Mas o Assassino, que continuava com o rosto escondido pelo pesado capuz, parecia recolher sombras.

A Morte Donzela era igualzinha à carta dos Baralhos do Destino. Tinha a cabeça coberta de grades encurvadas de pérolas que se fechavam como uma gaiola, e o vestido mais parecia um conjunto de trapos de tecido esvoaçante amarrados entre si. Ela tampouco brilhava, mas seu traje esfarrapado esvoaçava como se o Arcano tivesse um vento particular que mantinha preso a uma coleira.

– Não tenham medo de nós – disse a Morte Donzela. – Estamos aqui para ajudar a derrotar a Estrela Caída.

– E, se quiséssemos feri-los, eu teria enfiado adagas no coração dos dois assim que os vi lá fora.

A voz do Assassino mais parecia o ruído de pregos acertando vidro: era ríspida e dissonante.

– Sério que é assim que vocês conquistam as pessoas? – resmungou Julian.

– Daeshim – censurou a Morte Donzela, com uma voz muito mais suave do que a de seu acompanhante encapuzado. – Lembra do que conversamos?

– Você falou para eu ser simpático. O que eu disse era brincadeirinha.

Ninguém deu risada, a não ser Jovan, que comentou:

– Acho que você precisa melhorar seu lado humorístico, colega.

– Se você não matar a todos nós, posso ajudar – completou Caspar.

– Obrigado – respondeu o Assassino.

Não que sua resposta educada tenha feito alguém relaxar. Pelo contrário: o clima no recinto ficou ainda mais tenso. Ver Caspar e Jovan sorrindo para o Assassino encapuzado era quase a mesma coisa do que ver gatinhos pularem na boca de um crocodilo.

– Sei que vocês não têm muito motivo para confiar em nós, mas vim avisar de uma ameaça, não trazer uma. – Os olhos pesarosos da Morte Donzela fitaram os de Lenda, e o vento que fazia seu vestido esfarrapado esvoaçar ficou mais forte. – Sinto que seu mundo como um todo correrá perigo se recusar nossa ajuda.

– Todo o perigo que há em nosso mundo é causado por gente da sua laia – retrucou o Mestre do Caraval.

– Você não é diferente de nós – prosseguiu a Morte Donzela. – Você é imortal e tem habilidades como as nossas. Mas não sabe o que é ter uma ligação com a Estrela Caída. Somos as aberrações imortais dele e, quando nos rebelamos, Gavriel nos castiga por toda a eternidade. Seus mitos contam que o Ceifador da Morte engaiolou minha cabeça com essas pérolas. Mas, na verdade, foi a Estrela Caída. Houve uma época em que Gavriel quis ficar comigo. Eu o rejeitei. E foi aí que ele mandou engaiolar minha cabeça neste globo amaldiçoado, para impedir qualquer um de tocar em mim. Tentei tirá-lo, até morri e voltei à vida, mas a gaiola continuará na minha cabeça até a Estrela Caída morrer.

– E qual é a sua história triste? – perguntou Tella para o Assassino.

– Não é da sua conta. Você deveria confiar em mim porque não estou matando nenhum de vocês neste exato momento.

– Para mim, está ótimo – comentou Caspar, dando risada.

Pelo jeito, achou que o Assassino havia contado outra piada. Donatella já não tinha tanta certeza assim.

Julian também estava com uma cara cismada. Estava sentado de frente para os Arcanos, com os cotovelos apoiados na mesa. Inclinou o corpo para frente e ficou encarando os dois com um olhar de quem estava prestes a puxar briga.

– Todos concordamos que não há quem não odeie a Estrela Caída. Mas ainda acho difícil de acreditar que vocês dois queiram que ele morra, já que, se Gavriel morrer, vocês dois ficarão mais vulneráveis.

– Ser vulnerável não é tão ruim como as pessoas tendem a acreditar – disse a Morte Donzela. – Com a morte da Estrela Caída, seremos atemporais. Se morrermos, não voltaremos à vida, isso lá é verdade. Mas, se formos atemporais, ainda poderemos viver tanto quanto um imortal, se tomarmos cuidado. Entretanto, nem todos nós queremos viver tanto tempo assim. Alguns de nossa espécie gostariam de ter a opção de morrer de forma definitiva. Só que não estão dispostos a se opor a Gavriel abertamente. Ninguém quer passar a eternidade em uma gaiola.

– Nisso eu acredito. – O tom do Mestre do Caraval foi mais diplomático do que o do irmão, mas ficou claro, pelo peso que colocou em sua afirmação, que se os Arcanos dessem um único passo em falso, mudaria de opinião. – Podemos ter um momento a sós? Se realmente estão aqui para nos ajudar, imagino que isso não será problema.

A Morte Donzela foi em silêncio até a porta, onde Lenda e Tella estavam. Assim que ela saiu, o Assassino – de forma simples e irritante – sumiu de um jeito que fez todos lembrarem que poderia tornar a aparecer, trazendo as facas que havia acabado de comentar.

Donatella teve a impressão de que as paredes estremeceram: parecia que, por fim, o recinto havia voltado a respirar normalmente.

Lenda aliviou a força com que segurava a mão de Tella mas não a soltou, e se aproximou da mesa. Era a primeira vez que a garota o via interagindo com seus artistas daquela forma. Alguns dos artistas do Caraval jamais saberiam quem era o Mestre do Caraval, mas ali estavam reunidas as pessoas mais próximas dele.

Fez-se um silêncio respeitoso quando Lenda e Donatella chegaram juntos à mesa. Todo mundo estava ansioso para dar sua opinião. Só que ninguém disse uma palavra, até que Lenda se virou para Nigel.

O adivinho pegou uma xícara de chá e, antes de falar, tomou um gole com seus lábios rodeados de tatuagens de arame farpado.

– Não consegui fazer uma leitura de nenhum dos dois Arcanos. Os olhos do Assassino estavam escondidos pelo capuz e, quando a Morte Donzela olhou na minha direção, olhou apenas para meus olhos. Não chegou a se deter em nenhuma das minhas tatuagens.

– Qual é a sua opinião pessoal? – perguntou Lenda.

– Jamais confie em um Arcano – respondeu Nigel.

– Se o Assassino quisesse nos fazer mal, já teria feito– interveio Caspar.

– Talvez os planos deles envolvam mais do que nos assassinar em uma saleta – sugeriu Jovan.

– Nem todos os Arcanos são assassinos – disse Aiko.

– Então você acha que devemos confiar neles? – indagou o Mestre do Caraval.

– Sim.

Caspar e Aiko responderam ao mesmo tempo, bem quando Jovan disse, com firmeza:

– Não. Quem usa um artigo definido antes do nome nunca é digno de confiança. Mas, já que você deu ordens para o restante da trupe voltar à sua ilha, por motivo de segurança, pode não ser má ideia pensar em novos aliados.

Lenda, então, se virou para o irmão.

– Não acredito que vou dizer isso, mas… – Julian passou a mão pela cicatriz que desfigurava seu rosto. – … gosto dos poderes do Assassino. Ele poderia ir ao encontro de Carmim, caso precisemos.

– Disso já não sei – interrompeu Tella. – Ouvi dizer que o Assassino não está muito bom da cabeça porque viajou demais através do tempo. Mas é possível que não precisemos nem dele nem da Morte Donzela. Talvez já tenhamos descoberto uma maneira de derrotar a Estrela Caída.

Ela, então, se desvencilhou de Lenda, mostrou o baú de jaspe vermelho e explicou rapidamente por que a caixa poderia conter a solução para todos os problemas do grupo.

Mas, quase no mesmo instante em que abriu a trava da tampa, Tella percebeu que ali não havia solução para problema nenhum. O papel do bilhete que estava dentro da caixa era tão fininho que parecia que iria se despedaçar caso alguém encostasse nele:

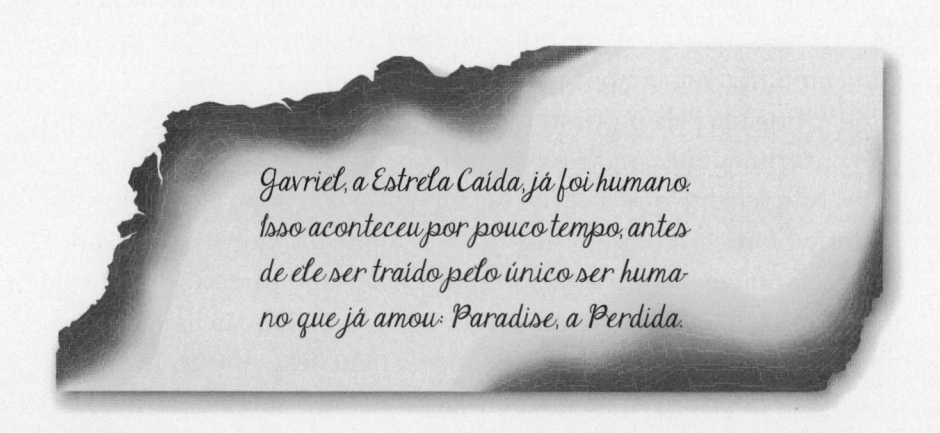

Gavriel, a Estrela Caída, já foi humano.
Isso aconteceu por pouco tempo, antes
de ele ser traído pelo único ser humano que já amou: Paradise, a Perdida.

Donatella ignorou a pontada que sentiu ao ver o nome da mãe escrito ali e releu o bilhete, torcendo para que mais palavras aparecessem no papel. Só que não apareceram.

Não era aquilo que ela queria.

Tella queria uma lista de fraquezas, um defeito mortal ou um plano simples, com o passo a passo exato de como matar um Arcano ou a Estrela Caída. Mas aquele segredo só revelou que a única pessoa capaz de matar a Estrela Caída já estava morta.

– Podem esquecer dessa ideia.

Donatella atirou o baú em cima da mesa. Por ela, também teria amassado o bilhete inútil que encontrou ali dentro, mas o papel sumiu assim que terminou de reler. *Puf.* Já era.

A garota sentiu suas esperanças diminuírem, mas se recusou a desistir de descobrir a fraqueza da Estrela Caída. E o bilhete revelou uma coisa, sim: na noite em que a mãe morreu, Tella não entendeu por que Paloma apunhalou Gavriel. Mas agora entendia. A mãe deve ter achado que a Estrela Caída ainda a amava e que, quando se reencontrassem, o Arcano se tornaria mortal e ela conseguiria matá-lo. Só que Gavriel a matou.

– Vocês já chegaram a uma decisão? – perguntou a Morte Donzela na entrada da sala, falando baixinho. Mas Tella podia sentir o poder que vibrava em torno da Morte Donzela enquanto seu vestido fantasmagórico esvoaçava e o Assassino chegava para ficar parado ao lado do Arcano, coletando sombras.

O belo rosto de Lenda parecia impassível, mas Donatella teve a impressão de que o batente em arco debaixo do qual os dois estavam aumentou, fazendo ambos parecerem menores.

– Obrigado pela proposta – disse o Mestre do Caraval. – Mas acho que preferimos enfrentar essa batalha sozinhos.

– Não acredito que vocês consigam vencer sem nossa ajuda – insistiu a Morte Donzela, com um suspiro. – Pelo menos, fiquem com isso.

Então ouviu-se um chiado e um estalo, que pareceu o riscar de um fósforo. E aí, o Assassino surgiu ao lado de Donatella e colocou dois discos de metal grossos na palma da mão dela. *Moedas sem sorte.*

A garota recordou de quando Jacks lhe deu uma dessas moedas. Lembrou-se de achar que a moeda mágica era um presente muito especial. Só que não era por acaso que aqueles objetos eram chamados de "sem sorte". Podiam ser usados não apenas para invocar Arcanos, mas para localizar seres humanos.

– Caso vocês mudem de ideia – explicou o Assassino, com a voz rouca.

– Segurem as moedas com força, digam o nosso nome, e viremos ajudar – prometeu a Morte Donzela.

Donatella tinha que admitir que aqueles dois eram mais gentis do que todos os outros Arcanos que conhecera. E, mesmo assim, jogou as moedas no lixo assim que eles sumiram de vista.

– Então o que vamos fazer? – perguntou Jovan.

– Tive uma outra ideia – sugeriu Tella.

Outra garota poderia ter ficado calada depois que seu último plano se revelou um fracasso tão retumbante. Mas era justamente por isso que Donatella se sentia obrigada a encontrar um plano que desse certo. A ideia fora sugestão de Jacks. Só que, até então, Tella não pensara seriamente a respeito. Seria mais arriscado para a irmã, porque Scarlett precisaria obter sangue da Estrela Caída. Mas, se desse certo, acabaria salvando a vida de Scarlett – e de todo o império.

– Existe um livro na Biblioteca Imortal capaz de revelar toda a história de uma pessoa ou de um Arcano. Se encontrarmos este livro e lermos a história da Estrela Caída, podemos descobrir qualquer fraqueza que ele tenha.

Aiko tirou os olhos do caderno, onde já começara a rascunhar o registro do encontro do grupo com o Assassino e com a Morte Donzela.

– Você está falando do Ruscica. Esse livro poderia ser muito útil. Mas, para termos acesso à história da Estrela Caída, precisamos de um frasco de sangue dele.

– Eu sei. – Donatella respirou fundo, torcendo para que aquela aposta valesse a pena. – Minha irmã está com a Estrela Caída e, assim que tivermos o livro, podemos mandar uma mensagem, pedindo para ela conseguir o sangue.

– Não – objetou Julian. – Ela correria perigo demais.

– Todos nós estamos correndo perigo – argumentou Aiko.

– E Scarlett não estaria sozinha. – Lenda lançou olhares para Nigel, Aiko, Caspar e Jovan. – Tella e eu iremos procurar o Ruscica. Nigel, volte para o palácio e descubra quais são os próximos planos dos Arcanos. Aiko, apure quais são os Arcanos que estão em Valenda: não quero ter mais nenhuma visita-surpresa. Caspar, dê um jeito de entrar no palácio também e tente averiguar até que ponto chega a lealdade das pessoas aos Arcanos que estão no comando. Jovan, quero você junto de Scarlett. Entre escondida nas ruínas do Zoológico, garanta a segurança dela e, quando puder, mande um bilhete, avisando que precisamos do sangue da Estrela Caída.

Tella tinha vontade de protestar – obter o sangue da Estrela Caída seria um grande risco para Scarlett. Não queria que a irmã tentasse fazer isso antes que eles tivessem o livro. Só que, quanto mais esperassem para pedir o sangue, mais tempo ela ficaria no Zoológico.

– Continuo não gostando desse plano – declarou Julian. – Se alguém vai ficar vigiando Carmim, acho que deveria ser eu.

– Sem chance – respondeu Lenda. – Você será descoberto e, se algo te acontecer agora, não tenho como te trazer de volta à vida.

Julian olhou feio para o irmão e falou:

– Você não vai precisar me trazer de volta à vida. Não serei descoberto.

– Não vou discutir esse assunto – disse o Mestre do Caraval, sacudindo a cabeça e com um tom evasivo.

Julian se levantou da cadeira de supetão e, de repente, todos na mesa encontraram algum outro lugar para olhar. Mas Tella não conseguia tirar os olhos da cena. Lenda era mais alto e mais corpulento, mas o rosto do irmão transmitia o tipo de emoção nua e crua que ele jamais demonstrava.

– Você não quer discutir porque sabe que eu tenho razão.

– Você não tem razão – declarou Lenda. – Você está apaixonado e isso faz de você um descuidado.

Julian se encolheu todo. E Donatella também.

Não que Lenda tivesse dado sinal de ter notado a reação dela.

– Você tem razão, Lenda – falou a garota, chamando a atenção do Mestre do Caraval.

Lenda sorriu, satisfeito por Donatella ter concordado com ele. Até que a garota completou o que iria dizer:

– O amor é uma confusão. Não é fácil de controlar. Mas é isso que o torna tão poderoso: a paixão desenfreada. É dar mais importância à vida de outra pessoa do que à própria. Concordo que Julian, provavelmente, corre mais risco de ser descoberto. Ou coisa pior, se for para as ruínas do Zoológico e ficar de olho em Scarlett. Mas acho admirável que ele esteja disposto a correr o risco.

Julian se empertigou, bem de leve.

– Obrigado, Donatella – falou.

– Mas continuo concordando com Lenda. Se você estiver em perigo, Julian, minha irmã corre mais perigo. Se Scarlett descobrir que você está lá e precisa de ajuda, fará qualquer coisa para salvar sua vida. Acho que seria melhor para ela se você não fosse.

Julian sacudiu a cabeça, fazendo careta.

Mas, depois disso, a discussão acabou. Ninguém mais questionou suas tarefas, e isso foi quase assustador. No fim, todo mundo concordou em seguir as ordens de Lenda. Até Julian, cuja incumbência não envolvia se infiltrar nas ruínas do Zoológico, onde Scarlett era mantida prisioneira.

Tella ficou observando todos irem embora em silêncio, imaginando que Lenda poderia ter manipulado todas aquelas pessoas. Será que o Mestre do Caraval possuía outro tipo de magia, da qual a garota não tinha conhecimento? Ou, talvez, tenham agido assim apenas porque eram tão ligados a ele.

– Sei o que você está pensando – disse Julian. Todos os demais já haviam ido embora, e ele estava quase chegando à porta, mas virou para trás e olhou para Donatella. – Você está se perguntando se todos nós só concordamos com isso porque somos ligados a Lenda pela magia. Está se perguntando se a mesma coisa vai acontecer com você, caso aceite a proposta que meu irmão te fez e se torne imortal...

– Julian – disse Lenda, com tom de censura.

– Relaxe, irmão. – Um sorriso lupino substituiu a careta de Julian. – Eu só ia contar a verdade para ela. Todos temos livre-arbítrio, Tella. Se você se tornar imortal, não vai perder seu livre-arbítrio. Não vai sentir meu irmão te controlando. Só que nunca vai sentir que ele te ama como eu amo a Carmim.

Depois dessa, o rapaz saiu do recinto, deixando Donatella e o Mestre do Caraval a sós.

As luzes quentes da sala de estudos diminuíram, e Tella ouviu Lenda se aproximar. O recinto ficou mais abafado, e o coração dela bateu mais rápido, mas a garota não tinha coragem de erguer a cabeça e olhar para ele. Era fácil demais ficar hipnotizada por tudo que dizia respeito àquele homem.

Pouco antes, quando Lenda a beijou no mercado, Donatella sentiu o quanto o Mestre do Caraval queria ficar com ela. Pensou que, talvez, isso pudesse bastar: ser desejada por Lenda era inebriante e poderoso. Só que, depois, Tella ficou observando Julian. Nunca se sentiu atraída pelo rapaz. No entanto, por um instante, odiou ter sentido tanta inveja do relacionamento que a irmã tinha com ele. "Bastar" jamais seria o suficiente para Tella. A garota queria um amor pelo qual valesse a pena lutar; mas imortais são incapazes de amar.

– Meu irmão só falou aquilo porque está chateado.

A voz grave de Lenda estava bem ao lado de Tella e, enquanto ele falava, o mundo se transformou. As paredes viraram fumaça, a mesa posta e abandonada desapareceu, e a porta se dissipou, até que ficaram apenas os dois, de pé sob um céu de veludo, cheio de estrelas brancas e surreais. Luzes que piscavam. Brilhavam. Reluziam. E, quando Donatella olhou para ele, nenhuma daquelas estrelas brilhava tanto quanto os olhos cor de carvão de Lenda.

– Existem outras vantagens em ser imortal. – A mão quente dele se enroscou no pescoço da garota e, em seguida, os dedos se enroscaram nos cabelos. – Por favor, me dê uma chance.

Tella levou a cabeça para trás, aninhando-se na mão dele ao ouvir a expressão "por favor". Lenda disse isso de um jeito que a fez se sentir, mais uma vez, desejada e importante. Os lábios do Mestre do Caraval esboçaram um esgar, e o mundo ficou um pouco mais iluminado, porque várias estrelas caíram do céu e vieram rolando em direção à Terra, traçando ofuscantes arcos de fogo.

Donatella adorava quando Lenda se exibia. Adorava o fato de ele ser mágico. Adorava tantas coisas naquele homem. E nunca quis tanto ficar com alguém quanto queria ficar com Lenda – não queria que desistisse dela ou que a deixasse sozinha, nem por um instante sequer. Queria que Lenda fosse atrás dela até os confins do mundo, que aparecesse em seus sonhos todas as noites e que estivesse lá também quando acordasse. Queria que Lenda a amasse.

Mas, sabendo o preço que o Mestre do Caraval teria que pagar por amar, não poderia pedir isso a ele. Precisava pôr um fim naquilo, pelos dois.

Sabia que Lenda não a amava, ele disse que jamais a amaria. Mas, só por garantia, caso isso um dia mudasse, a última coisa que queria era ser o motivo pelo qual ele não voltou à vida depois de morrer.

Tella sorriu para ele, o tipo de sorriso que costuma acompanhar desculpas esfarrapadas.

– Não posso fazer isso.

Várias estrelas desapareceram do céu.

Donatella titubeou, mas não parou por aí.

– Achei que poderia considerar essa possibilidade. Mas, sendo sincera, acho que me apaixonei mais pela ideia que eu tinha de você do que por você de verdade.

Lenda cerrou os dentes e disse:

– Você não está falando sério, Tella.

– Estou, sim.

Ela se esforçou para pronunciar essas palavras, e uma deixou um gosto pior do que a outra em sua boca. Mas sabia que, se não fizesse aquilo naquele momento, não conseguiria fazer depois.

O Mestre do Caraval podia até ser incapaz de amar. Mas, pelo jeito que olhava para a garota – pelo jeito como a boca se fechou em uma linha tensa e os olhos se tornaram distantes e desconfiados –, ficava claro que sabia sentir mágoa.

Donatella se obrigou a continuar falando, e seu sorriso forçado se desfez.

– É mais ou menos a mesma coisa que você fez quando queria ver se conseguiria convencer todo mundo de que era o herdeiro de Elantine. Só que eu... – ela respirou fundo – ... eu queria ver se conseguiria fazer o grande Mestre-Lenda se apaixonar por mim.

O rosto de Lenda se transformou em uma máscara da mais perfeita calma. Só que as estrelas que ainda restavam no céu se apagaram, todas ao mesmo tempo, envolvendo os dois em um súbito manto de escuridão.

– Se isso é verdade, Donatella, então nós dois não conseguimos o que queríamos.

Antes que Tella tivesse tempo de responder, Lenda sumiu.

# 35

## *Donatella*

Naquela noite, Tella tentou não pensar em Lenda. Precisava se concentrar. Não podia pensar nas coisas ressentidas que havia dito para ele nem no fato de o Mestre do Caraval tê-la deixado na mais completa escuridão. Precisava terminar de escrever o bilhete para a irmã. Precisava contar a ela o plano que ou condenaria a todos ao fracasso ou salvaria todo mundo.

> Scar,
>
> Precisamos de um frasco de sangue da Estrela Caída. Mas tome muito cuidado quando for pegar o sangue e com a Estrela Caída — faça o que fizer, não tente fazê-lo amar você. Quando estive no Mercado Desaparecido, descobri que a Estrela Caída já amou nossa mãe — Paloma foi o único ser humano que Gavriel já amou na vida, e ele a matou. Tome muito cuidado, mais cuidado do que já tomou em toda a sua vida.
>
> Com amor,
>
> T.

Donatella perdeu a conta de quantas vezes releu o bilhete antes de, por fim, entregá-lo para Jovan, que o levaria para Scarlett na manhã daquele mesmo dia, porque já passava da meia-noite. Estava mais do que cansada. Mas, mesmo depois de se deitar na cama, demorou a pegar no sono, porque não queria encarar o que poderia estar à espera dela – ou melhor: o que *não* estaria à espera dela – quando sonhasse.

# Donatella

A carruagem aérea de sonho foi ficando nítida lentamente. E rodeou Tella feito uma memória bem guardada, misturada a toques de maçã e magia. As almofadas de couro onde estava sentada eram sedosas e tinham barras largas, em azul-real, que combinavam com as pesadas cortinas das janelas ovais. Era igualzinha à primeira carruagem aérea em que a garota entrou na vida, com exceção do tamanho, que mal chegava à metade de uma carruagem comum. O aperto todo não deixava nenhum espaço sobrando entre ela e o jovem sentado à frente dela: Jacks.

Ele estava com um sorriso de patife e rolando uma maçã branca cintilante entre os dedos descorados. Pela primeira vez, Donatella ficou feliz por ter dado a ele permissão de entrar em seus sonhos.

A casca da maçã parecia ter sido mergulhada em *glitter*. E, apesar disso, comparada ao Príncipe de Copas, estava mais para uma faísca em relação a uma chama. O Arcano estava um pouco esculhambado, como sempre: calça marrom-clara meio para fora da bota, casaca de veludo vermelho-ferrugem amarrotada e o lenço cor de creme amarrado de qualquer jeito no pescoço. Mas a pele brilhava feito uma estrela, o cabelo dourado reluzia mais do que qualquer coroa, e os olhos sobrenaturais faiscavam em um tom de azul que fez a garota pensar nos mais maravilhosos dos erros.

– O que estamos fazendo aqui? – perguntou Tella.

Sabia que estavam dentro de um sonho. E, pelo jeito, Jacks também tinha a habilidade de controlá-lo, assim como Lenda.

– Pensei em tentar algo diferente. Quero que a gente comece nosso relacionamento do zero. – Então sorriu, mostrando as covinhas, e Donatella achou que a expressão foi uma tentativa de dar um sorriso inocente.

Por alguns instantes, a garota ficou imaginando o que poderia ter acontecido se o Príncipe de Copas tivesse dado aquele sorriso na primeira vez que o viu, em vez de ameaçar que ia atirá-la da carruagem. Não teria pensado que o Arcano era inocente ou inofensivo – longe disso –, mas teria ficado intrigada.

– Digamos que você pudesse reviver aquele dia. O que teria feito de diferente?

– Acho que teria te oferecido um pedaço da minha maçã. – O Arcano inclinou o corpo para frente, aproximando-se de Tella com um jeito que beirava a devoção, e colocou a fruta cintilante nas mãos da garota. A maçã estava ainda mais fria que a pele do Arcano e quase a queimou, de tão gelada. – Pode dar uma mordida, meu amor. É só uma maçã.

– Não sei por que, mas não acredito em você.

Os lábios de Jacks se repuxaram, e ele confessou:

– Pode ser que tenha um pouquinho de magia.

– De que tipo?

– Coma que você vai descobrir.

O olhar instigante do Príncipe de Copas passava a impressão de que ele estava propondo uma aposta, o tipo de aposta que a pessoa perde assim que concorda em fazê-la.

Se isso tivesse acontecido na primeira vez em que os dois se cruzaram, a possibilidade de Donatella arriscar dar uma mordida seria grande, parte por curiosidade a respeito da fruta branca e mágica, parte torcendo para impressionar o rapaz cheio de magia que estava sentado na frente dela. E, provavelmente, a fruta teria lançado nela um feitiço ainda mais traiçoeiro do que o beijo do Arcano.

– Acho que vou dispensar.

Dito isso, devolveu a maçã para ele.

Em vez de pegar a fruta, Jacks pegou Donatella no colo. Em um piscar de olhos, Tella estava do outro lado da carruagem, sentada no colo dele, com os braços gelados do Arcano em volta de si, e os lábios dos dois tão próximos que estavam praticamente se beijando.

– Jacks... – Tella pôs a mão no peito dele antes que o Príncipe de Copas se aproximasse mais. – Eu ficaria tentada a comer a maçã, mas se você tivesse feito *isso* naquele dia acho que teria atirado *você* da carruagem.

– Então pode me atirar, Donatella. Não vou te impedir se é isso que você quer.

Só que, em vez de soltá-la, ele a abraçou ainda mais apertado. Em seguida, inclinou a cabeça para o lado. Os lábios do Arcano roçaram no ponto sensível em que o pescoço de Tella se encontrava com o maxilar.

– Jacks...

A voz de Tella soou ofegante demais. Saiu mais como um convite do que uma censura, e o Príncipe de Copas beijou o pescoço dela, devagar e delicadamente. Em seguida, beijou o vão do pescoço, e o coração da garota disparou. Quando Jacks a beijava, sempre parecia que, de certa forma, ele a idolatrava. E, depois de tudo o que acabara de acontecer com Lenda, era tão tentador simplesmente permitir que o Arcano continuasse fazendo aquilo.

– Diga o que você quer, Donatella. É só dizer que te dou.

Os lábios do Príncipe de Copas passaram do pescoço de Tella e seguiram em direção ao ombro.

– Jacks.

Então Donatella empurrou o peito do Arcano, com força. Não havia espaço na carruagem para ela fugir, mas conseguiu tirar os lábios de Jacks de sua pele. Há três meses, não o teria impedido de beijá-la. A Tella que não acreditava no amor teria brincado com Jacks, assim como o Arcano – claramente – gostava de brincar com ela. Só que Donatella se sentia vulnerável demais para brincar naquela noite.

– Desculpe, Jacks. Acho que você não pode me dar o que quero.

Os olhos do Príncipe de Copas ficaram com um tom mais claro, cor de vidro marinho, e algo que parecia mágoa brilhou em seu olhar.

– Se eu estivesse com todos os meus poderes, poderia fazer você mudar de opinião. Poderia fazer você sentir mais do que sequer imaginou sentir um dia. Posso até fazer esse sentimento durar se você me contar quem é o verdadeiro Lenda.

Em seguida, o Arcano acariciou o rosto de Tella: a carícia foi afetuosa, mas não havia nada de amoroso ou terno no que acabara de sugerir.

Ao contrário dos demais Arcanos, o Príncipe de Copas não estava aprisionado nas cartas quando Lenda os libertou do Baralho do Destino.

E, por isso, permaneceu enfraquecido. Mas, se tivesse a possibilidade de usar todos os poderes, poderia controlar as emoções de qualquer pessoa. Apesar de ter ficado aliviada quando Jacks removeu os sentimentos dela por uma noite, Tella nunca iria querer que alguém tivesse tanto poder sobre ela, ainda mais se fosse por tempo indeterminado.

— Eu também não iria querer isso — disse, baixinho.

— Pelo menos eu tentei. — As covinhas haviam voltado ao sorriso do Arcano. — Acho que vou ter que me esforçar mais.

Ele acariciou o rosto de Donatella mais uma vez, e o sonho se dissolveu.

## Scarlett

Enquanto Tella ainda dormia, Scarlett recebeu um bilhete escondido dentro do guardanapo de linho que veio junto de seu café da manhã. Resistiu ao ímpeto de abrir a mensagem na mesma hora: deu mais um gole na sua bebida matinal e guardou o papel no bolso, lenta e disfarçadamente.

A garota teve a sensação de que lufadas de um roxo autoritário subiam do bolso onde escondeu a mensagem – parecia que o bilhete continha parte da impaciência da irmã.

A Dama Prisioneira estava sendo simpática: revelou de bom grado o que sabia a respeito dos planos da Estrela Caída e não contou para o Arcano que Scarlett havia usado a Chave de Devaneio. E, mesmo assim, a garota não conseguia confiar completamente em Anissa. Deixou o bilhete dentro do bolso até a tarde, quando os olhos da Dama Prisioneira finalmente se fecharam para tirar uma soneca de verdade, e viu que as cores dos sentimentos dela realmente haviam mudado para o tom tranquilo de verde-petróleo das águas paradas.

Anissa nunca cochilava por muito tempo – Scarlett achava que isso tinha a ver com o fato de ser obrigada a dormir no poleiro. E, sendo assim, leu o bilhete bem rápido e, ainda apressada, escreveu uma resposta.

Donatella,

Vou conseguir o sangue e tomarei cuidado. Mas, independentemente do que você esteja fazendo: seja rápida. A Estrela Caída planeja usurpar o trono dentro de três dias. Gavriel se vangloriou para mim que seus Arcanos vão continuar a atormentar a cidade até a hora de sua primeira aparição pública. Quer que o povo de Valenda implore para ele se apossar do trono e substituir os Arcanos que mataram Lenda. Ninguém vai pensar em reclamar do fato de a Estrela Caída ter se autoproclamado imperador, só quando for tarde demais.

Com todo o meu amor,

S.

# Donatella

Tella havia acreditado, ingenuamente, que seria fácil achar a Biblioteca Imortal assim como foi encontrar o Mercado Desaparecido. Na verdade, acreditar naquilo era quase tão risível quanto o fato de a palavra "fácil" ainda fazer parte do vocabulário da garota.

Ela soltou uma risada debochada, mas discreta.

Se Lenda a ouviu, não demonstrou. Os ombros largos não se mexeram, e o Mestre do Caraval não tirou os olhos das águas do chafariz rachado que estava fitando – o mesmo chafariz onde os dois se beijaram na noite em que Tella se deu conta de que estava se apaixonando por ele.

Ah, se fosse tão fácil se desapaixonar quanto foi se apaixonar...

Até aquele dia, a garota nunca quis deixar de amar Lenda. Mas, naquele momento, enquanto os dois procuravam a biblioteca entre as colunas decrépitas que rodeavam as ruínas da mansão da esposa amaldiçoada, não parava de pensar no que Jacks tentara lhe oferecer. Como o Príncipe de Copas não dispunha de todos os seus poderes, só poderia remover as emoções de Donatella por um dia – nem era capaz de mudar os sentimentos da garota de fato. Mas ela ficou um pouco tentada pela ideia de sentir indiferença em vez de sentir tudo aquilo.

Sabia que Lenda recordava da noite em que a havia levado até ali no colo e, depois, a beijou até ela esquecer de sua dor. Se Tella fechasse os olhos, também se lembraria. Recordaria que Lenda a carregou no colo até os degraus cobertos de limo da entrada das ruínas, recordaria que os dois falaram do passado e do beijo que deram. Poderia recordar da sensação macia dos lábios dele, pedindo licença, beijando sua boca e seu pescoço, e do jeito bruto como os dedos de Lenda se enroscaram no cordáo preso à sua cintura, puxando-a ainda mais para perto de si e sussurrando o quanto a desejava.

Ele *tinha* que lembrar. Mas se recusava a olhar para Donatella. Praticamente a estava tratando como se a garota fosse uma estranha. E fez isso por toda aquela manhã, enquanto vasculhavam outras ruínas. Quando falava com Tella, tudo o que dizia ou eram respostas curtas para alguma pergunta dela ou ordens bem objetivas.

Era uma injustiça que, de todos os planos que Donatella traçara recentemente, o único que dera certo foi o de fazer Lenda se distanciar dela. A garota pensou que seria fácil lidar com o fato de não ser amada por Lenda, mas não estava se saindo muito bem quando o assunto era ser desprezada pelo Mestre do Caraval.

Ela deu a volta no chafariz novamente, apesar de os dois já terem revirado aquelas ruínas em busca de imagens que poderiam representar a Biblioteca Imortal e levá-los ao Ruscica. Revezaram-se, pingando sangue em qualquer coisa que tivesse aparência simbólica. Mas, das duas, uma: ou a entrada da Biblioteca Imortal não era ali ou seria preciso mais do que sangue para abri-la.

Lenda passou a mão nos cabelos castanho-escuros, se afastou do chafariz e começou a descer, em silêncio, os degraus em ruínas que levariam os dois de volta às ruas da cidade. Ambos trajavam roupas comuns, fáceis de passarem despercebidas pelas pessoas. Tella usava um vestido de mangas curtas, cor de água de lago lamacento, e Lenda uma calça marrom simples e uma camisa rústica de mangas desfiadas – e, apesar disso, o miserável ainda conseguia se movimentar com a arrogância de quem sabe que todos vão olhar para ele, independentemente da roupa que estiver vestindo. Seus passos tinham uma espécie de autoconfiança que algumas pessoas passam a vida tentando ter.

– Você vem comigo? – perguntou o Mestre do Caraval, com um tom ríspido, ao chegar no alto da escada.

– Depende de onde você está indo.

A voz que veio lá de baixo, do último degrau, era o próprio encantamento cristalizado: límpida, delicada e inexoravelmente forte.

Tella se aproximou para ouvir melhor. Lenda tentou impedi-la, ficando na frente dela, mas a garota tinha que ver a quem aquela voz pertencia.

A mulher que surgiu no alto da escada era quase tão bonita quanto o som das palavras que disse. Seu diáfano vestido cor de pêssego esvoaçava acima do chão rachado quando ela se movimentava. Parecia que uma brisa mágica a seguia aonde quer que fosse, do mesmo jeito como acontecia com o vestido esfarrapado da Morte Donzela. Era mais alta do que Lenda. A pele era branca e dura feito mármore, o cabelo era quase raspado e, no alto da cabeça, tinha um fino diadema de ouro, que a deixava com aparência de princesa antiga.

– Que bonito que você é – disse para Lenda, com o mesmo tom hipnótico.

O Mestre do Caraval deu um sorriso irresistível e falou:

– É o que a maioria das pessoas acha.

– *Você* também acha isso? – perguntou a envolvente mulher, dirigindo-se a Tella.

A pergunta fez com que Donatella só conseguisse enxergar imagens de Lenda. Viu o rapaz durante o Caraval, quando ficou esperando por Tella na frente do Templo das Estrelas, apenas com a parte de baixo do corpo coberta por um pano largo, deixando à mostra seu peito glorioso, em todo o seu esplendor esculpido.

– Você deveria ver este homem sem camisa. Ele é magnífico.

Donatella ficou confusa logo depois que disse essas palavras. Não conhecia aquela mulher. E ela, Tella, não deveria estar ainda apaixonada por Lenda.

Só que o Mestre do Caraval não deu o sorriso debochado ou irônico que normalmente daria. Na verdade, estava com um ar assassino.

A mulher deu uma risada, e o som de seu riso era tão cativante quanto o da voz. Implorava para que Donatella risse também. Mas a garota resistiu ao ímpeto de ceder aos encantos da mulher e deu uma boa olhada na aparência dela. Observou o diadema que ela usava na cabeça. Era cheio de símbolos ancestrais que Tella não saberia decifrar, mas imaginou que, se conseguisse interpretá-los, os símbolos contariam que aquela mulher não era uma princesa antiga, mas a mística Sacerdotisa, Sacerdotisa.

Seu poder mágico era a voz. Foi por isso que Tella respondeu à pergunta de forma tão sincera. Quando a Sacerdotisa, Sacerdotisa fazia uma pergunta, a pessoa tinha a opção de responder com sinceridade ou resistir à pergunta e morrer. A voz daquele Arcano não era apenas cativante, era mortífera.

– Já posso ver que brincar com vocês dois será divertido – disse o Arcano. – Querem ficar aqui e brincar comigo?

Todos os pelos dos braços de Donatella se arrepiaram. A palavra "não" bateu no seu crânio, seguida de "nunca", e depois as palavras "prefiro te matar". Mas a garota sabia que seria um erro gritar qualquer uma dessas palavras do jeito que queria.

Os dois precisavam sair dali.

Só que as palavras "não" e "nunca" continuaram batendo em seu crânio. Batendo, batendo e...

– Receio que precisemos ir embora, temos um compromisso – respondeu Lenda, habilmente.

Donatella recobrou a capacidade de pensar, mas durou apenas um instante.

– Que decepção. – O Arcano fez beicinho. – Que lugar é este que vocês estão indo, que poderia ser mais interessante do que ficar aqui comigo?

Imagens da Biblioteca Imortal tiradas dos Baralhos do Destino tomaram conta dos pensamentos de Tella. Ela viu estantes mágicas, cheias de livros proibidos e, em seguida, o Ruscica, aberto em uma página que continha instruções detalhadas de como matar a Estrela Caída.

– Estamos vasculhando as ruínas de Valenda em busca da Biblioteca Imortal – explicou o Mestre do Caraval.

Disse isso com uma voz completamente neutra. Tella não sabia se ele estava tentando resistir às perguntas ou se a magia o afetava mais do que a afetava, tornando impossível para ele deixar de responder.

Em algum momento depois da última pergunta, a Sacerdotisa se aproximou de Lenda. Pousou os dedos brancos e compridos no braço dele e foi subindo com eles até o pescoço.

– Aquele não é um lugar para seres humanos. O que preciso fazer para vocês ficarem aqui comigo, em vez de irém para lá?

A pergunta não foi dirigida a Tella: não pressionou o crânio dela. E, mesmo assim, a garota teve a sensação de que o Arcano a fizera com uma quantidade ainda maior de magia. Donatella conseguia sentir aquela pergunta empesteando as ruínas com um fedor adocicado e enjoativo, à medida que as mãos do Arcano subiam e se enroscavam nos cabelos de Lenda, do mesmo jeito que Esmeralda fizera. Tella ficou com medo de que a Sacerdotisa, Sacerdotisa não estivesse usando seus poderes apenas para compelir Lenda a responder à sua pergunta. Ela queria se apossar do Mestre do Caraval.

— Ele não vai mudar de ideia! — gritou Tella, chamando a atenção do Arcano maldito.

Os lábios da Sacerdotisa se apertaram, e ela perguntou:

— Você não tem um senso de autopreservação muito forte, não é mesmo?

— Sou mais forte do que a maioria das pessoas pensa — retrucou a garota.

Então pensou ter visto voltar uma fração do sorriso que faltava nos lábios de Lenda.

E, antes que desse tempo de o Arcano fazer outra pergunta, o chão começou a tremer. As ruínas se sacudiram. Os degraus se separaram, o chafariz amaldiçoado se partiu ao meio e derramou vinho por todo o chão. No mesmo instante, o que restava da mansão dilapidada desabou, se transformando em uma retumbante nuvem de poeira e destroços.

A poeira era tão densa que Tella não conseguia enxergar Lenda nem a Sacerdotisa. Mas, enquanto procurava por um esconderijo seguro para ficar até o terremoto passar, pensou ter ouvido os passos do Arcano fugindo.

Só conseguia ver poeira. Mas não se engasgou com ela e, apesar de o mundo ao seu redor estar desmoronando, se deu conta de que nada havia de fato encostado em seu corpo.

— Lenda? — chamou, hesitante, apesar de ter quase certeza de que a Sacerdotisa não estava mais ali. — Diga que é você que está fazendo isso.

A poeira desapareceu, o terremoto passou, e as ruínas voltaram a ser o que eram antes. Permaneceram apenas as rachaduras que já estavam ali. Uma ilusão.

Lenda apareceu em seguida. Mas, ao contrário das ruínas, parecia muito diferente. Estava com o cabelo molhado, grudado na testa, e sua pele cor de bronze estava acinzentada quando se aproximou, meio cambaleando, de Tella.

O Mestre do Caraval nunca cambaleava.

Donatella o abraçou instintivamente. E, das duas, uma: ou estava verdadeiramente enfraquecido ou os dois haviam chegado a uma trégua temporária, porque ele não a impediu de abraçá-lo. Soltou o peso do corpo contra o de Tella, impedindo a garota de se mexer. Estava exaurido de tanto empregar magia.

Lenda era reservado em muitos aspectos, incluindo tudo o que se relacionava aos seus poderes. Mas Donatella sabia que a magia dele chegava ao auge durante o Caraval, porque era alimentada pelas emoções de todos os que participavam do jogo. Por motivos parecidos, ele tinha mais força quando estava no palácio.

– Você não precisava ter feito tanto esforço só para afugentá-la – disse Tella.

Os dedos de Lenda se entrelaçaram no cabelo dela e ficaram brincando com os cachos – um gesto aleatório, do qual ele provavelmente nem se dera conta.

– Não queria que ela fizesse perguntas que você se recusasse a responder.

– Não sou tão teimosa assim – respondeu Tella, bufando.

– É, sim – murmurou ele. – Mas gosto desse seu lado.

A mão esquerda de Lenda largou os cachos de Donatella e segurou a nuca vulnerável da garota – definitivamente, um gesto intencional. Então acariciou a pele dela com dedos que a fizeram pensar que o Mestre do Caraval não estava tão fraco quanto parecia estar. Então Lenda inclinou a cabeça de Tella para trás, até Donatella olhar para ele.

A cor já estava voltando ao belo rosto do futuro imperador, deixando-o com uma certa aparência de intocável, e ele continuava com as carícias.

Donatella mordeu o lábio. Por um instante de fraqueza, torceu para que aquela não fosse uma trégua temporária, e que Lenda tivesse percebido que o que Tella havia dito na noite anterior tinha sido apenas um discurso ensaiado.

Então soltou o pescoço dela, se afastou e disse:

– É melhor irmos embora.

– Mas eu acabei de chegar.

O Príncipe de Copas surgiu no alto da escada. Estava apoiado no corrimão caindo aos pedaços e parecia um torvelinho elegante de roupas amarrotadas, movimentos indolentes e cabelo dourado caído nos olhos que, pelo jeito, estavam observando os dois já havia algum tempo.

A pele de Donatella ficou gelada. Mas era um frio diferente do que sentia sempre que Jacks olhava para ela, porque o olhar do Arcano se dirigiu para o lado e pousou em Lenda. O Príncipe de Copas, assim como o restante do império, só o conhecia pelo nome de Dante: um jovem que deveria estar morto, um jovem que acabara de usar uma quantidade de poder assustadora, um jovem que não xingou Jacks nem tentou proteger Tella, como fizera quando a Sacerdotisa ameaçava a segurança dela.

Donatella logo se virou para olhar Lenda. Os ombros largos do Mestre do Caraval estavam tensos; a expressão, prostrada. Estava paralisado ao lado dela feito uma estátua, do mesmo jeito que ficara na noite do Baile Místico, quando o Príncipe de Copas empregou seus poderes para fazer o coração de todos parar de bater por alguns instantes.

– Pare com isso, Jacks! – ordenou Donatella.

Só que o Arcano não tomou conhecimento de suas palavras. Seus olhos azuis estavam com uma expressão voraz e, naquele momento, Tella viu o que ele estava pensando. Ao contrário dos demais Arcanos, Jacks ainda estava com apenas metade de seus poderes: queria recobrar o restante, e Lenda era o único que tinha a habilidade de restaurá-los.

– Fique longe dele! – implorou Tella.

O Mestre do Caraval já estava fraco por ter usado tanta magia: Donatella não queria nem pensar no que uma troca de poderes com Jacks causaria a ele naquele exato momento.

Só que o Príncipe de Copas continuou a ignorá-la: seu olhar raivoso permaneceu fixo no corpo petrificado de Lenda.

– Sabe, durante o Caraval, eu até cheguei a pensar que você era o verdadeiro Lenda. E voltei a desconfiar disso quando vi você no sonho de Donatella. Mas, aí, você morreu.

– Ele não é Lenda – mentiu Tella.

Jacks inclinou a cabeça para encarar a garota, mas o olhar travesso da noite anterior havia sumido. O Arcano estava mais parecido com o rapaz cruel que ela vira pela primeira vez na carruagem, o rapaz que ameaçara atirá-la do veículo, só para ver se a garota sobreviveria à queda.

– Se ele não é Lenda, então quem criou a ilusão que eu acabei de ver, e como ele está vivo? Pelos relatos que ouvi, o novo herdeiro do trono foi assassinado.

– São boatos – garantiu Tella. – Eu que espalhei, para despistar os Arcanos.

O Príncipe de Copas deu risada, mas continuou com o olhar frio.

– É a primeira vez que torço para você estar mentindo, meu amor. E, se não estiver, sinto muito.

Tella levou a mão ao peito e se contorceu: de repente, sentiu-se tonta, enjoada e sem ar. As ruínas, Jacks, Lenda, tudo ao redor, viraram um borrão, e ela viu estrelas porque sentiu uma dor que a deixou cega.

– Com mil demônios… – xingou Lenda, finalmente livre do controle de Jacks.

– Não dê mais nem um passo em direção a ela – avisou o Príncipe de Copas. – A menos que queira que a garota morra.

– Jacks… – sussurrou Tella, caindo de joelhos, porque não conseguia mais ficar de pé. – Por quê…

– O que você fez? – vociferou Lenda.

– Estou provocando um infarto em Donatella – respondeu o Arcano, calmamente. – Que vai matá-la logo, logo. A menos que você me devolva todos os meus poderes agora mesmo. *Tique. Taque.* Ela não tem muito tempo.

– Jacks… – falou Tella, ofegante. Não conseguia acreditar que o Príncipe de Copas estava mesmo fazendo aquilo. – Não… Pa…

– Eu devolvo – disse Lenda. – Se parar de ferir a garota, restabeleço seus poderes dando parte dos meus. Mas só se você jurar, agora mesmo, com sangue, que nunca mais irá usar suas habilidades em Tella ou em mim.

O Príncipe de Copas apertou os lábios e talvez tenha olhado de relance para Tella.

– Tudo bem. Combinado. Não usarei meus poderes, a menos que um de vocês me peça.

O Arcano tirou a adaga da bota e cortou a própria mão, fazendo esguichar sangue para selar a promessa.

Donatella começou a ficar ofegante, desesperada por ar.

– Você é um demônio! – exclamou.

Poderia ter xingado o Príncipe de Copas com mais afinco, mas só queria respirar. *confiara* em Jacks. Realmente acreditara que ele se importava com ela, e o Arcano tentou matá-la.

Lenda abraçou Donatella para ajudá-la a se levantar, e ela continuava lutando por oxigênio.

– Você me assustou – murmurou ele.

– O que isso vai te custar? – perguntou Tella, encostada no peito de Lenda.

O Mestre do Caraval não respondeu. Em vez disso, ele a conduziu, com todo o cuidado, até a beirada do chafariz e a ajudou a sentar-se. Aparentemente, estava quase recuperado depois de ter usado tanta magia.

– Fique aqui. Já volto.

Em seguida, se dirigiu ao Príncipe de Copas:

– Não vamos fazer isso aqui.

Lenda entrou nas ruínas da mansão decrépita sem esperar por Jacks.

Assim que o Arcano e o Mestre do Caraval sumiram de vista, Donatella se levantou do chafariz, apoiada nos braços trêmulos, e foi atrás deles, apressada. Supostamente, Jacks tomaria apenas uma fração do poder de Lenda. Mas a garota não confiava no Príncipe de Copas, e assistira à troca de poder entre Lenda e a bruxa – testemunhara Lenda drenar *toda* a magia de Esmeralda. Não permitiria que isso acontecesse com ele.

Jacks até podia ter enfraquecido Tella de tal forma que ela não conseguisse fazer muita coisa. E, mesmo se estivesse em seu melhor estado, a garota não poderia separar dois imortais poderosos. Mas isso não a impediria de tentar caso fosse necessário.

Tella se aproximou, pé ante pé, da mansão em ruínas onde Jacks e Lenda haviam entrado. A construção era pura ruína esquelética, um cadáver feito de tijolos e pedras em vez de ossos. Donatella se apoiou nas paredes imundas para não desmaiar e espiou por um buraco mais saliente.

Sabia, por experiência própria, que trocar sangue com Jacks poderia ser uma experiência de intensa carga emocional. O Arcano estava com os lábios grudados no pulso de Lenda e os cantos da boca manchados de sangue. O rosto se contorcia em uma careta sádica e ávida enquanto bebia o sangue do Mestre do Caraval.

Ao contrário de Jacks, Lenda dava a impressão de não estar sentindo nada. Parecia a própria apatia – até que, de repente, arrancou o braço da boca do Príncipe de Copas com tanta força que o Arcano deu vários passos para trás.

– Tella não é sua – falou.

As palavras foram afiadas, mais parecidas com lâminas.

O Príncipe de Copas respondeu, com um sorriso ensanguentado:

– Mas ela será.

Donatella se agarrou à parede para conseguir continuar de pé porque recordou do Arcano sorrindo, mostrando as covinhas e dizendo: "Acho que terei que me esforçar mais".

Será que era assim que o Príncipe de Copas pretendia se esforçar mais?

Donatella continuou observando, e Jacks limpou o sangue da boca com o dorso da mão.

— Ela já me perdoou outras vezes. Vai perdoar de novo. E, como essa transação tirou sua habilidade de entrar nos sonhos de Tella, não será muito difícil conquistar o coração dela.

A garota se afastou da parede, pronta para entrar na mansão com tudo e dizer para Jacks que ela podia, sim, ser muito difícil e impiedosa. Só que suas pernas tinham outra vontade. Dobraram-se debaixo dela, fazendo-a cair com tudo no chão duro.

— Miserável!

— Espero que você não esteja falando de mim.

A garota olhou para cima.

Deu de cara com Lenda, todo empertigado. Só que o Mestre do Caraval já estava ficando sem cor de novo — estava descorado, sem o brilho cor de bronze —, e o cabelo castanho-escuro estava todo bagunçado.

— Pedi para você ficar lá no chafariz — censurou ele.

Não. Havia *mandado* Tella ficar no chafariz. Mas a garota não queria brigar por causa daquilo, não depois de ver o que Lenda acabara fazer.

— Desculpe pelos sonhos.

— Não ligo para os sonhos. — A voz dele se tornou ríspida em um piscar de olhos. — Ligo para o fato de você ter quase morrido.

— Acho que Jacks não teria me matado de fato.

— Teria, sim, Tella. Jacks é um Arcano, você é humana, objeto da obsessão dele. Só há uma maneira de pôr um fim à sua história com o Príncipe de Copas: permitir que eu transforme você em imortal.

Donatella nem viu Lenda se mexer. Mas, de repente, o Mestre do Caraval estava diante dela, de joelhos. E a fitava nos olhos de um jeito feroz e terno, tudo ao mesmo tempo, enquanto segurava o rosto de Tella com as duas mãos quentes.

— O que… o que você acha que está fazendo? — gaguejou a garota.

— Desisti fácil demais. — Lenda acariciou o rosto de Tella. — Você me pediu para te esquecer, mas não consigo.

– Eu já disse: só gostava da ideia…

– Você mentiu.

Com mais um movimento rápido, as mãos dele soltaram o rosto de Donatella. Lenda passou um dos braços por baixo das pernas e o outro atrás das costas da garota.

– Lenda… – protestou Tella. – Não precisa me carregar no colo.

Ele insistiu e a aninhou em seu peito, tão perto que Donatella sentia as batidas ritmadas do coração de Lenda.

– Jacks tentou te matar. Eu preciso te carregar no colo.

Tella expirou até expulsar todo o ar dos pulmões enquanto Lenda saía da casa em ruínas descendo os degraus com passos firmes.

– E, mesmo assim, não vou permitir que você me transforme em imortal.

– Veremos.

O Mestre do Caraval disse isso com um tom cheio de suavidade, que Donatella poderia interpretar como terno. Mas não havia nada de terno no sorriso dele. Era um sorriso que jurava que Tella iria gostar daquele novo joguinho, mesmo se perdesse.

## Donatella

Tella nunca havia sentido tanto frio dentro de um de seus sonhos. Quando respirava, soltava o ar em lufadas densas e brancas que pairavam feito neblina enquanto ela perambulava por um castelo de cartas, que, na verdade, estava mais para pesadelo do que para sonho. Todas as cartas estampavam rainhas sorridentes, parecidas com a garota, ou reis com o rosto cruel de Jacks, que piscavam para Donatella toda vez que ela criava coragem de olhar para as cartas.

– Sei que você está aqui em algum lugar! – gritou.

Não sabia como o Príncipe de Copas conseguira entrar em seu sonho. Tomara as devidas precauções para impedi-lo de entrar depois que o Arcano tentou matá-la. Mas era óbvio que não tinha dado certo.

Jacks surgiu, todo fanfarrão, do meio de uma dupla de rainhas vermelhas com o rosto de Tella, e ambas tiveram a audácia de atirar beijinhos para o Arcano.

Donatella foi correndo até ele e deu-lhe um tapa bem forte no rosto, deixando uma marca vermelha na pele branca do Arcano.

– Jamais vou te perdoar pelo que você fez hoje.

Todos os reis e rainhas das cartas fizeram careta ou taparam a boca com a mão, em choque. Alguns até deram a impressão de que sairiam das cartas para atacá-la, mas Jacks fez um gesto indolente com a mão, censurando-os. Então uma emoção que supostamente poderia ser tristeza brilhou por um instante em seus olhos azuis prateados.

– Você não estava correndo perigo, Donatella. – Jacks disse isso com um tom bem mais sério do que o normal. – Eu sabia que Lenda não permitiria que eu te matasse.

– Isso não justifica o que você fez! – Tella se segurou para não gritar, se segurou para não demonstrar o quanto estava magoada com ele, o quanto aquilo lhe afetara. Nunca quis confiar no Príncipe de Copas, mas Jacks estava ao lado dela quando a mãe morreu e cuidou dela quando Lenda não fez isso. Sabia que Jacks era um Arcano, sabia que tinha pouca ou nenhuma consciência, mas começara a acreditar que o Príncipe de Copas estava lutando contra a própria natureza por causa dela. – E o que você pensou fazer se Lenda tivesse se recusado a transferir poder para você? Teria me deixado morrer?

– Eu sabia que ele não recusaria.

– Isso não é resposta.

Tella cerrou os punhos. Tinha vontade de dar mais um tapa em Jacks – queria derrubá-lo no chão, derrubar todo aquele castelo de cartas e machucá-lo, como Jacks a havia machucado. Mas Lenda tinha razão: o Príncipe de Copas era imortal, e Donatella, obviamente, era a obsessão do Arcano. A história dos dois não tinha como terminar bem. Jacks nem sequer era capaz de ter as mesmas emoções que ela. Se sentisse um pingo de culpa ou nutrisse qualquer sentimento verdadeiro por Tella, jamais teria tentado matá-la.

– E desde quando você se importa com isso? – perguntou Jacks. – Acabou de dizer que nunca vai me perdoar.

– Você continua ignorando a minha pergunta.

O Arcano massageou o rosto bem no lugar em que havia levado o tapa e se apoiou em um de seus reis de papel.

– Você acreditaria em mim se eu dissesse que não, que eu não permitiria que você morresse, que eu jamais vou permitir que você morra?

– Não – respondeu Donatella. – Nunca mais vou acreditar em você. E quero que você fique longe dos meus sonhos. – A garota sabia que o Arcano jurara, com sangue, que não usaria mais seus poderes nela. Mas Tella sabia que, se Jacks quisesse, daria um jeito de contornar o juramento, como fazia com tudo. – Aliás, como você conseguiu entrar *aqui* hoje?

O rei de papel no qual Jacks estava encostado deu um sorriso torto para Donatella.

– Eu e você temos uma ligação. Nunca preciso de permissão para entrar nos seus sonhos.

O sangue de Tella gelou.

– Não, não temos ligação nenhuma. E, depois disso, nunca mais quero ver você na minha frente.

O sorriso do rei de papel se desfez, mas o Príncipe de Copas estava com uma expressão impassível.

– Você diz isso agora, mas vai voltar para mim.

# Donatella

O tempo estava passando mais rápido do que o sangue que se derrama de uma artéria aberta. Dali a dois dias, a Estrela Caída usurparia o trono – a menos que eles conseguissem detê-lo.

No dia anterior, os Arcanos continuaram atormentando a cidade, ateando fogo a todas as igrejas do Distrito dos Templos que não eram dedicadas ao culto de um desses seres místicos. O ar ainda estava tingido do marrom da fumaça. As chamas tinham sido apagadas por um grupo de cidadãos corajosos antes que o fogo se alastrasse por outras regiões de Valenda. Mas o estrago foi um novo divisor de águas. Tudo estava acontecendo exatamente como Scarlett havia previsto que iria acontecer em sua última carta. As pessoas estavam prontas para aceitar um messias. Quando a Estrela Caída aparecesse, todos em Valenda pensariam que Gavriel era o salvador.

Tella rezou para tudo o que era mais sagrado, pedindo para encontrar, dentro da Biblioteca Imortal, uma maneira de matá-lo antes que o prazo terminasse. Infelizmente, a biblioteca mística, pelo jeito, continuava não querendo ser encontrada. Ou, quem sabe, nunca esteve em solo valendano, para começo de conversa.

Quando vasculhavam os templos carbonizados do bairro em busca de símbolos da biblioteca, Donatella avistou uma estátua do Príncipe de Copas intocada pelo incêndio. A estátua não guardava muita semelhança com Jacks. O rosto era muito mais gentil. As bochechas eram cheias e não encovadas. O sorriso era levado e não maligno, e os lábios, bem menos afilados.

Lenda pôs a mão quente na base da coluna de Tella. Desde o dia anterior, não parava de encostar nela. Teria sido mais inteligente ficarem separados, pelo menos por alguns metros, enquanto procuravam por símbolos que poderiam levá-los à biblioteca. Mas, pelo jeito, o Mestre do Caraval adotara uma nova estratégia para convencer a garota.

– Já podemos seguir adiante, querida?

Tella olhou feio para ele.

Lenda deu um sorriso surpreso e falou:

– Que tal "coração" ou "anjo"?

– Acho que nós dois concordamos que não sou nenhum anjo, longe disso. E você não vai me convencer a virar imortal só me chamando de um jeito carinhoso.

Donatella se desvencilhou dele, mas Lenda pegou as pontas da faixa que acinturava o vestido da garota e as enrolou na mão, puxando-a para perto de si. A faixa era azul-tempestade, a mesma cor do vestido listrado. Como as roupas maltrapilhas que usara no dia anterior não impediram que fossem notados, Tella havia optado por trajes mais bonitos.

– Você tem razão. Acho que "demoninha" combina mais.

O Mestre do Caraval continuou enrolando a faixa e puxando Donatella a reboque, e seus olhos castanho-escuros eram puro riso. Parecia não estar preocupado com o fato de o mundo ao redor dos dois estar, literalmente, se despedaçando – olhava para Tella como se ela fosse a única coisa que lhe importasse.

– Com licença, espero não estar interrompendo algo importante – falou Jacks, com seu sotaque arrastado.

O Arcano saiu de trás do chafariz do Trono Ensanguentado e foi direto na direção deles. A base do chafariz estava vazia – suas águas carmesins provavelmente tinham sido usadas para apagar incêndios –, deixando à mostra partes vermelhas e rachadas que, em geral, combinariam com os trajes mal-ajambrados de Jacks. Só que, pela primeira vez, o Príncipe de Copas estava imaculado. O cabelo dourado estava preso com capricho para trás, as roupas estavam passadas, as botas, engraxadas, e o fraque branco feito sob medida era do tom que as pessoas costumam associar aos anjos.

Imediatamente, Lenda ficou na frente de Tella, feito um escudo.

Os lábios pálidos do Arcano fizeram uma careta.

– Não estou aqui para fazer nenhuma ameaça: costumo cumprir minhas promessas. Só vim dar um presente para Donatella.

– Não quero nada que venha de você – disparou a garota.

Jacks desatou o lenço amarrado no pescoço, desmanchando a aparência impecável com um único puxão.

– Sei que você voltou a me odiar. Mas acho que isso vai provar que não sou seu inimigo. – Ele mostrou um rolo de papel. – Esta é a causa de vocês não conseguirem encontrar a Biblioteca Imortal.

Tella ignorou o pergaminho, ostensivamente.

– Cansamos de fazer tratos com você.

– Não será preciso nenhum trato. Considere este presente meu pedido de desculpas. – Lentamente, o Arcano cruzou o olhar com Donatella. Os olhos dele estavam de um azul reluzente e um tanto injetados de vermelho, como se tivesse ficado tão perturbado que nem conseguira dormir. Só que Tella sabia que isso era mentira, porque o Príncipe de Copas aparecera em seus sonhos. – Você pode não aceitar, mas é deste pergaminho que você precisa se quiser encontrar a Biblioteca Imortal. Só quem já esteve na biblioteca consegue localizá-la. Ou quem usa o Mapa de Tudo.

O pergaminho começou a brilhar na mão do Príncipe de Copas – assim como certos Arcanos costumam fazer.

Donatella se segurou para não olhar. O Mapa de Tudo era um objeto místico, semelhante à Chave de Devaneio. Só que não localizava pessoas, localizava lugares. Diziam que, quando alguém encosta no mapa, o objeto leva a pessoa até o local que ela mais quer encontrar – mesmo que o local fique em outra dimensão. Ele pode revelar portais escondidos e portas para outros mundos. Era um objeto lendário, de valor inestimável. Perto do Mapa de Tudo, outros tesouros empalidecem.

Foi difícil resistir ao ímpeto de arrancá-lo das mãos de Jacks.

– Não precisamos do seu mapa – falou Donatella.

– Mas vamos ficar com ele – declarou Lenda.

Com um único movimento, rápido como um relâmpago, o mapa enrolado foi parar na mão do Mestre do Caraval.

Tella achou que Jacks fosse protestar, mas o Arcano apenas colocou as mãos brancas nos bolsos e falou:

– Espero que você encontre o que está procurando.

Dito isso, lançou um último olhar para Tella, fitando seus olhos com um ar triste, combalido e tão sincero que Jacks bem poderia ser a pintura de um anjo na parede de um confessionário.

Mas, apesar de conseguir acreditar que o Arcano estava chateado porque ela voltara a odiá-lo, Donatella duvidava que o Príncipe de Copas estivesse mesmo arrependido do que havia feito. A garota não tinha dúvidas de que o Arcano queria ficar com ela, mas querer ficar com alguém não é a mesma coisa que amar a pessoa. E, no dia anterior, Jacks provara que queria seus poderes com mais força do que queria ficar com Donatella.

O Príncipe de Copas foi embora sem dizer mais nem uma palavra.

Lenda desamarrou o cordão que prendia o mapa. Sua expressão era indiferente, mas a rapidez com a qual desenrolou o pergaminho deixou transparecer um pouco da cobiça de possuir aquele objeto místico, apesar de ter vindo de uma fonte indesejável.

O papel tinha um tom sem graça de aveia, mas Tella viu que o mapa foi mudando enquanto Lenda o segurava. Começou como uma tela vazia. Depois, um ponto de tinta azul-escura apareceu no papel. O ponto foi crescendo, mostrando os destroços carbonizados do Distrito dos Templos, desenhando montes de cinzas que se formavam junto às estátuas dos Arcanos. Tella viu a estátua do Príncipe de Copas e o chafariz do Trono Ensanguentado. E aí, ela apareceu. Seus cachos revoltos foram os primeiros a tomar forma, seguidos pelo rosto oval e pelo vestido listrado com decote coração e manguinhas minúsculas.

A garota esperou que uma imagem de Lenda se materializasse em seguida, mas só apareceu uma estrela minúscula, aos pés dela.

*Ela estava onde Lenda queria estar.*

– Não faça essa cara de surpresa.

O Mestre do Caraval deu um sorriso torto, e os olhos assumiram o ar de deboche que fizera havia pouco, quando chamou Tella de "querida". Mas a garota percebeu que, quando lhe entregou o mapa mágico, Lenda roçou os dedos nos dela.

Seria possível que Lenda estivesse se apaixonando por Donatella de verdade?

Não que Tella quisesse que isso acontecesse. Não mais. Mesmo que, só de pensar na possibilidade de ser amada por aquele homem, seu coração disparasse. Donatella não queria que o Mestre do Caraval se tornasse humano e, por conseguinte, suscetível à morte por causa dela. E Lenda deixara bem claro, várias e várias vezes, que tampouco queria isso.

Donatella olhou para o mapa, que começou a mudar de novo. Não queria confiar no objeto – tinha a sensação de que seria quase a mesma coisa do que confiar em Jacks – e imaginava que Lenda tivesse a mesma opinião. Mas ficou agradecida por ele ter ficado com aquele objeto místico.

A sensação incontrolável de que o tempo passava rápido demais – e eles avançavam devagar demais – havia voltado. Sempre que pensava em Scarlett, o coração de Tella ficava apertado de medo. A garota se lembrou que a irmã mais velha era cautelosa e que, na carta que enviara no dia anterior, prometera levar o sangue da Estrela Caída naquela noite. Era difícil não temer que algo de errado estava prestes a acontecer. E, mesmo que Scarlett conseguisse levar o sangue, não adiantaria nada se não encontrassem o Ruscica. Donatella e Lenda não podiam se dar ao luxo de perder tempo – e o mapa era incrível demais para ser ignorado.

Ao seguir as indicações do Mapa de Tudo, os dois descobriram que o objeto não apenas traçava o trajeto para eles, mas também revelava ter um estranho senso de humor, marcando indicações insólitas em vários dos locais, plantas e animais pelos quais passaram – e em alguns pelos quais não passaram.

CACHORRO MUITO INTELIGENTE
CUIDADO COM OS PIOLHOS
AQUI TEM MESMO ESQUELETOS DENTRO DOS ARMÁRIOS
MELHOR CARAMELO DE PEIXE DE VALENDA
TÚNEIS SUBTERRÂNEOS QUE LEVAM À SAÍDA DA CIDADE
TÚNEIS SUBTERRÂNEOS QUE LEVAM À MORTE E AO ESQUARTEJAMENTO

Tella quase não pensava mais no local para onde realmente estavam se dirigindo quando o caminho indicado no mapa finalmente terminou, logo ao sul do Bairro do Cetim. As palavras "Entrada para a Biblioteca Imortal" surgiram no mapa. Mas Donatella só conseguia ver um pavilhão de carruagens aéreas desativado, com uma série de tábuas podres pregadas, em cruz, na porta principal.

As palavras "perigo" e "não entre" estavam escritas com tinta nas tábuas de forma grosseira, com desenhos de caveiras e aranhas-beijoqueiras logo abaixo.

Donatella nunca havia encontrado com esses aracnídeos mortíferos, mas já ouvira falar deles. Aranhas-beijoqueiras atacam à noite, enquanto as pessoas dormem. Elas colocam ovos dentro da boca das vítimas e aí fecham os lábios delas com teias. Só que essas teias são indestrutíveis. Permanecem lacradas até os filhotes saírem dos ovos. E, quando isso acontece, as vítimas já estão mortas.

– Tudo isso é um feitiço – avisou Lenda.

A garota olhou para o mapa. As palavras "ele tem razão" pairavam em cima do desenho do pavilhão de carruagens infestado e, apesar disso, ela continuou com receio de entrar ali.

– Se é mesmo um feitiço, por que você está arrancando as tábuas da porta?

– Também foi empregada magia psicológica, como nas ilusões que eu crio. Para conseguir entrar nesse lugar, precisamos encará-lo como se fosse real.

Tella fechou bem a boca quando os dois puseram os pés no local. Tentou se convencer de que nada daquilo era real: o cheiro de podre que penetrava pelo nariz era coisa de sua cabeça, aquilo que fazia barulho de coisa mole sendo esmagada por seus sapatinhos não eram fungos e as aranhas amarelas que subiam pelos seus braços não estavam de fato ali.

– Essa é a magia mais antiga que eu já senti...

Lenda deixou a frase no ar, e, por um instante, Donatella pensou ter visto uma certa admiração nos olhos dele quando as paredes que os cercavam começaram a desmoronar, e uma cascata de aranhas se derramou do teto.

Tella resistiu ao ímpeto de gritar, com medo de que uma – ou mais – das aranhas caísse dentro de sua boca.

O Mestre do Caraval pegou a mão da garota e a puxou para frente, em meio a uma avalanche de aranhas. Donatella sentia as perninhas minúsculas delas rastejando por tudo, e as aranhas assassinas foram se multiplicando, tapando cada centímetro de sua pele.

A garota não sabia se era possível morrer de ilusão. E aí recordou que Jacks havia dito que era preciso usar sangue para invocar os locais místicos. O corte na palma da mão que fizera quando trocou sangue com o Príncipe de Copas estava quase cicatrizado, mas ela pensou que poderia abri-lo com as unhas.

Desvencilhou-se de Lenda e começou a coçar o ferimento. Coçou e coçou, até o sangue esguichar.

"Pingue aqui", orientou o mapa, apontando para uma erupção de aranhas no canto do recinto. Eram tantas que não dava para Tella enxergar símbolo nenhum, mas obedeceu ao mapa. No mesmo instante que o sangue tocou o símbolo, as aranhas, o chão fétido e as paredes decrépitas desapareceram.

E assim como um segundo antes o mundo estava desmoronando, em um piscar de olhos ela e Lenda foram parar em um pátio com muros de arenito, repleto de jasmim-estrela, cujo aroma adocicado era tão encantador quanto a aparência.

Tella respirou mais fundo, ainda com receio. Não sabia se aquela era mais uma ilusão ou a verdadeira Biblioteca Mística, apesar de ser muito mais aprazível do que a cascata de aranhas assassinas.

Acima deles, metade do céu tinha um sol intenso e a outra metade reluzia de estrelas. Em uma das extremidades, um arco decorativo de arenito se erguia, tendo suas laterais guardadas por duas enormes estátuas cintilantes de areia cor de pêssego. A parte inferior das estátuas era de um felino, e o tronco era de humano: um homem e uma mulher. As cabeças também seriam humanas, se não fossem os chifres enrolados que brotavam no alto delas.

A estátua de homem abriu a boca e disse:

– Sejam bem-vindos, colega imortal e jovem mortal.

– Esperamos que vocês encontrem o que procuram – completou a estátua de mulher. – Mas fiquem sabendo: exigimos uma pequena taxa para entrar e ler nossos livros.

Em seguida, ambas as estátuas fecharam a boca com força, fazendo um estalo audível.

O maxilar de Tella bateu e se fechou também, de repente. Ela tentou abrir os lábios, abrir a boca e falar, mas não conseguiu.

Virou-se para Lenda, que sacudiu a cabeça, com a boca tão fechada quanto a dela.

O silêncio deveria ser o preço a pagar para entrar na biblioteca.

# 41

## *Donatella*

O silêncio no interior da Biblioteca Imortal era absoluto e vivo. Tella conseguia senti-lo engolindo seus passos, sugando o ruído do virar das páginas dos livros, soprando os pavios das velas acesas dentro de castiçais de vidro. Mas o pior era a sensação do silêncio mantendo seus lábios dolorosamente cerrados.

Lenda segurou a mão da garota mais uma vez. Seus olhos fizeram a promessa silenciosa de que estavam juntos naquela empreitada e, em seguida, ele deu o beijo mais suave do mundo nos dedos dela. Quando passaram por debaixo de um arco feito de livros e adentraram no local místico, Donatella sentiu o beijo fluir das pontas dos dedos das mãos até os dedos dos pés, fazendo-a lembrar de que lábios fechados têm sua utilidade.

Tudo tinha cheiro de poeira aprisionada na luz, couro rachado e sonhos perdidos. Respirando pelo nariz, Tella olhou para o Mapa de Tudo. Ele tinha se transformado e revelava todo um reino feito de publicações; um lugar que, para uma pessoa que ama livros, poderia ser um sonho realizado ou um pesadelo. O mapa mostrava o *Castelo das lombadas quebradas*, o *Rio de livros não lidos*, a *Ravina de páginas arrancadas*, o *Vale da poesia*, a *Cadeia de montanhas do romance* e, por fim, o *Ruscica e livros para imaginações avançadas*.

O trajeto mais direto para aquele recinto passava por uma área intitulada de "Zoo". Tella imaginou que poderia ser um recinto com livros engaiolados, mas o Zoo nem sequer tinha estantes. Os volumes zanzavam livremente pela sala e se juntavam, formando diferentes animais. A garota avistou rinocerontes de livros, elefantes de papel machê e girafas muito altas que perambulavam pelo local em um silêncio tranquilo e insólito. O elefante cheirou Donatella com sua tromba de livros de couro cinza, enquanto um coelho de papel feito de páginas soltas ficou pulando atrás de Lenda, sem fazer barulho. O coelho continuou seguindo os dois depois que saíram do Zoo e chegaram ao gabinete de leitura, onde livros formavam poltronas, sofás e um trono enorme. Um aviso surgiu no mapa: *Não sentem no trono.*

Tella ficou imediatamente curiosa, mas não ao ponto de testar o mapa. Até porque estavam muito perto de chegar aonde queriam. De acordo com o objeto místico, só precisavam subir a escada feita de livros que ficava atrás do trono para encontrar a sala onde o Ruscica ficava guardado.

Os degraus eram tão estreitos que os dois não puderam subi-los lado a lado.

Tella soltou a mão de Lenda a contragosto e começou a subir os degraus. A escada de livros era íngreme, dando a sensação de que seria perigoso virar para trás. Os degraus eram meio bambos e se movimentavam sob seus sapatinhos. Mas Lenda encostava nas costas ou nos ombros dela a cada poucos degraus, só para Donatella ter certeza de que ele ainda estava ali. Que estava com ela e não iria embora, mesmo que Tella não conseguisse o ver ou ouvir.

Isso a fez pensar em todas as outras coisas que o Mestre do Caraval havia lhe dito sem usar palavras. Quando chegaram ao alto da escada e à sala onde estava o Ruscica, Donatella deu graças à biblioteca, por engolir os ruídos. Aquilo não tinha ampliado seus demais sentidos, mas fez que tivesse mais consciência dos ruídos e de Lenda, que foi para o lado de Tella e roçou os dedos nos dela, sem fazer barulho. O gesto foi rápido e sutil, e a garota poderia não ter reparado, caso estivesse esperando que o rapaz dissesse alguma coisa em vez de ficar prestando atenção ao silêncio dele.

O mapa não deu nenhuma indicação de onde ficava o Ruscica dentro daquela sala, obrigando Donatella e Lenda a se separar para procurá-lo. Muitas das lombadas tinham números, símbolos ou palavras em línguas que ela não conhecia. Também havia alguns títulos que Tella gostaria de ler caso não estivesse sentindo a pressão do tempo.

*Sereias, sereios e como se tornar um desses seres*
*Dez regras essenciais para viajar no tempo*
*Mudança de forma para iniciantes*
*Bolos, bolos e mais bolos*
*Transformando sua sombra em bicho de estimação*
*Amor, morte e imortalidade*

A garota teria pegado o livro sobre bolos ou sobre imortalidade se o último não estivesse bem do lado de um volume grosso, rosado como carne crua, com uma única palavra bordada na lombada, de um modo grosseiro: Ruscica.

O livro saiu da prateleira em uma nuvem de poeira avermelhada, e os dedos de Tella coçaram quando ela o pegou.

Em seguida, aproximou-se de Lenda, que estava do outro lado da sala silenciosa. Quando mostrou o prêmio para ele, o Mestre do Caraval sorriu. Nenhum dos dois sabia se o título continha a informação da qual precisavam. Mas, quando Lenda pegou na mão dela de novo, Donatella teve uma sensação de triunfo.

Depois que a Morte Donzela e o Assassino visitaram a casa de Lenda no Bairro das Especiarias, o Mestre do Caraval resolveu que precisavam mudar de casa todas as noites. Mas um lado de Tella pensou que ele estava apenas exibindo suas muitas residências. Pela aparência, a casa de praia de quatro andares devia ter sido construída mais ou menos na mesma época em que o palacete do conde Nicolas. Só que o palacete de d'Arcy parecia estar precisando de um toque de magia, e a casa de Lenda era o extremo oposto. Cheia de janelas cintilantes e sacadas amplas, com vista para o mar espumante, abancava-se na costa rochosa de Valenda do mesmo jeito que, na imaginação de Donatella, Lenda se sentaria no trono, chamando atenção simplesmente por existir.

Os dois caminharam mais ou menos um quilômetro e meio para chegar ali, e os dedos de Lenda permaneceram entrelaçados nos de Tella durante todo o trajeto. A garota deveria ter soltado a mão dele: um pouco antes, quando o Mestre do Caraval a fez atravessar a cascata de aranhas e a amparou na biblioteca, sentir o toque de Lenda tinha sido tranquilizador. Mas, naquele momento, ele não estava querendo ajudá-la, mas tomar posse. Olhando para as mãos dadas dos dois, Tella recordou que aquilo não resultaria em nada de bom. Mas não soltou. Lenda tinha dedos compridos, mãos fortes, unhas bem cortadas – e nenhum sinal de tatuagem.

A garota levantou as mãos dos dois, olhou mais de perto e perguntou:

– A sua rosa, onde está?

– Você realmente achou que eu continuaria com ela? – Lenda aproximou a mão de Donatella dos lábios e deu um beijinho de leve nos dedos dela. – Não precisa mais ter ciúme da tatuagem.

– Não fiquei com ciúme.

– Então, acho que eu deveria ter ficado com a rosa por mais tempo.

A tatuagem da rosa preta reapareceu no dorso da mão dele.

– Você não presta – disse Tella.

Então levantou a mão livre e fez que ia bater nele com o livro, de brincadeira.

Lenda segurou a mão de Donatella antes que desse tempo de bater. Em seguida, pegou a outra mão da garota e prendeu as duas nas costas dela. Tinham acabado de chegar ao alpendre da casa. E, com um único e rápido movimento, o Mestre do Caraval virou Tella e prensou as costas da garota contra a porta.

– Acho que você gosta de mim porque sou terrível.

– Não. – Donatella se debateu, mas Lenda nem se mexeu. – Resolvi que gosto de rapazes bonzinhos, como Caspar.

– Sorte a minha que ele já é comprometido. E também sei ser bonzinho. Mas acho que você gosta quando não sou.

Lenda soltou a mão de Tella e abraçou sua cintura. O coração da garota disparou quando ele abriu os dedos, apossou-se dela e se aproximou.

Talvez um beijinho só não fizesse mal a ninguém.

As ondas arrebentaram na costa, enchendo o ar de sal e de umidade, e o Mestre do Caraval continuou se aproximando...

A porta atrás de Donatella se escancarou.

A garota cambaleou para trás e poderia até ter caído se Lenda não estivesse a segurando em seus braços.

– Desculpe – falou Julian, passando a mão no cabelo, com uma cara levemente envergonhada.

Só que Tella sentiu que, na verdade, o rapaz não estava com vergonha. Seu olhar tinha uma dureza que não era costumeira. E será que era coisa da sua imaginação ou Julian estava mesmo evitando olhar para ela?

Ele havia prometido para o irmão que ficaria longe do Zoológico, onde Scarlett era mantida prisioneira. Mas, conhecendo Julian, o rapaz estava dando um jeito de se encontrar com Jovan que, supostamente, estava de olho em Scarlett.

– Tudo bem com Scarlett? – perguntou Tella.

Julian por fim olhou para ela e até conseguiu dar um sorriso. Mas aquilo não aliviou a sensação de Tella de que havia algo de errado.

– Só preciso conversar com o meu irmão um minutinho.

Lenda tirou os braços da cintura de Donatella bem devagar e sussurrou:

– Quando eu terminar essa conversa, procuro você.

Tella entrou na casa e fechou a porta. Mas não conseguiu subir a escada de madeira em caracol que a levaria até o quarto. Se Julian estivesse mentindo, e não estivesse tudo bem com Scarlett – se ela tivesse se ferido ao tentar obter o sangue de Gavriel ou se não tivesse conseguido obtê-lo –, Tella não queria que omitissem essa informação só para protegê-la.

Ficou perto da porta, com as mãos apoiadas na madeira aquecida, mas só ouviu silêncio – com exceção do ruído das ondas do mar. Como imaginou que os dois irmãos poderiam estar esperando que ela se afastasse até um ponto da casa em que ela não conseguiria ouvi-los, deu alguns passos ruidosos e voltou em seguida para perto da porta, na ponta dos pés, a tempo de ouvir Julian dizer:

– O que você está fazendo com Donatella?

Ela pulou de susto ao ouvir o próprio nome, aquele era outro motivo para ficar alarmada. Então se aproximou e espiou pelo olho mágico da porta.

Lenda respondeu tão baixo que Tella não conseguiu ouvir, mas viu sua expressão: o Mestre do Caraval franziu bem o cenho e fechou a cara.

– Sei que você não a ama – insistiu Julian.

Donatella deu um passo trôpego para trás. Já sabia que Lenda não a amava, mas o modo como Julian disse essas palavras fez isso parecer muito pior. O fato de ele ter falado com um tom delicado não fez diferença. As palavras foram como um ponto-final em uma frase: curtas, mas com um poder absoluto.

– Se você se importa com ela, o mínimo que seja, deveria se afastar e não tentar transformá-la.

Silêncio.

Tella criou coragem e espiou pelo olho mágico mais uma vez. O sol já se escondia no horizonte. A noite estava tomando conta do céu, e Lenda olhava para o irmão com ar de superioridade, com uma expressão que mais parecia de acusação.

– Essa decisão é dela, não sua. E você não fez nenhuma objeção quando te falei que, com uma jura de sangue, se tornaria atemporal.

– E, às vezes, me odeio por isso. – O tom de Julian ficou mais ríspido. – Odeio ter que assistir a você se perdendo pouco a pouco, mas também odeio como tira vantagem disso. E aí vi você com Tella. Pensei que, talvez, depois de tê-la salvado do baralho, você mudaria.

Donatella segurou a respiração, mas Lenda nem se abalou.

Estava igualzinho ao Lenda que a havia abandonado nos degraus da entrada do Templo das Estrelas: fechado, frio e absolutamente intocável.

– Se eu tivesse mudado, estaria morto.

– Não tem como você saber disso – argumentou Julian. – Talvez apenas tivesse feito tudo de um jeito diferente. Você é irresponsável com a própria vida. E se arrisca porque sabe que não vai morrer. Se é assim que *você* quer viver sua vida, não tem problema. Mas não seja irresponsável com a vida de Donatella. – Ele olhou para o irmão. O cabelo castanho escondia um pouco os olhos, que pareciam estar travando uma batalha entre o desespero e a esperança. – Você se lembra de como era o jogo, logo que começou?

– Tento não lembrar.

– Mas deveria, era muito divertido.

– Mal passava de um circo itinerante – resmungou Lenda.

Julian deu um sorriso, como se a esperança tivesse acabado de vencer.

– Era, sim. Mas, apesar disso, inspirava as pessoas a sonhar e a acreditar na magia. E *me* fez acreditar na magia.

Lenda olhou para o irmão como se achasse que ele havia enlouquecido.

– Você sabe que a magia é real.

– Só porque algo é real não quer dizer que as pessoas vão acreditar nisso. Os Arcanos são reais, mas não tenho fé neles. Eu costumava ter fé em você. E quero ter de novo. Sei que você pode ser melhor do que isso.

O Mestre do Caraval deu risada, mas foi um riso tão sem graça que Tella ficou triste, não apenas por Lenda, mas por todos eles.

– E desde quando você é tão idealista?

– Desde que conheci uma garota que ama tanto a irmã que foi capaz de trazê-la de volta à vida com a força do desejo. Você pode até possuir magia, mas o verdadeiro poder é ter um amor assim.

– E, apesar disso, nem todo o amor do mundo poderia trazer Tella de volta à vida sem a minha magia.

– E ela tampouco teria morrido sem a sua magia. – O sorriso de Julian se desfez. – Tella teria dado outro jeito. Não precisava nem precisa ser salva por você. *Você* que precisa ser salvo por ela.

## Scarlett

Scarlett ficou fitando o espelho da penteadeira de mármore cor-de-rosa e tentou não chorar quando viu o próprio reflexo. Tella não teria chorado. Tella teria transformado a dor em poder e o usado para encontrar um jeito de consertar tudo – a qualquer custo.

Ela também era capaz de fazer isso. Era capaz de fazer isso pela irmã, por Julian, por todos os habitantes do império e por si mesma. Mesmo que, naquele momento, parecesse impossível.

Pelo menos, a irmã e Julian não podiam vê-la naquele momento.

A garota continuou fitando seu novo reflexo, e seus pensamentos a levaram de volta à noite anterior, depois de ter enviado a última mensagem para Tella e Julian, antes de tudo dar muito errado.

Uma vez por dia, desde que Scarlett fora sequestrada e levada para o Zoológico, os olhos roxos da Dama Prisioneira ficavam de um branco leitoso, sinal de que Anissa estava vislumbrando um fragmento do futuro. Na primeira vez, ela dissera para Scarlett: "Você precisa se tornar o que ele mais quer. Você é a única que tem o poder de derrotá-lo". Só que a única coisa que a Estrela Caída queria de Scarlett era que a garota dominasse seus poderes e controlasse as emoções dos outros. E o plano original dela era fazer exatamente isso: desenvolver os próprios poderes para mudar os sentimentos do Arcano e fazer Gavriel amá-la, tornando-o mortal.

Só que, nos últimos dois dias, a Estrela Caída deixara bem claro que, se Scarlett dominasse suas habilidades, isso seria o catalisador de sua transformação em Arcano imortal.

Gavriel disse isso para incentivar a garota a dominar seus poderes. Só que Scarlett sabia que, depois que se tornasse imortal, não seria mais capaz de amar. E o amor era uma parte tão fundamental do que movia sua vida, que ela não sabia quem ela seria se não tivesse amor. Será que seria igual ao pai, que só queria saber de poder?

Então, contrariando o conselho de Anissa, Scarlett planejou obter o sangue de que Tella e Julian precisavam para acessar o livro místico.

*— Tem certeza de que quer ir adiante com isso? — perguntou a Dama Prisioneira. — Não consigo mentir e, por isso, se eu fizer uma ameaça, tenho que estar disposta a cumpri-la. E, se Gavriel pegar você no flagra, sua chave mágica não tem poder para abrir uma das gaiolas dele.*

*— Eu sei. Mas, se der certo, nem eu nem você precisaremos ter medo de ficar engaioladas. — E esse era um dos motivos para Scarlett ter resolvido confiar naquele Arcano. Não acreditava que Anissa estivesse realmente preocupada com ela, mas acreditava que a Dama Prisioneira queria sair da gaiola. — Acho que vai dar certo. Mas, se você está em dúvida…*

*— Há décadas Gavriel e eu temos briguinhas desse tipo. — A Dama Prisioneira pulou do poleiro e se aproximou de Scarlett. — Posso me defender de tudo que ele aprontar comigo.*

*— Eu também — disse a garota, fingindo uma segurança que não sentia.*

*Então soltou a taça de vinho que tinha nas mãos, deixando-a se espatifar no chão de mármore. Cacos de vidro afiados se espalharam ao redor dos seus pés, e o vinho cor de granada se esparramou, manchando a bainha do vestido cor-de-rosa, enquanto Anissa colocava a mão para fora das grades para pegar o maior dos cacos.*

*No instante seguinte, Scarlett gritou, bem alto, alertando o guarda que ficava do lado de fora da porta do quarto. Passados poucos segundos, ele entrou ruidosamente no quarto. Olhou para Scarlett, que estava presa contra as grades da gaiola. Anissa pôs os braços para fora das grades e posicionou o caco de vidro no pescoço de Scarlett. Uma nuvem de medo verde-mofo se formou em volta do guarda, que levou a mão à espada.*

*— Eu não faria isso. A menos que você queira que eu a mate.*

*A Dama Prisioneira virou a ponta do caco de vidro para a parte mais indefesa da garganta de Scarlett.*

– Agora – prosseguiu Anissa, na maior tranquilidade –, vá chamar Gavriel. Conte o que viu e diga que, se não vier aqui neste exato momento, vou cortar a garganta da filha dele.

O guarda obedeceu imediatamente. Assim como Scarlett, sabia que a Dama Prisioneira era incapaz de mentir.

– Tomara que dê certo – sussurrou Anissa, assim que ele saiu. – Eu não gostaria mesmo de matar você.

– E eu não estou muito tentada a morrer – respondeu Scarlett, torcendo para não ter avaliado mal o valor que tinha para a Estrela Caída.

A garota sabia que o Arcano não se importava com ela e, certamente, não a amava. Mas, com base na quantidade de tempo que Gavriel passava, todos os dias, ensinando Scarlett a dominar seus poderes, sabia que a Estrela Caída se importava – e muito – com as habilidades dela e com o que Scarlett poderia fazer pelo Arcano. E, apesar disso, as mãos da garota começaram a suar quando Gavriel entrou no quarto.

Scarlett não sabia nem queria saber o que a Estrela Caída andava fazendo. Mas havia uma mancha de sangue em sua camisa branca feito osso e fúria em seus olhos. O quarto esquentou e foi tomado pelas violentas faíscas vermelhas que o cercavam.

– Se usar seu fogo em mim, mato a garota – gritou Anissa, detrás das grades. – Se a quer, venha buscá-la você mesmo.

Scarlett não precisou fingir que tremia ao ouvir essas palavras. Como a Dama Prisioneira nunca mentia, se a Estrela Caída usasse mesmo suas chamas, Anissa seria compelida a cumprir as ameaças. Só que tanto Scarlett quanto a Dama Prisioneira haviam concordado em correr esse risco. Se a Estrela Caída usasse seu fogo, derrotaria Anissa antes que ela tivesse tempo de atacar o Arcano com o caco de vidro e pegar o sangue de que Scarlett precisava.

As faíscas de Gavriel sumiram, e ele atravessou o quarto tão rápido que nem deu tempo de Scarlett piscar.

A garota foi cambaleando para o lado, porque a Dama Prisioneira a empurrou, tirando-a da frente, e cortou a garganta da Estrela Caída com o caco de vidro.

O corte ficou cheio de sangue. Perfeito.

Perfeito demais. Mas Scarlett só se deu conta disso depois.

Ela correu até o Arcano, que caiu de joelhos, e apertou o lenço contra a garganta ensanguentada dele, para coletar o sangue que escorria, enquanto Gavriel fechava os olhos e morria.

*Foi a coisa mais feia que Scarlett já havia feito. Será que ser um Arcano era assim? Durou menos de um minuto, mas pareceu uma eternidade até os olhos dourados de Gavriel se fecharem e seu corpo ficar inerte. Scarlett não conseguia fazer as próprias pernas e mãos pararem de tremer. Sabia que não haviam matado o Arcano para sempre, apesar de ele merecer. A Estrela Caída assassinara sua mãe e incontáveis outras pessoas. Mesmo assim, aquilo lhe pareceu errado.*

*E já estava imaginando o que o Arcano faria, tomado pela fúria, quando voltasse à vida. Precisava agir rápido.*

*Foi pingando sangue pelo chão de mármore e correu com o pano ensanguentado até o quarto de banho, para espremer o sangue da Estrela Caída dentro de um frasco. Por que, por que, não pensara em esconder o frasco na própria roupa para colocá-lo direto na garganta de Gavriel?*

Ping. Ping.

*Estava demorando demais para encher o frasco.*

Ping. Ping. Ping.

— *O que você está fazendo com isso*, auhtara?

*Scarlett olhou para o espelho do quarto de banho. Os braços e as pernas da garota, que já estavam trêmulos, viraram geleia. A Estrela Caída estava bem atrás dela, feito uma estátua de bronze que fora aberta à faca. A pele estava pálida como a de um cadáver, e o pescoço ainda sangrava, mas ele estava bem vivo. Será que tinha fingido? Ou será que simplesmente voltara à vida com aquela rapidez?*

*Gavriel atirou o frasco no chão, e o vidro se espatifou. Em seguida, segurou o pescoço de Scarlett, estrangulando a garota, que ficou sem ar.*

— *Decepcionada por que eu não morri?*

— *Por favor* — disse ela, já rouca. — *Eu… eu só peguei o sangue porque achei que, se bebesse, talvez pudesse me ajudar a, finalmente, dominar minha magia.*

— *Então você deveria simplesmente ter pedido. Eu teria te dado*, auhtara. *Mas, agora, terei que te dar outra coisa.*

*Os dedos do Arcano apertaram a garganta da garota de novo, e tudo virou um breu.*

*Quando Scarlett acordou, mais tarde, teve a sensação de que a cabeça estava pesada e que não conseguia movimentá-la. Algo apertava seu pescoço, machucando a pele.*

— *Vai demorar um pouco para se acostumar com a gaiola.*

*A Estrela Caída disse isso com um leve tom de satisfação.*

*Scarlett abriu os olhos e viu um mundo vermelho. Fileiras verticais de contas vermelho-rubi se encaixavam em volta de sua cabeça: Gavriel a engaiolara. Um soluço fez o peito dela estremecer. A garota tentou arrancá-la: os dedos puxaram as pedras preciosas, tentaram entortar as grades e removê-las, mas foi em vão. Não demorou para ela cair no choro, e seu pranto foi tão profundo que Scarlett não conseguiu fazer mais nada.*

*A Estrela Caída pôs a mão entre as grades de rubi e acariciou o rosto úmido da garota.*

*— Nunca mais traia a minha confiança. Da próxima vez, o castigo não será tão misericordioso.*

A lembrança foi se desfazendo enquanto Scarlett fitava o espelho da penteadeira. A gaiola de rubis que envolvia sua cabeça parecia uma prima ensanguentada da gaiola usada pela Morte Donzela. Mas, em vez de ficar com uma aparência poderosa, como esse Arcano tinha nos Baralhos do Destino, a garota achou que sua aparência era completamente impotente. Não tinha conseguido dormir com aquilo e estava com olheiras profundas. E, como estava de cabelo solto quando Gavriel a colocou, mechas castanho-escuras tinham grudado em seu pescoço, presas pelo colarinho fixo da gaiola.

Anissa tentou dizer que tinha ficado bonito e que combinava com os brincos escarlate da garota. Aqueles brincos foram um presente muito querido que Scarlett ganhara da mãe. "Seu pai que me deu, porque escarlate era a minha cor preferida." A joia, antes, a fazia pensar que Marcello Dragna, o pai que a criou, já fora um homem melhor. Mas Scarlett se deu conta de que a mãe deveria estar falando da Estrela Caída.

Tentou não pensar na mãe. Mas, pela primeira vez, gostaria de poder voltar no tempo, falar com Paloma e perguntar o que fazer.

Scarlett não entrou em contato com Julian nem com a irmã. Estava com vergonha e constrangida de mandar uma mensagem contando que não conseguira obter o sangue. E não queria que os dois a vissem daquele jeito nem por um segundo. Sabia que, daquele momento em diante, precisava tomar ainda mais cuidado. Não podia se arriscar e usar a Chave de Devaneio, a menos que fosse uma emergência.

Não podia cometer outro erro e não podia fugir. Se quisesse salvar a própria vida e a de todos antes que a Estrela Caída usurpasse o trono, dali a dois dias, só lhe restava uma opção: dominar seus poderes e empregá-los para obrigar o Arcano a amá-la.

A garota respirou fundo e saiu de seus aposentos para encontrá-lo.

Naquela noite, Gavriel usava calça de couro marrom, uma camisa branca solta e uma capa de um dourado claro que combinava com o brilho de triunfo em seus olhos. Estava de excelente humor desde que colocara a gaiola na cabeça da filha: gostava de demonstrar o poder que tinha sobre ela. Mas, naquela noite, parecia quase criança, tamanha a empolgação.

Quando Scarlett se sentou ao lado dele, no banco de mármore que havia perto da gaiola de Anissa, Gavriel deu um sorriso e acariciou as grades curvas de rubi que cercavam o rosto da garota.

— Meus Arcanos conseguiram localizar todos os integrantes do conselho imperial. Neste exato momento, a cabeça deles está enfiada em estacas, lá nas docas. Não existe mais nenhuma barreira que me impeça de subir ao trono amanhã à noite.

— Amanhã… — Scarlett tentou dizer isso sem que sua voz deixasse transparecer o pânico que sentiu. — Achei que você ia esperar mais um dia…

— Nunca fui lá muito paciente. — Gavriel se levantou do banco com um pulo. — Mas não se preocupe: para te ajudar a se preparar para a coroação de amanhã, trouxe um presente que, assim espero, vai te auxiliar a, finalmente, dominar suas habilidades.

A Estrela Caída pediu para seu segurança pessoal abrir a porta, e uma jovem entrou cambaleando no quarto. Parecia que alguém pegara um pano mágico e tirara metade das cores dela. O cabelo tinha um tom desbotado de vermelho, e a pele, pincelada de tatuagens de traços pretos e opacos que apareciam por baixo das luvas escuras e compridas, era de um branco sem vida. Só que as cores dos sentimentos da jovem não eram nada pálidas. Tons corrosivos de ameixa podre serpenteavam em volta dela, formando círculos de desprezo e de raiva.

Gavriel se aproximou da prisioneira como um caçador poderia ter se aproximado de uma caça que ficou presa em uma armadilha.

— Eu a resgatei do Distrito dos Templos ontem, durante o incêndio. Infelizmente, é meio ingrata: já tive que castigá-la. Pode ser difícil trabalhar com ela, a menos que você encontre uma maneira de controlá-la.

O Arcano passou um dedo no rosto da jovem.

A mulher fechou os dentes na mão da Estrela Caída, dando uma bela mordida.

Gavriel arrancou a mão da boca da garota antes que ela conseguisse arrancar sangue.

– Comporte-se.

O Arcano disse isso com um tom gentil, mas suas palavras foram acompanhadas por uma explosão de chamas, que tostou as pontas do cabelo da mulher.

– Se você conseguir controlar as emoções dela, tiro essa jaula da sua cabeça. Mas, se não conseguir, receio que o resultado será desagradável. – A Estrela Caída acompanhou com o olhar as fileiras de rubis que aprisionavam a cabeça de Scarlett e completou: – Estava pensando que, talvez, você não tenha dominado seus poderes porque não tinha a devida motivação. Tomara que, agora, tenha. Volto amanhã de manhã para verificar seu progresso e, para seu próprio bem, *auhtara*, realmente espero que haja progresso.

# 43

## *Donatella*

Tella não conseguia dormir. Ficou se virando e revirando até arrancar todo o gelado lençol de seda da cama. E, assim que fez isso, os lençóis se arrumaram sozinhos e a cobriram de novo. A garota não sabia que tipo de feitiço era aquele, mas sabia que era obra de Lenda.

Ele a deixava tão frustrada, tão confusa e tão impossibilitada de deixar de pensar nele.

O Mestre do Caraval não a procurou depois da conversa que teve com o irmão. E, como Jacks tirara sua habilidade de encontrar Donatella em sonho, a garota sabia que tampouco o veria quando dormisse. Mas, mesmo que Lenda a tivesse procurado, Donatella não saberia o que ainda havia para ser dito.

"*Você* que precisa ser salvo por ela."

Só que Lenda não queria ser salvo da maneira que Julian queria que ele fosse. E Tella não sabia se realmente seria *capaz* de salvá-lo ou se apenas seria o motivo para o Mestre do Caraval não voltar mais à vida depois que morresse.

Ela se sentou na cama, abandonando a ideia de dormir, e abriu as delicadas cortinas azuis que cercavam a cama de dossel. Tudo naquele quarto parecia coisa de sonho, dos lustres faiscantes aos grossos tapetes de pele, passando pelos assentos extraordinariamente macios das cadeiras. Donatella imaginou que, assim como os lençóis, que faziam a cama sozinhos, boa parte daquilo era ilusão. Mas gostou mesmo assim.

Calcando o chão macio, ela foi até a escrivaninha onde tinha deixado o Ruscica. O livro brilhava com sutileza, pleno de poder místico. Mas, se Scarlett não conseguisse o sangue da Estrela Caída, aquele poder não seria acionado, e eles não teriam como derrotar a Estrela Caída. A morte da mãe não seria vingada. Valenda arderia em chamas. E Scarlett...

Tella interrompeu aqueles pensamentos desgovernados, antes que fossem longe demais.

Scarlett ainda não havia aparecido com o sangue, mas a noite estava apenas começando. Ainda era cedo para se preocupar. Provavelmente ela chegaria mais tarde, com ou sem sangue. A mais velha das irmãs possuía uma chave mágica e, se algo tivesse dado errado, teria usado a chave para fugir.

Donatella passou a mão na antiquíssima capa do Ruscica. Nem chegara a abri-lo e já estava depositando muita fé no livro. Gostaria de não precisar de sangue para lê-lo. Mas, quando abriu o volume, seu desejo não se tornou realidade. As páginas estavam em branco, intocadas.

Então reparou no material de escrita que havia em cima da mesa. O bico de pena da caneta-tinteiro de vidro era afiado o suficiente para furar a pele e tirar sangue. Jacks havia dito que ela precisaria do sangue da Estrela Caída para ler a história de Gavriel. Só que Jacks raramente contava toda a verdade.

Tella estava curiosa. Furou o dedo com o bico da caneta e deixou o sangue pingar em um tinteiro, enchendo-o de vermelho, até haver o suficiente para escrever no livro mágico.

*Conte-me uma história.*

Ela ficou observando o sangue ser absorvido pelo papel e mudar de forma lentamente, transformando-se em um conjunto de palavras em letra rebuscada:

*Bem-vinda à vida de Donatella Dragna.*

Não era bem isso que a garota estava esperando. Tella já conhecia aquela história e, mesmo assim, ficou curiosa para ler o que o livro dizia sobre ela. Um sumário se formou embaixo da mensagem de boas-vindas.

Donatella esperava que o livro abordasse sua vida organizada em anos, mas o sumário privilegiava acontecimentos significativos. Pelo jeito, estavam listados em ordem cronológica. Alguns eram óbvios, como *O nascimento de Donatella Dragna, A mãe de Donatella e Scarlett desaparece* e *O primeiro beijo de Donatella*. Mas ficou surpresa com algumas das demais entradas:

*Donatella passa o fim de semana fingindo que é sereia*
*Donatella rouba um cabrito e lhe dá o nome de Carinho*
*Donatella rouba todas as roupas de baixo da irmã*
*Donatella escreve sua primeira carta para Lenda*
*Donatella se casa com o Príncipe de Copas*

O sangue de Tella gelou. Ela releu o sumário, para ver se havia mais alguma outra coisa que não era verdade. Mas nenhum dos demais acontecimentos eram falsos.

Será que o livro tinha senso de humor, como o Mapa de Tudo? Ou, quem sabe, Jacks tivesse lhe dado um mapa falso, que a levou a uma biblioteca falsa, onde ela pegou um livro falso.

Donatella não tinha se casado com Jacks. Ela não era casada. Nem sequer sabia se *queria* se casar.

De acordo com o sumário, o casamento ocorreu logo depois da morte da mãe da garota. Tella foi folheando o livro, com certa violência, até que encontrou o maldito capítulo em questão. Leu cada palavra com atenção, mas certos trechos se destacaram mais do que outros.

Se o coração dela não estivesse tão pesado, de luto e de dor, Donatella teria desconfiado que não era seguro confiar no Príncipe de Copas.

Se não estivesse ardendo de desespero, teria percebido o perigo de repetir palavras mágicas enquanto o próprio sangue se misturava ao do Arcano.

Se não tivesse assistido à morte da mãe, saberia que o Príncipe de Copas não estava removendo a dor que ela sentia porque se importava com Tella. O Príncipe de Copas nem sabia como é se importar com alguém. Só sabia como obter o que queria, e ele queria Donatella Dragna. Só que a pobre Donatella estava tão arrasada que não percebeu. Quando o Arcano mandou que falasse, ela repetiu o que o Príncipe de Copas disse, criando um elo imortal que uniria a alma dos dois para sempre, em eterno matrimônio.

De jeito nenhum, por todos os infernos. Tella não queria acreditar. Mas um lado seu sentia. Se fosse realmente sincera, sentia desde aquela noite, quando resolveu ficar e dormir ao lado do Arcano. Também sentiu quando voltou, no dia seguinte, pedindo ajuda. E a forma como ela reagiu quando Jacks quase a matou: além de brava, sentiu-se traída e magoada, quando seria mais lógico ter só ficado enfurecida.

Se tivesse sido um casamento humano, ela simplesmente teria fechado o livro e fingido que nunca aconteceu. Só que isso não era uma coisa que dava para ignorar e fingir que não existia.

Era um elo imortal que uniria sua alma à de Jacks para sempre.

# 44

## *Donatella*

Tella nem ligou para o fato de já ser madrugada, de que havia esquecido a capa nem de que as ruas de Valenda nunca foram tão perigosas quanto naqueles dias em que os Arcanos dominavam a cidade. Foi pisando firme até o antro de Jacks, como se fosse mais mortífera do que qualquer outra coisa que encontrasse pela frente.

Quando chegou à porta, bateu com os punhos cerrados e entrou de modo intempestivo, assim que ela se abriu. Um estrondo de aplausos, apupos e aparatos a atacou no mesmo instante.

Parecia que, em vez de se esconder dos Arcanos, metade da cidade simplesmente fora para lá. Tella ficou se perguntando se Jacks havia alterado os sentimentos daquelas pessoas, obrigando-as a ir para o antro, ou se todos ali eram tão tolos quanto ela.

Pessoas perfumadas em excesso esbarravam em Donatella, que foi desviando da multidão. Na última vez que estivera no antro de Jacks, o público era formado principalmente de homens. Mas, naquela noite, havia mais damas do que cavalheiros. Todos muito bem arrumados e limpos. Ninguém estava todo suado, como Tella.

Uma pontada horrorosa de ciúme a atingiu quando pensou que poderia encontrar o Príncipe de Copas abraçando outra garota. Mas será que estava mesmo com ciúme ou teve esse sentimento repentino apenas porque os dois haviam contraído um matrimônio imortal e estavam casados?

*Casados!*

Donatella ainda não conseguia acreditar. Até chegara a aventar a possibilidade de confiar em Jacks novamente, depois que ele lhe deu o mapa. Mas jamais deveria ter confiado no Arcano ao ponto de permitir que o Príncipe de Copas a enganasse daquele jeito, para começo de conversa.

– Olha quem já chegou soltando fogo! – A multidão animada se abriu para deixar a Senhora da Sorte se aproximar de Tella. A mulher sinuosa de olhar enigmático estava toda vestida de veludo verde. – Pelo jeito, você não consegue mesmo ficar longe dele.

– Cadê Jacks? – disparou Tella.

A Senhora da Sorte apontou para uma parede toda decorada de corações em preto e branco.

– Tem uma porta escondida ali, vai te levar à sala onde Jacks gosta de jogar. Mas...

Donatella foi se afastando sem ouvir o aviso da mulher. O que aquela pessoa tinha a dizer não faria a menor diferença.

Abriu a porta e desceu correndo um lance de escada que deu dentro de uma sala que parecia ter sido atacada por um baralho de cartas comuns. Tudo era preto e branco, com violentas pinceladas de vermelho. As paredes brancas eram listradas, com linhas tortas de naipes de espadas vermelhos e cintilantes, e parecia que alguém havia arrancado punhados de naipes de ouros, paus e copas e atirado por todo o chão. No meio da sala, havia uma mesa redonda e pesada, igualmente maluca, com pilhas e mais pilhas de fichas, cartas, joias, algumas camisas sofisticadas e garrafas de bebida pela metade. As cadeiras em volta da mesa estavam todas ocupadas por apostadores, em diversos estágios de falta de roupa, o que explicava as camisas misturadas com as fichas.

O único que continuava praticamente todo vestido era Jacks. Estava sem a casaca que usava há pouco e tirara o lenço dourado do pescoço. A camisa estava aberta e perdera todos os botões afiados como diamantes.

– Todo mundo para fora! – gritou Tella.

Uma dúzia de cabeças virou na direção dela: rostos inebriados, em vários tons de surpresa. Com exceção de Jacks. Seus olhos azuis prateados fitaram os de Donatella, cheios de expectativa. E, em seguida, sendo o demônio que era, deu um sorriso diabólico. Sabia que, uma hora ou outra, aquele momento chegaria.

– Oi, esposa.

Sem tirar os olhos da garota, o Príncipe de Copas fez um sinal indolente para a mesa e disse:

– Senhoras e senhores, eu apresentaria minha esposa para vocês, mas acho que prefiro expulsá-los daqui para podermos conversar a sós.

Donatella esperava alguns poucos murmúrios de protesto, mas Jacks deveria ter empregado seus poderes recém-recobrados para controlar as emoções de todos. Ninguém do grupo fez objeção, e, em pouco tempo, o cortejo de jogadores seminus do Príncipe de Copas já estava subindo a escada.

– Isso, sim, é que é uma entrada em grande estilo. – Jacks se recostou na cadeira e pôs um dos pés, com as botas marrons gastas, em cima da mesa. – Você veio aqui para consumar o…

A garota foi para cima do Arcano antes que desse tempo de ele terminar a frase. A cadeira caiu para trás, derrubando os dois.

– Seu demônio chupador de maçã fétido, sem coração, maldito, traiçoeiro e manipulador!

Os xingamentos não foram nada elegantes e, nem de longe, tão obscenos quanto deveriam. Os socos que Donatella desferiu não surtiram efeito. Não foi difícil para Jacks segurar os pulsos dela com as mãos geladas. Tella nem sequer o acertou, mas se sentiu bem batendo no Arcano. Era bom lutar para se desvencilhar do Príncipe de Copas.

– Você me enganou e me obrigou a casar com você!

– Você implorou a minha ajuda.

– Eu queria que você removesse as emoções de dentro mim, não que fizesse de mim sua esposa.

– Mas tenho sido um bom marido: contei como encontrar o Mercado Desaparecido, te dei aquele mapa místico de presente.

– Você também ameaçou me matar! E quase matou!

Tella estava ofegante e, por fim, tinha conseguido se desvencilhar das mãos geladas do Arcano. Gostaria de tentar bater nele de novo, mas precisava parar de encostar em Jacks.

Saiu de cima do Arcano e ficou de pé enquanto ele ainda estava no chão. O Príncipe de Copas nem sequer respirava com dificuldade. Simplesmente ficou olhando para Donatella, como se fosse um anjo de cabelo dourado esparramado pela testa branca que se comportou mal.

– Quero que você desfaça tudo isso – exigiu Tella. – Quero que o casamento seja anulado e, depois disso, nunca mais quero ver você na minha frente.

– E por que eu faria isso? – retrucou Jacks. – Não ganho nada com isso.

– Você quer continuar casado com alguém que te odeia?

– Acho que gosto da intensidade desse relacionamento.

Em seguida, Jacks sorriu para Donatella e se levantou, deixando a cadeira caída entre os dois.

Tella estava tão furiosa que mal conseguia respirar. Teria ido embora, se pudesse. Mas aquele casamento não era algo que podia ignorar ou fingir que não existia. Dava para sentir, pelo modo como odiava o Arcano. Um ódio feroz e avassalador, que ficou muito mais forte naquele momento, com o Príncipe de Copas bem na frente dela, como se fosse seu vilão particular.

– Se você não desfizer o casamento, juro que te mato. – Donatella, então, passou por cima da cadeira e chegou tão perto de Jacks que precisava espichar o pescoço para ver o rosto anguloso dele. – Se eu continuar sendo sua esposa, prometo que farei você se apaixonar por mim. Vou me tornar tudo o que você já quis na vida e, no instante em que virar mortal, vou te apunhalar com o objeto afiado mais próximo, bem no peito, e fazer esse seu coração parar de bater de uma vez por todas.

– Não seja tão dramática – debochou o Príncipe de Copas, com um suspiro. – Se você não quer continuar casada, existem modos mais fáceis de resolver isso.

O Arcano tirou uma adaga da bota.

Tella foi para trás e quase tropeçou na cadeira caída.

– Não se preocupe, meu amor, é para você usar em mim. – Ele virou a adaga e estendeu com o cabo virado para Tella. – Matrimônios imortais não podem ser desfeitos com assinaturas e folhas de papel. Para cortar nossa ligação, você precisa me ferir.

– E se eu fizer isso nosso casamento estará desfeito?

– "Desfazer" implica jamais ter acontecido. – A voz de Jacks mudou de afiada à entediada em um piscar de olhos. – O que foi feito não pode ser desfeito, mas pode ser cortado. Você só precisa me cortar e dizer as palavras *"Tersyd atai es detarum"*.

O Arcano, então, passou por cima da cadeira, fazendo o espaço que os separava desaparecer novamente.

Donatella pegou a adaga com todo o cuidado. Era a mesma arma de pedras preciosas que os dois usaram na noite em que Jacks removeu suas emoções, na mesma ocasião em que o Príncipe de Copas se casou com Donatella. Ela foi virando, lentamente, a ponta da adaga para a garganta do Arcano.

Jacks nem sequer se mexeu. Parecia que nem respirava, mas os lábios permaneceram entreabertos, e fitou Donatella diretamente nos olhos, com um olhar do mais triste tom de azul que a garota já vira na vida. Não acreditava que fosse verdadeiro. E, mesmo assim, a expressão do Arcano era tão convincente que Tella ficou em dúvida e não o apunhalou.

– Devo facilitar as coisas para você? – perguntou o Príncipe de Copas.

E aí abriu mais a camisa, mostrando o peito esculpido, com sua pele lisinha, feito mármore, onde um coração batia. Donatella conseguia ouvir a pulsação acelerada, batendo em sincronia com o coração dela, que palpitava mais toda vez que respirava. Quando os dois se conheceram, o coração de Jacks não batia. E então voltou a bater – por causa dela.

A garota apertou o cabo da adaga, mas esse foi seu único movimento.

– Por que você está hesitando, meu amor?

– Por que você está facilitando tanto as coisas?

– Você acha que é fácil para mim? – Jacks inclinou o corpo para frente, até encostar a pele na lâmina. Era a primeira vez que o Arcano não tinha cheiro de maçã. Tinha cheiro de bebida alcoólica e de mágoa. E, quando falou, foi tão baixo que quase não deu para ouvir: – Você acha que é da minha natureza ser bondoso?

– Não houve nada de bondoso no que você fez comigo.

– Tem razão – sussurrou o Príncipe de Copas. – Fiz o que fiz por puro egoísmo. Então, me apunhale logo, antes que eu resolva ser egoísta de novo. Quanto mais tempo existir um elo entre nós, mais dificuldade para resistir a ele você vai ter. Pode até me odiar. Mas, quando der por si, estará querendo e precisando ficar perto de mim. Então, se realmente quer pôr fim a isso, faça isso agora. Corte a minha pele e rompa tudo o que nos une.

As mãos de Tella suavam, deixando o cabo de pedras preciosas escorregadio. Ela queria fazer aquilo. Queria cortar a garganta de Jacks e terminar logo com aquele casamento. Mas alguma coisa nas palavras "rompa tudo o que nos une" a deixou em dúvida.

Talvez o Príncipe de Copas soubesse, desde o início, que, assim que Donatella descobrisse que os dois estavam casados, ela o procuraria para exigir que o Arcano pusesse fim ao casamento. Talvez fosse por isso que havia cedido com tanta facilidade, porque era isso que queria, na verdade: romper tudo que os unia. Donatella, supostamente, era seu único e verdadeiro amor. Foi ela quem fez o coração do Arcano voltar a bater – ou seja: também era a maior fraqueza de Jacks.

– Se eu fizer isso, se eu romper o elo que nos une, ainda serei seu verdadeiro amor?

– E que importância isso tem para você? – O Arcano apertou os lábios, fazendo cara de quem mal podia esperar para se livrar da garota, apesar de seu olhar dizer que queria devorá-la. – Imagino que, depois de hoje, você não pretende mais me beijar.

– Apenas responda à pergunta, Jacks.

Em um piscar de olhos, ele segurou a mão trêmula de Tella com a mão gelada e baixou a adaga, raspando na própria pele e deixando um trecho todo avermelhado. Em seguida, baixou a mão até a metade do peito.

– Não sei se você é meu verdadeiro amor, Donatella. Só sei que quero que seja.

Dito isso, tirou a mão da adaga e a passou na cintura de Donatella. Por um instante, a garota não conseguiu se mexer. Os dedos do Arcano nunca estiveram tão gelados e provocaram arrepios que alcançaram fundo, debaixo da pele.

– Sei que o que eu fiz foi errado. Mas, se está procurando uma história triste que justifique minhas atitudes, não vai encontrar. Eu sou o vilão; sou o vilão até de minha própria história. Só que era para você ter interpretado um papel diferente. – Os olhos do Arcano eram pura infelicidade. – Era para você ser meu verdadeiro amor. Era para você querer ficar comigo, não com ele. Era para você ser tão obcecada por mim quanto eu sou por você.

O Príncipe de Copas, então, a abraçou ainda mais apertado, e a adaga quase furou sua pele quando encostou a testa gelada na testa de Donatella.

– Se você está resistindo a pôr um fim nisso porque acha que vou te matar ou ferir depois que o elo que nos une for rompido, esse pensamento não poderia estar mais longe da verdade. Quando disse para Lenda que te mataria se ele não me desse o poder que eu precisava, não estava falando sério. Eu não teria matado você. Um lado meu torcia para Lenda dizer "não", porque aí você se afastaria dele e decidiria ficar comigo. Sou egoísta e quero ficar com você, mas jamais te faria mal.

– Você já fez – declarou Tella.

E, aí, enfiou a adaga no peito dele.

## 45

## *Donatella*

Era para a punhalada só ter ferido Jacks, mas Tella dobrou o corpo de dor quando a lâmina atravessou a pele do Arcano, e ela disse as palavras que a libertariam. De repente, as costelas e o coração da garota estavam pegando fogo. Ela não conseguia respirar. Parecia que alguém arrancara algo vital de seu peito.

Donatella ficou com a visão borrada e, quando – por fim – voltou a enxergar normalmente, toda a sala das cartas estava fora de foco, com exceção de Jacks. Pelo resto da vida, quando pensasse em coração partido, enxergaria o olhar do Príncipe de Copas. Que não estava mais abraçando Tella. O rosto estava contorcido de dor. Lágrimas vermelho-sangue pingavam de seus olhos. Mas o Arcano não apertava a ferida nem fazia nada para estancar o sangramento, que escorria pelo peito e formava uma poça no chão.

Donatella sabia que havia tomado a decisão certa, mas não era aquilo que ela esperava, nem de longe.

– Por que você ainda está aqui? – perguntou Jacks.

Em seguida, atirou-se em uma cadeira, deixando o sangue que escorria do peito pingar por tudo. Não era um ferimento fatal, mas foi mais fundo do que Tella pretendia. Não gostava nem um pouco da ideia de matar o Arcano, mesmo que fosse uma morte temporária.

– É melhor você cuidar disso – aconselhou a garota.

Em seguida, se aproximou de Jacks, já preparada para estancar o sangramento.

– Não. – O Príncipe de Copas estendeu a mão trêmula, e seu olhar era gelado, como a geada e as maldições. – É melhor você ir embora. Já conseguiu o que queria.

Só que Donatella não sabia mais o que acabara de conseguir. Deveria ter se sentido triunfante. Nunca quis ter um elo com Jacks. E, apesar disso, quando se afastou dele e do antro de jogatina, suas pernas tremiam a cada passo.

Por uma fração de segundo, ficou tentada a voltar e desfazer o que acabara de fazer. Sem perceber, sentia-se um pouco menos solitária quando os dois estavam ligados. Mas não era com o Príncipe de Copas que Tella queria ter uma ligação.

Um tremor sacudiu seu corpo, e algo parecido com uma cólica atacou seu estômago. Donatella sentia um vazio por dentro que nunca havia sentido até então.

A cada casa pela qual passava, imaginava as pessoas que deveriam estar dormindo lá dentro. Imaginou maridos e esposas dormindo abraçados. Viu irmãs que dividiam o quarto e garotos com cães aos pés da cama.

Mas Tella não tinha um cão.

Tella tinha uma irmã. Só que, naquele momento, a irmã estava com outra pessoa.

E Lenda jamais seria seu marido. Na verdade, a garota nem sequer sabia se *queria* um marido: só queria Lenda. Queria tudo nele. Sempre quis tudo nele. Mesmo antes de conhecê-lo, apaixonara-se pelo rapaz que tivera a paixão de fazer seu único desejo se tornar realidade e a audácia de escolher o nome de Lenda.

E, quando o conheceu, Donatella se apaixonou por ele novamente. Donatella amou Lenda quando ele era Dante, mas o amou ainda mais quando era simplesmente Lenda. Dante a ajudou a esquecer, mas Lenda a ensinou a sonhar de novo, e Tella adorou todos os sonhos inebriantes que tivera com ele e as mentiras sensacionais que o Mestre do Caraval contava, com suas ilusões. Mas também adorava, com a mesma intensidade, suas verdades imperfeitas. Amava o rapaz que a chamou de anjo e de demônio na mesma conversa.

Adorava o jeito que Lenda debochava dela e não queria, jamais, que ele deixasse de fazer isso. Queria ouvir as outras histórias de Lenda – e fazer parte dessas histórias. Mas, mais do que tudo isso, queria ficar ao lado daquele homem para sempre, quando estivesse lutando contra um pesadelo ou enquanto perseguia um sonho. E vice-versa: queria estar com Lenda para ajudá-lo a conquistar novos sonhos. *Mesmo que isso significasse sacrificar um de seus próprios sonhos.*

Talvez *isso* fosse amor. Donatella se concentrou tanto no desejo de que Lenda a amasse, e ficou tão magoada quando soube que não era amada, mas talvez ela mesma não amasse de fato. Donatella escolheu Lenda, lutou por ele, sentiu pena dele, mas não estava disposta a sacrificar seus sonhos pelo Mestre do Caraval.

Tella começou a correr em direção à costa, voltando para a casa de Lenda. O coração disparou quando estava perto o suficiente para conseguir ouvir a arrebentação das ondas do mar. Já era madrugada, quase na hora de amanhecer, mas ainda estava escuro. Aquele intervalo singular, quando não é nem manhã nem noite, mas algo entre as duas coisas.

Se Scarlett estivesse ali, teria insistido para a irmã pensar melhor antes de tomar uma decisão. Mas e se Donatella não tivesse tempo a perder? Só naquela semana, vira a própria mãe morrer, Lenda morrer, a irmã ser sequestrada e o império ser dominado pelos Arcanos. Não conseguia nem imaginar o que estaria por vir nos próximos dias, caso a Estrela Caída subisse ao trono. Só que preferia enfrentar esses dias sabendo que, independentemente do que pudesse acontecer, teria um presente, um futuro – uma eternidade – com Lenda.

Tella entrou de fininho na casa e correu até o quarto de banho, para lavar as mãos sujas de sangue. Considerou se devia trocar de vestido. O espelho mostrou uma garota de cachos revoltos, que atirara no corpo um vestido azul-safira qualquer, mas ela estava impaciente demais para mudar de roupa.

Subiu correndo, escadaria após escadaria. Quando chegou ao quarto andar, estava sem fôlego. O corredor que levava ao quarto de Lenda estava na penumbra da noite, mas Donatella viu os delicados fios de luz que escapavam do vão embaixo da porta do quarto dele.

Bateu baixinho. Depois, um pouco mais forte.

Em algum lugar ao longe, as ondas continuavam arrebentando, mas não saía nenhum ruído do quarto do Mestre do Caraval.

Ela tentou abrir a porta, mesmo sabendo que alguém tão discreto e cheio de segredos quanto Lenda jamais deixaria a porta do quarto destrancada. Só que a maçaneta de vidro girou com facilidade.

A garota sentiu um arrepio nos ombros. Nunca havia entrado nos aposentos privativos de Lenda. Nem durante o Caraval nem no palácio nem em nenhuma das residências dele. Tinha quase certeza de que Lenda havia criado uma ilusão no quarto dela, para agradá-la. Mas, quando entrou nos aposentos do Mestre do Caraval, o único feitiço que viu foi a luz.

Apesar de não haver nenhuma vela acesa, o quarto estava cheio de esferas flutuantes amarelas e brancas que emanavam uma luz suave e faziam tudo brilhar.

De onde estava, Tella via o quarto iluminado e a saleta de Lenda. Os aposentos do Mestre do Caraval eram bem decorados, mas mais simples do que imaginava. Antes de conhecê-lo, ela poderia ter fantasiado a saleta de Lenda repleta de suntuosas cortinas de veludo vermelho e cheia de pufes almofadados, para encontros amorosos. Mas não havia nem um fiapo de veludo à vista. Nem pufes. Nem cortinas. Impecáveis janelões que iam do teto até o chão davam uma vista encantadora do mar e permitiam que a luz encerada do luar se projetasse no chão de ébano, na escrivaninha bem arrumada, nas estantes cheias de livros e nos sofás amplos, cor de carvão.

Tudo parecia tão perfeito que Donatella pensou que poderia sujar alguma coisa, só de entrar no quarto. E foi andando, pé ante pé, até entrar no que, claramente, era o quarto de Lenda.

A cama ocupava quase metade do espaço. Era de ferro, pesada, e tinha lençóis de seda preta, exatamente como Tella esperava que fosse. O Mestre do Caraval estava deitado no meio da cama: sem camisa, de barriga para baixo, meio descoberto, deixando à mostra as deslumbrantes asas tatuadas em suas belas costas.

Donatella não conteve o sorriso. Sabia que muitas das tatuagens do Mestre do Caraval haviam desaparecido, mas queria muito que aquela fosse verdadeira.

As asas continuavam hipnotizantes, como Tella recordava. Tatuadas em um preto-ônix sem alma, com veios azul-noite, da cor dos desejos perdidos e de poeira estelar caída. E aquelas asas eram uma das coisas de que Donatella mais gostava em Lenda. Seus dedos coçaram de vontade de passar a mão nelas, acariciar as costas daquele homem e acordá-lo. Só que estava curiosa porque, apesar de ter sonhado incontáveis vezes com ele, nunca o vira dormir.

Tella tirou os olhos das asas e observou o rosto dele. Pelo jeito, o Mestre do Caraval pegara no sono enquanto lia. Uma de suas mãos cor de bronze segurava um livro perto da cabeça adormecida, e o cabelo preto como penas de corvo estava caído na testa. Era uma postura muito humana e, apesar disso, a pele tinha um brilho suave, de uma luz sobre-humana. Lenda parecia perfeito e tentador. Donatella se sentiu como uma garotinha de conto de fadas que havia encontrado, sem querer, um deus adormecido que lhe daria um prêmio se ela o acordasse com um beijo.

Ficou tentada a fazer exatamente isso, tirar o cabelo da testa de Lenda e dar um beijo. Só que algo atrás dela chamou sua atenção. Estava tão atraída pela possibilidade de ver o Mestre do Caraval dormindo em sua própria cama que nem reparou no enorme mural pintado atrás do móvel.

Deu alguns passos para trás, para conseguir enxergar o mural por completo. Era aterrorizante, alegre e triste – tudo ao mesmo tempo – e ocupava quase toda a parede.

De longe, parecia uma pintura impressionante de um céu noturno em chamas. Mas, quando Tella se aproximou novamente, viu que não era uma representação nem do céu nem do fogo, mas uma série de imagens menores: um caleidoscópio de estrelas, de noite e ampulhetas, balões de ar quente e cartolas, caveiras e rosas, morte e canais, cascatas de lágrimas e de sangue, de ruínas e riquezas. Era beleza, horror, dor e saudade.

A alma do Mestre do Caraval estava pintada naquela parede.

Isso fez Tella pensar que Lenda não ia gostar se alguém visse aquele mural. E, mesmo assim, não conseguia tirar os olhos da parede. Teve até a sensação de que a pintura se movimentou quando ela se aproximou para observar. Até que por fim deixou de ser apenas uma pintura na parede: era uma história.

Donatella viu imagens de Caravais passados, assim como algumas representações que pareciam ser da vida de Lenda fora o jogo.

Durante a última edição do Caraval, Lenda havia dito que suas tatuagens existiam para ajudá-lo a lembrar do que era real. Depois que o jogo terminou, e algumas das tatuagens sumiram, Tella pensou que aquela confissão era mentira. Mas estava mudando de ideia e via que poderia haver um fundo de verdade no que ele tinha dito, porque obviamente pintara seu passado nas paredes de seu aposento.

A garota dirigiu o olhar para a parte inferior direita do mural, onde o mural terminava abruptamente. Pensou que os desenhos que existiam pouco antes do espaço vazio seriam da última edição do Caraval ou dos dois últimos meses da vida de Lenda.

Quando encontrou a última imagem, sua pulsação acelerou. Era uma representação dela e de Lenda durante o Caraval. Estavam na entrada do Templo das Estrelas, e o rapaz a abraçava, bem apertado. Parecia ser o momento logo depois de tê-la libertado das cartas. Estava agarrado a ela, como se tivesse a intenção de nunca mais soltá-la, apesar de ter feito isso.

Se aqueles desenhos fossem lembranças, era óbvio que Lenda via as coisas de modo muito diferente do que Tella.

Donatella sabia que era bonita e que, quando sorria, era capaz de convencer as pessoas de que não era apenas bonita: era linda. Mas, naquela imagem, bem que poderia ser uma deusa, pelo modo como o Mestre do Caraval a retratara naqueles degraus trágicos, sendo que o próprio mais parecia uma sombra macabra.

*Será que era desse modo que ele se via?*

— O que achou?

A voz de Lenda estava grave e rouca, porque acabara de acordar.

Tella se virou para a cama e deu de cara com ele, sentado bem na beirada, com os pés descalços no chão, as pernas cobertas por uma calça preta e o peito perfeito nu. A pele cor de bronze brilhava um pouco mais, e a calça estava tão baixa que a garota podia ver a definição dos...

— Donatella. — A voz de Lenda foi um urro grave. A jovem olhou imediatamente para o rosto do rapaz. Estava com a barba por fazer, o cabelo preto na testa, e, apesar de estar com olhos fundos, seu olhar estava longe de parecer cansado. Poderia ter incendiado o quarto com a intensidade daquele olhar. — Você precisa parar de olhar para mim desse jeito.

— De que jeito, exatamente? — retrucou Tella.

Os lábios de Lenda se retorceram lentamente, como se ele também fosse retrucar.

— Estou seminu, estou na minha cama, e você fica olhando para mim como se quisesse deitar aqui também.

— Talvez eu queira.

Os olhos do Mestre do Caraval ficaram com um brilho de ouro branco e, de repente, ele já estava de pé, bem perto de Donatella.

– Não estou com disposição para joguinhos, Tella.

A garota respirou fundo, trêmula. Não mudara de opinião. Mas, por um instante, temeu que Lenda tivesse mudado a opinião dele.

– Não estou fazendo joguinhos.

Donatella se aproximou da cama e soltou mais um suspiro. Nunca havia se sentido tão vulnerável na vida. Mas, se continuasse na defensiva, Lenda jamais baixaria a guarda.

– Quero que você me torne imortal.

O Mestre do Caraval franziu o cenho, desconfiado. Não era a reação que Tella esperava.

– Por que você mudou de opinião? É por que não fui te procurar no seu quarto hoje à noite?

– Não. – Donatella poderia ter dito para Lenda deixar de ser convencido, mas estava prestes a se atirar em cima dele, literalmente, e escancarar o coração. – Durante quase toda a minha vida, tive uma visão romântica da morte. Adorava a ideia de existir algo tão incrível pelo qual valeria a pena morrer. Mas estava enganada. Acho que as coisas mais maravilhosas são aquelas pelas quais vale a pena *viver*.

Ela então colocou a mão no peito dele, bem no coração.

Lenda deu um suspiro profundo, mas não se afastou, não a rejeitou, e Tella subiu a mão até chegar ao pescoço. Abriu os dedos, sentiu o pomo de adão do rapaz subir e descer, porque ele engoliu em seco.

– Tella…

Ele disse o nome dela como se fosse uma súplica, e Donatella não soube dizer se Lenda queria que ela parasse ou continuasse. Mas teve a sensação de que o Mestre do Caraval continuava sem acreditar no que ela dizia.

O coração de Tella disparou, e ela acariciou o rosto de Lenda. Normalmente, a pele dele era lisinha. Mas, naquela noite, estava áspera. Pinicou a palma da mão de Donatella, que segurou o rosto do Mestre do Caraval e o inclinou, para que Lenda só conseguisse olhar para ela.

– Acho você espetacular, Lenda, e quero passar a eternidade com você.

Então ergueu um pouco o corpo e aproximou os lábios dos dele, lentamente.

O Mestre do Caraval ficou parado, mas deixou seus lábios roçarem nos da jovem, uma única vez.

– Tem certeza? – perguntou.

– Nunca tive tanta certeza na vida.

Lenda fechou os olhos. E, aí, a abraçou. Pegou Donatella no colo, em um arroubo, a deitou naquela cama enorme e a beijou na boca. O colchão era macio, mas tudo em Lenda era firme. O Mestre do Caraval enfiou a língua nos lábios entreabertos de Donatella, e seu beijo tinha o gosto da brisa do mar, que se infiltrara por uma janela entreaberta do quarto: salgado, tentador e indomável.

Donatella acariciou as costas lisinhas dele, e Lenda começou a beijar o pescoço da garota. Deu um beijo mais delicado na base do pescoço, que a fez estremecer, e continuou descendo e beijando. Depois lambeu de leve a pele dela, sentindo seu gosto, depois beijou o pescoço inteiro, sem parar.

Nunca havia beijado Donatella com tanta delicadeza e, apesar disso, esses beijos eram ainda mais intensos. Como se, apesar do que Tella havia dito, Lenda não acreditasse nela, como se ainda pensasse que os dois não tinham futuro, mas estivesse determinado a se agarrar àquele momento, pelo maior tempo possível.

– Não te mereço – disse.

Em seguida, passou as mãos pelas pernas de Donatella e levantou seu vestido até a altura das coxas.

– Merece, sim – sussurrou ela.

Tella mal conseguia se lembrar de respirar. As carícias de Lenda eram confiantes e intencionais. Sabia onde encostar e o que fazer.

Mas, quando criou coragem para olhar nos olhos dela, estava com uma cara apavorada.

– Não quero que você faça isso porque se sente pressionada, Tella.

– Não sei de que parte desse "isso" você está falando. Mas fui eu que te procurei. Só sinto que quero estar com você, mais nada. Eu te entreguei meu coração quando você me beijou naquele chafariz e nunca peguei de volta. Eu te amo, Lenda.

O corpo dele congelou em cima de Donatella.

*Ah, maldição!*

A jovem xingou a si mesma também, por ter deixado essas palavras escaparem.

Antes que ela tivesse tempo de reagir, o Mestre do Caraval já tinha saído da cama e estava do outro lado do quarto.

– Precisamos parar – disse ele, inesperadamente. – Não podemos fazer isso, e eu não posso transformar você.

– Por que não? Por causa do que eu disse? Queria que você soubesse o quanto quero ser imortal.

– Não é só isso. – O peito dele subiu e desceu, respirando fundo. – Você merece coisa melhor, Tella.

Não. Lenda não podia abandonar Donatella de novo. Não podia lhe dar as costas, e a garota estava percebendo que ele já estava se preparando para fazer isso. As luzes brancas do quarto estavam enfraquecendo, se preparando para sumir, assim como acontecera com as estrelas na última vez em que o Mestre do Caraval encerrou uma conversa com Tella e foi embora.

– Não ouse fazer isso. Sei o que quero e quero você.

– Pode não querer mais se permitir que eu te transforme. – A voz grave dele mal chegava a um sussurro. Lenda fechou os olhos e, quando os abriu novamente, mais parecia com a sombra pintada na parede do que o Lenda que Donatella amava. – É melhor você ir embora. Não sou abnegado nem altruísta. Sempre dou um jeito de conseguir o que quero. Neste exato momento, só estou conseguindo abrir mão do que quero porque ninguém nunca olhou para mim do jeito que você olhou quando disse aquelas palavras e... você merece alguém que te olhe da mesma maneira. Você merece alguém que te ame de verdade, alguém por quem realmente valha a pena viver, e não um imortal que deseja apenas te possuir.

# Scarlett

A lua se dissolveu, e as estrelas fugiram e foram vigiar outra parte do mundo, deixando o céu noturno de Valenda em um breu sem nuances, cor de nanquim. Os únicos pontos de luz vinham de umas poucas janelas que reluziam, iluminadas por lampiões acesos e velas iguais às que queimavam nos aposentos de Scarlett, dentro do Zoológico. A jovem estava ofegante, diante da gaiola de ouro da Dama Prisioneira.

A testa de Scarlett estava empapada, e ela não conseguia secar o suor completamente, por causa das grades de rubi que engaiolavam sua cabeça. A esfera de pedras preciosas ficara ainda mais pesada ao longo das últimas horas, porque ela tentou incontáveis vezes – sem sucesso – alterar as emoções raivosas da jovem que Gavriel levara até ela.

Precisava fazer aquilo. Se conseguisse controlar os sentimentos daquela mulher, conseguiria controlar os sentimentos da Estrela Caída e detê-lo antes que o Arcano usurpasse o trono, dali a menos de um dia.

Só que, apesar de se esforçar ao máximo, Scarlett só conseguiu interpretar os sentimentos da jovem. Conseguia ver a raiva e a fúria que cascateavam pelas costas dela, feito um manto de chamas. Imaginou que, se ousasse chegar perto demais, se queimaria. A mulher estava no mesmo lugar desde que a Estrela Caída tinha ido embora: sentada no banco de mármore que ficava ao lado da gaiola da Dama Prisioneira.

No início, Scarlett se sentiu aliviada. Achou que a jovem fosse atacá-la, depois de vê-la morder os dedos de Gavriel. Só que, em vez disso, a mulher resolvera ficar sentada, tão perfeitamente imóvel quanto uma modelo posando para um retrato. Depois de um tempo, se movimentou para tirar, com os dentes, as luvas escuras e longas.

Os braços dela eram cheios de tatuagens de rosas pretas desbotadas e ramos entrelaçados que terminavam nas duas mãos feridas: os dedos da mulher tinham sido decepados e, pela aparência dos pontos, parecia que os ferimentos eram recentes.

Scarlett ficou com pena dela. Aquilo parecia ser o castigo que a Estrela Caída aplicara na jovem por causa do mau comportamento que apresentara havia poucas horas. Será que ela receberia o mesmo castigo caso não conseguisse fazer o que o Arcano havia ordenado?

A garota tentou falar com a mulher, mas ela não disse uma palavra. Depois de umas duas horas, a jovem apoiou o rosto na mão sem dedos, fingindo tédio. A pose até poderia ter sido convincente, se não fossem as emoções em brasa que ainda a envolviam, feito um manto destrutivo.

Scarlett tentou acalmá-la sintonizando pensamentos tranquilizantes. Como não funcionou, tentou projetar imagens e emoções que poderiam fazer a jovem se sentir sonolenta, empolgada, triste ou feliz.

Nada.

Nada.

Nada.

– Não consigo – disse Scarlett, por fim.

Tentou incutir todas as emoções naquela mulher. Só que, em vez de fazer a jovem sentir alguma coisa, só conseguiu ficar exaurida. Mal conseguia manter a cabeça engaiolada de pé e não conseguia nem pensar no que iria acontecer quando a Estrela Caída voltasse – não queria descobrir qual seria o castigo que Arcano iria lhe infligir por aquele fracasso.

Estava na hora de ir embora. Scarlett sentia aquele tipo de exaustão que chega até os ossos e avisa que o amanhecer se aproxima. A Estrela Caída apareceria a qualquer momento e descobriria seu fracasso. Scarlett precisava usar a Chave de Devaneio e sair logo dali. Superestimara suas capacidades quando imaginou que, se ficasse ali por algum tempo, seria capaz de derrotar o Arcano, e não ser derrotada por ele. Odiava pensar que Tella e Julian a veriam engaiolada, mas precisava voltar para a companhia deles: juntos, conseguiriam traçar outro plano.

– Se for embora agora, jamais o vencerá.

Scarlett já estava próxima das portas principais, mas parou quando ouviu essas palavras da Dama Prisioneira. Até aquele momento, Anissa ficara ainda mais silenciosa, contentando-se em balançar em seu poleiro e observar as repetidas tentativas fracassadas da garota para controlar os sentimentos da mulher. A Dama Prisioneira estava de pé, agarrada às grades de ouro da gaiola, e seus olhos tinham aquela cor de um branco sobrenatural.

– Não desista. Esse não deveria ser o verdadeiro final da sua história, mas, se você for agora, será o começo do fim.

– Eu até ficaria se tivesse alguma ideia do que fazer, mas…

Scarlett deixou a frase no ar, porque a maçaneta girou. *Droga!* Tinha vacilado demais. Gavriel estava de volta.

Só que, quando a porta se abriu, quem entrou não foi a Estrela Caída. A luz da manhã se derramou pelo vão, e um criado bem jovem entrou com um carrinho lotado de comida. E, prontamente, pôs a bandeja em cima da mesa da sala de jantar.

Scarlett não tinha se dado conta do quanto estava faminta nem de que o ar estava parado e azedo até sentir o aroma de bolinhos, folheados de morango, espirais de favo de mel, linguiça polvilhada de açúcar mascavo, ovos condimentados e chá fumegante.

A mulher, finalmente, esboçou um movimento. Ficou de pé, andou até a bandeja pegou o bule de chá com as palmas das mãos e derramou a bebida em cima de toda aquela comida antes que Scarlett tivesse tempo de impedi-la.

Seu manto de raiva piscou por alguns instantes, com fios luminescentes que eram muito semelhantes à sensação de triunfo. Mas, como a maioria das sensações de sucesso, não durou muito. Segundos depois, esses fios se transformaram em sentimentos de um preto avermelhado, de ódio, raiva e amargura.

Um novo plano se formou enquanto Scarlett observava as emoções pulsantes e descontroladas da mulher. Ela estava arrasada, mas não era sem motivo. A Estrela Caída havia cortado seus dedos e a entregara para a filha, para que servisse de material de treino. Scarlett também teria ficado furiosa.

Esse pensamento acendeu uma faísca de esperança. Talvez fosse possível mudar as emoções daquela mulher, afinal de contas.

– Estou decepcionada – declarou Scarlett. – Achei que você confrontaria meu pai com mais inteligência. Posso até não conseguir controlar seus sentimentos, mas consigo vê-los. Foi ele que cortou todos os dedos das suas mãos?

A mulher ficou parada e plácida, feito uma boneca. Mas Scarlett viu as cores vívidas das emoções dela crepitando: pareciam uma fogueira logo depois de receber um novo toco de lenha.

– É a Estrela Caída que você odeia. Você acha que agir feito uma criança mimada comigo vai atingi-lo, mas está enganada. Se realmente quer fazer mal a ele, me ajude.

Scarlett, então, pegou um folheado de morango molhado e deu uma mordida bem grande, como se não estivesse prestes a fazer uma proposta arriscada. Aquela mulher até podia odiar a Estrela Caída, mas isso não era garantia de que iria ajudar Scarlett. Seu ódio era tão horroroso, acalorado e poderoso, que a garota não sabia se ela conseguia sentir outra coisa.

Mas precisava tentar. Anissa tinha razão: se fosse embora, daria início ao final errado. Scarlett até poderia usar a Chave de Devaneio para fugir, mas ela, a irmã e Julian não ficariam fora de perigo por muito tempo. E, talvez, o Império Meridiano, como um todo, jamais recobrasse a segurança.

– Eu tampouco tenho amor pela Estrela Caída – admitiu. – Posso até ser filha dele, mas Gavriel assassinou minha mãe e colocou essa gaiola na minha cabeça. Se você quer fazer mal a ele, me ajude a enganá-lo: descubra um uso mais efetivo para seu ódio. Posso ver esse ódio te consumindo, mas você pode usá-lo para consumir a Estrela Caída. Ou pode continuar derramando bules de chá.

Scarlett terminou de comer o folheado de morango murcho enquanto tentava interpretar a reação da mulher. Só que a raiva e o ódio dela eram tão poderosos que, se sentiu alguma outra coisa, a jovem não conseguiu ver.

Então dirigiu o olhar para a Dama Prisioneira, que estava de novo sentada, toda faceira, em seu balanço dourado.

– Isso vai ser muito interessante – comentou Anissa.

E aí a maçaneta girou.

A Estrela Caída entrou no cômodo usando uma pesada capa dourada, com elegantes bordados vermelhos e uma pala de pele branca e densa. O traje era pesado demais para a Estação Quente, mas Scarlett duvidava que Gavriel se importasse com isso. A capa o deixava com uma aparência poderosa, o que era de extrema importância para o Arcano.

O sorriso satisfeito que exibira em sua última visita havia sumido: aquela vitória já ficara no passado, e ele ansiava por algo mais.

– Trouxe outro presente para você – anunciou Gavriel. Então estalou os dedos, provocando faíscas, e uma dupla de criados carregando uma caixa quase do tamanho de Scarlett entrou no recinto. – Acho que você vai gostar deste presente. Mas, antes, vamos ver se progrediu. Se não conseguiu nada, talvez não seja este o presente que vou te dar.

Dito isso, dirigiu os olhos dourados para o café da manhã da garota, que estava ensopado de chá.

– Acho que você vai ficar satisfeito. – Scarlett forçou um sorriso. – Você pode ver, pelo estado da minha refeição matinal, que a frustração foi uma das emoções que consegui projetar. Eu também…

– Não preciso de um relatório. Quero uma demonstração e prefiro ver uma emoção contrária ao estado natural de raiva e contrariedade dela. Quero que essa mulher sinta adoração por mim. – A Estrela Caída se sentou no banco de mármore e completou: – Obrigue-a a me idolatrar. Quero que ela sinta que sou o deus dela.

Scarlett sentiu o estômago embrulhar. Mesmo que a mulher estivesse inclinada a participar do plano, não conseguia imaginá-la fazendo aquilo. Fingindo autoconfiança, olhou para a jovem através das grades de rubi da própria gaiola, mas duvidou que ela fosse colaborar.

Scarlett precisaria tentar de novo.

*Por favor. Por favor. Por favor, dê certo.*

Esse foi seu mantra silencioso. O coração disparou, e os dedos se retorceram, enquanto imaginava a mulher se levantando do banco e caindo de joelhos, em adoração.

Diante dela, nada mudou: as emoções da mulher eram uma tempestade de fogo, de cores vivas e cegantes. A intensidade era tão extrema que Scarlett demorou para perceber que o olhar da jovem havia se suavizado. Então os lábios dela começaram a se mexer. Até aquele momento, a boca pálida estava apertada, formando uma linha fina. Mas ela a entreabriu, como se um suspiro de assombro silencioso tivesse escapado ao avistar a Estrela Caída.

Foi a coisa mais extraordinária de se ver.

A mulher caiu de joelhos, com os olhos cheios de lágrimas, como se realmente idolatrasse o Arcano.

Foi muito além do que Scarlett imaginara. Ela até poderia ter pensado que a proeza era obra dela, se não fossem pelas cores do ódio que continuavam cascateando dos ombros da mulher, descendo por seus braços tatuados. Ainda bem que a Estrela Caída não podia vê-las. Se pudesse, seus olhos não teriam brilhado quando a mulher se ajoelhou diante dele.

– Impressionante. Nunca pensei que ela olharia para mim desse jeito de novo. Levante a cabeça – ordenou.

A mulher obedeceu.

O Arcano esticou o braço e acariciou o pescoço da jovem, fazendo-a estremecer. Gavriel deve ter achado que foi de prazer.

Então seus lábios esboçaram um sorriso de desdém perfeito.

– É mesmo uma pena que a sua magia tenha acabado e que você agora seja completamente inútil. Até encostar em você me dá nojo. – Ele afastou a mão e completou: – É melhor sair da minha frente antes que eu resolva arrancar outra coisa além de seus dedos.

A mulher caiu no choro.

A Estrela Caída deu risada. Uma gargalhada perversa, de deleite. Scarlett não sabia direito o que estava vendo, mas imaginou que a reação do Arcano não era apenas causada pelo que, na interpretação dele, era o resultado das ações da filha. Sabe-se lá como, aquela mulher fazia parte da história de Gavriel, e a jovem teve a sensação de que aquela história ia muito além dos dedos decepados da jovem.

– Ah, que maravilha. Essa mulher reage como se realmente me idolatrasse e eu tivesse acabado com ela. Muito bom, *auhtara*. Você não apenas a fez sentir, incutiu sentimentos verdadeiros. Mas... – uma ruga marcou a testa perfeita do Arcano – ... sinto que você ainda não empregou toda a sua magia. Vamos ver o que acontece quando tirar esses sentimentos dela. Quero que cada gota de amor e de adoração desapareça. Quero que essa mulher não sinta mais nada. Transforme-a em uma casca sem emoções.

A voz da Estrela Caída exalava crueldade.

Scarlett se segurou para não deixar seu nojo transparecer e voltou a se concentrar somente na mulher, como se realmente a estivesse controlando.

Só que nada aconteceu.

Pelo contrário: a jovem chorou ainda mais. Derramou lágrimas grossas e abundantes: parecia que suas emoções estavam descontroladas. Scarlett não sabia o que a mulher estava tentando fazer. Suas verdadeiras emoções não haviam mudado. As lágrimas não eram verdadeiras, mas estavam conseguindo deixar o Arcano furioso.

O ar no recinto ficou quente e denso: as paredes começaram a suar.

Gavriel olhou feio para Scarlett e ordenou:

– Faça essa mulher parar.

– Não consigo – admitiu a garota. – Eu...

– Pare com isso, senão eu é que vou fazer você parar – ameaçou o Arcano.

A mulher caiu de cara no chão, chorando histericamente, feito criança. Seus lamentos ecoaram por todo o recinto.

A Dama Prisioneira tapou os ouvidos.

Scarlett tentou projetar, com toda a sua fúria, pensamentos e imagens tranquilizantes. Não precisava interpretar as emoções da Estrela Caída para saber que eram destrutivas. Gavriel se levantou do banco. Chamas lamberam suas botas.

– Me dê só mais um minuto – suplicou Scarlett. – Posso resolver isso. Estou aprendendo.

– Não será necessário.

Em seguida, a Estrela Caída levantou a mulher do chão, pelo pescoço. E, aí, quebrou o pescoço dela.

# O
# QUASE-FINAL

## Donatella

Os sonhos de Tella tinham gosto de nanquim, sangue e amor não correspondido. Ela estava dentro do mural de Lenda. A noite tinha cheiro de tinta, e as estrelas-espiãs mais pareciam manchas de ouro branco e não orbes reluzentes. Quando olhou para baixo, viu que a tinta dos degraus de pedra da lua tinha grudado nos dedos dos seus pés, tingindo-os de um branco reluzente.

Donatella estava na última cena do mural, parada nos degraus da entrada do Templo das Estrelas. Mas, diferentemente da pintura, Lenda não estava ao seu lado.

Na cena, estavam apenas Tella, os degraus e as estátuas que pareciam deuses, que, do alto, olhavam feio para a garota. Então a Morte Donzela se aproximou.

– Vá embora! – gritou Tella.

Naquele exato momento, não precisava que aquele Arcano previsse que ela perderia mais uma pessoa amada.

– Por acaso mandar um de nós embora já funcionou alguma vez? – perguntou a Donzela.

– Em geral não funciona. Mas sempre me sinto bem quando digo isso.

– Você precisa ter outras coisas que te façam sentir bem.

– Por exemplo: mandar você, que é a causadora de toda desgraça, ir embora.

O Arcano soltou um suspiro e falou:

– Você que não me compreendeu ainda. Eu tento evitar, e não proclamar, a desgraça. Mas, depois desta noite, não vou mais te procurar. Só virei ao seu encontro se for chamada. Porque, se você não invocar a mim e ao Assassino quando acordar, será tarde demais para salvar a vida de sua irmã e o império.

A Morte Donzela, então, foi para cima de Tella, pegou as mãos da jovem e...

Donatella acordou sobressaltada e se sentou na cama. Estava empapada de suor, da cabeça até a parte de trás dos joelhos. As mãos estavam secas, mas assim que as abriu, ficaram úmidas.

Havia duas moedas sem sorte na palma de sua mão, uma do Assassino e outra da Morte Donzela.

Tella pulou da cama e colocou um robe. Não queria acreditar na Morte Donzela e não queria ter que pedir a ajuda dela. Mas, mesmo que o Arcano não a tivesse visitado em sonho, ela saberia que algo estava errado: teria sido melhor se ela tivesse acordado bem antes.

Na noite anterior, quando foi para a cama, deixara as janelas abertas, na esperança de que o som das ondas do mar abafasse os ecos da rejeição de Lenda.

"Você merece alguém que te ame de verdade... não um imortal que deseja apenas te possuir."

Donatella não sabia se o Mestre do Caraval dissera aquelas palavras só para afugentá-la – se estava seguindo o conselho do irmão, que pedira para Lenda se esquecer dela – ou se era assim que se sentia, de verdade. Mas, na metade da noite, a garota se deu conta de que isso não fazia muita diferença. Lenda tinha razão. Ela merecia coisa melhor do que alguém que só desejava possuí-la. O problema é que queria que a *coisa melhor* fosse Lenda.

Não podia mentir para si mesma e dizer que não queria que o Mestre do Caraval perdesse sua imortalidade por causa dela. Mas sabia que, se um dia Lenda lhe oferecesse seu amor, aceitaria e o guardaria para sempre.

Atormentada por todos esses pensamentos, achou que não pegaria no sono. E, se tinha pegado no sono, era para Julian acordá-la assim que Scarlett entregasse o sangue da Estrela Caída. Mas, das duas, uma: ou Julian não a acordou ou Scarlett não apareceu.

Tella bateu na porta do quarto de Julian e a escancarou quase ao mesmo tempo.

– Jul...

A jovem ficou sem fala ao ver que a cama dele estava vazia.

Saiu do quarto e desceu a escada com passos rápidos, mas Julian não estava em nenhum dos outros andares. Não estava em lugar nenhum da casa.

Donatella só encontrou um bilhete preso na porta da frente, colado pelo lado de dentro.

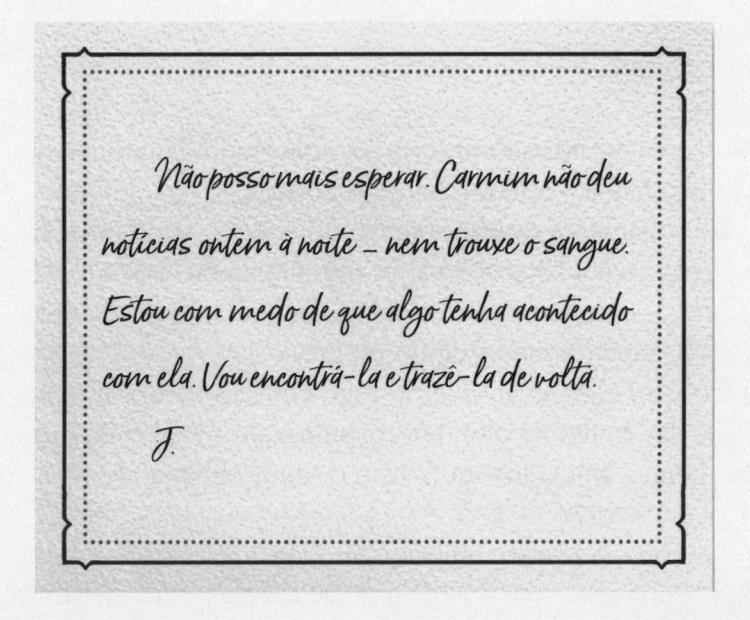

*Não posso mais esperar. Carmim não deu notícias ontem à noite – nem trouxe o sangue. Estou com medo de que algo tenha acontecido com ela. Vou encontrá-la e trazê-la de volta.*

*J.*

# 48

## *Scarlett*

Estrela Caída soltou o corpo alquebrado da mulher, que caiu no chão fazendo um barulho horrível.

— Lamento que você tenha visto isso — falou o Arcano. Em seguida, passou por cima do cadáver e se aproximou de Scarlett, fazendo uma careta. — Ao que parece, você ainda não atingiu sua meta. Mas fico feliz por estar fazendo algum progresso.

Dito isso, Gavriel acendeu o fogo em seus dedos. E aproximou um deles das grades de rubi que aprisionavam a cabeça da garota. Na mesma hora, a gaiola inteira faiscou e sumiu, libertando o pescoço e a cabeça de Scarlett.

Os ombros dela se encolheram, finalmente livres do peso da gaiola. Scarlett ficou com a sensação de que sua cabeça nunca esteve tão leve. Mas não teve forças para agradecê-lo. Depois que o alívio inicial passou, só conseguiu ficar olhando para a mulher morta, caída no chão.

— Isso era mesmo necessário?

— Não fique chateada com a morte dela. Essa mulher traiu a minha confiança há muito tempo. Eu ia matá-la de qualquer jeito. Quase a matei quando a encontrei aprisionada no Templo das Estrelas, mas pensei que poderia ser útil antes de morrer.

O Arcano, então, tirou um cacho úmido que estava grudado no rosto de Scarlett, e essa carícia foi surpreendentemente delicada.

Ela ainda queria ir embora: queria usar a Chave de Devaneio e fugir. Não conseguira o sangue, não conseguira dominar seus poderes. Mas, enquanto a Estrela Caída continuava tentando tirar o cabelo grudado do rosto dela de uma forma que lembrava afeição, a garota recordou que, quando o conheceu, ele comentara a semelhança impressionante entre Scarlett e a mãe – a mulher com quem Gavriel teve uma filha, a mulher que o Arcano assassinou e que, de acordo com o bilhete que Tella enviara, também era a única mulher que a Estrela Caída já havia amado.

Talvez Scarlett estivesse encarando aquilo de uma forma completamente equivocada. Talvez não precisasse dominar os próprios poderes para obrigar o Arcano a amá-la. Talvez pudesse reacender os sentimentos de amor que Gavriel tinha pela mãe dela e torná-lo humano por tempo suficiente para matá-lo.

Ela respirou fundo e estremeceu, só de pensar. Não queria usar amor verdadeiro como arma nem para assassinar alguém. Mas o amor era a única arma que Scarlett possuía. E não faria isso só por si mesma. Faria por aquela mulher morta, caída no chão e por todas as pessoas da cidade de Valenda. E também por todo o Império Meridiano, que sofreria as consequências, caso Scarlett não conseguisse deter a Estrela Caída.

– Como você conheceu minha mãe? – indagou, baixinho.

O Arcano parou de mexer nos cabelos dela.

Na mesma hora em que fez a pergunta, Scarlett ficou com a sensação de que havia cometido um erro, mas insistiu.

– Meu outro pai...

Gavriel tirou a mão do cabelo dela, e os tons tranquilos de pêssego que o cercaram por breves instantes escureceram, até ficarem laranja, prestes a pegar fogo.

Mas, pelo menos, Scarlett tinha conseguido fazê-lo sentir alguma coisa. O oposto do amor é a apatia. Então, mesmo que estivesse claramente direcionando as emoções do Arcano para o lado errado, pelo menos estava chegando a algum lugar com elas. Só precisava guiar melhor os sentimentos de Gavriel, para que sentisse o que ela queria que o Arcano sentisse.

– Eu quis dizer o homem que me criou – corrigiu Scarlett. – Só que só foi se interessar por mim quando cheguei à idade em que ele poderia me arranjar um casamento. Odeio aquele homem.

Os olhos da Estrela Caída brilharam, demonstrando um pouco mais de interesse. O ódio era uma emoção que o Arcano entendia bem. Mas Scarlett teria que tomar cuidado – corria o risco de Gavriel se apegar ao ódio e não ao amor.

– Não quero odiar você também. Mas você me assusta o tempo todo – prosseguiu a jovem. – E não acredito que isso seja uma fraqueza, acho que isso faz de mim uma pessoa esperta. Estou muito grata por você ter tirado a gaiola de minha cabeça. Mas, se quer que eu continue me esforçando para ativar meus poderes, precisa me dar um motivo para confiar em você. É claro que minha mãe teve um relacionamento com você. Ou dormiu com você, pelo menos uma vez.

As narinas de Gavriel se dilataram. Scarlett estava se arriscando, andando em uma linha tênue.

– Nosso relacionamento foi mais do que isso – declarou o Arcano.

– Então me conte.

– Acho que também quero ouvir essa história – interveio Anissa.

Gavriel olhou feio para ela, e chamas lamberam as grades da gaiola.

– Você foi assustador de novo – disse Scarlett.

– Sou assustador. Mas não quero assustar você.

Como havia um cadáver no chão, a garota tinha outra impressão, mas não queria discutir com o Arcano. Até porque ele estava fazendo sinal para que ela o acompanhasse para fora do quarto até o corredor.

A Estrela Caída raramente permitia que Scarlett saísse daqueles aposentos.

Tudo era monstruosamente grande e tingido de magia, o que fez a jovem ter ainda mais consciência da própria e frágil humanidade. Foram passando por colunas ancestrais, da largura de casas pequenas, e afrescos repletos de quimeras e híbridos de humano e animal. Como era um dos locais místicos, o Zoológico teve sua antiga aparência restaurada depois que os Arcanos libertados das cartas despertaram. Para voltarem completamente à vida, os locais místicos exigiam sacrifícios de sangue e outros dízimos, então era bom saber que as criaturas das pinturas não eram reais. Mas Scarlett teve a impressão de que os acompanhavam com olhos e ouvidos atentos, ainda mais quando a Estrela Caída, por fim, tornou a falar.

– Paradise era a ladra mais ousada que já conheci. Não havia nada que ela tivesse medo de roubar. Adorava a emoção, o perigo e os riscos. Acho que foi por isso que se sentiu atraída por mim.

– E por que você se sentiu atraído por ela?

– Começou quando sua mãe me ameaçou de morte.

Scarlett queria acreditar que o Arcano estava brincando. Mas, pelo jeito, Gavriel estava falando absolutamente sério.

– Antes de nos conhecermos, Paradise foi contratada pela Igreja da Estrela Caída.

Sua voz retumbante se encheu de orgulho, e Scarlett se encheu de pavor.

Ouvira falar do Templo das Estrelas, mas não sabia que havia uma igreja especialmente dedicada à Estrela Caída. Mas nem deveria ter ficado surpresa. O Distrito dos Templos tinha de tudo, até uma Igreja de Lenda, coisa que não parecia mais tão estranha em comparação à descrição que Gavriel deu de seu local de adoração.

– A Igreja da Estrela Caída queria que Paradise roubasse um Baralho do Destino da Imperatriz Elantine. Outras pessoas já haviam tentado, mas todas foram pegas em flagrante e morreram por seu fracasso: os fiéis de minha igreja não queriam que ninguém descobrisse que estavam em busca daquele Baralho do Destino específico, porque era o baralho que me aprisionava, assim como a todos os demais Arcanos. Acabaram recrutando Paradise. Àquela altura, o boato de que a empreitada era fatal já havia se espalhado. Mas sua mãe não teve medo de aceitá-la. E, ao contrário de todos que tentaram antes dela, conseguiu roubar as cartas.

Os lábios do Arcano esboçaram um sorriso tão discreto que a garota duvidou de que ele tivesse percebido que mudara de expressão. Gavriel realmente admirava a mãe dela.

– Paradise não confiava em minha igreja, achava que os fiéis trairiam sua confiança. Ela, então, só entregou uma das cartas: a carta que, por acaso, me aprisionava. Disse que o resto do baralho estava escondido em um local seguro que seria revelado depois que o pagamento fosse realizado. Pretendia fugir da cidade. Mas as coisas não saíram como ela planejou. A Igreja da Estrela Caída foi fundada com o objetivo de localizar o Baralho do Destino e libertar a mim e os demais Arcanos. Antes de pagar Paradise, precisavam se certificar de que as cartas eram autênticas. E, por isso, um integrante da congregação se sacrificou para me libertar.

Só de ouvir a palavra "sacrifício", Scarlett teve vontade de se encolher de medo. Mas o sorriso da Estrela Caída ficou mais largo, como ficaria o sorriso de alguém que recordou de uma lembrança querida.

Caso estivesse realmente tentando não a assustar com aquela história, o maldito estava se saindo muito bem.

— Assim que fui libertado, procurei Paradise para localizar o Baralho do Destino e libertar todos os meus Arcanos. Só que o baralho não estava mais com ela. Enquanto minha igreja me libertava, Paradise e o amante consultaram o baralho para ver o futuro dos dois e viram a magia das cartas. Sua mãe ainda não sabia exatamente o que eram aquelas cartas, mas teve a inteligência de reconhecer que valiam muito mais do que minha igreja estava oferecendo. Pretendia pedir uma soma maior. Só que, quando acordou, na manhã seguinte, o amante havia roubado as cartas e sumido. Eu a encontrei amarrada na cama. Quando cheguei, ela não fazia ideia de quem ou do que eu era. Ameaçou me matar, caso eu não a desamarrasse, e fiquei instantaneamente fascinado.

O tom de voz do Arcano foi ficando nostálgico à medida que ele se aproximava da parte mais romântica da história. E, apesar disso, as cores flamejantes que o cercavam estavam ficando raivosas, lambendo os degraus, puxando sua capa e deixando Scarlett nervosa, com receio de que seu plano não saísse como ela queria.

— Começamos como aliados a contragosto. O mundo havia mudado muito desde que eu tinha sido aprisionado. Eu precisava de ajuda para localizar o Baralho do Destino, e Paradise precisava de alguém que a protegesse de minha igreja. Não queria que sua mãe soubesse o quanto estava fascinado por ela. E ela também não queria que eu soubesse o que ela sentia. Não admiti para mim mesmo o que realmente sentia por Paradise até o dia em que ela me contou que estava grávida de você.

Era nessa parte que Scarlett esperava que o Arcano olhasse para ela. E olhou. Mas teria sido melhor se não tivesse olhado. Seus olhos dourados tinham um ar quase selvagem – transmitiam toda a violência do ódio misturado com a paixão do amor, como se tudo aquilo tivesse acontecido no dia anterior e não há 18 anos.

— Eu ia transformar Paradise em imortal depois do seu nascimento. Mas, antes que desse tempo de contar para sua mãe quem eu era, Paradise descobriu tudo sozinha e resolveu se virar contra mim. Ela havia encontrado o Baralho do Destino completo e, em vez de entregá-lo para mim, fez com que eu voltasse para uma das cartas. Eu queria passar a eternidade com Paradise, e ela me traiu.

A Estrela Caída parou de falar abruptamente, em um patamar com vista para um desfiladeiro branco e reluzente. Até então, nunca havia levado Scarlett ali, mas a garota reconheceu as pranchas da morte espalhadas pela beirada do desfiladeiro e o rio vermelho que o atravessava. Era o lugar que Tella descreveu quando contou para a irmã que a Estrela Caída havia assassinado a mãe das duas.

Scarlett deu um passo para trás.

Gavriel imediatamente a segurou pelo braço.

– Não vou te ferir. E a razão é simples: preciso de você. – Então ele apertou tanto o braço da jovem que doeu. – Paradise se aproveitou dos sentimentos mais fortes que já senti e os usou contra mim. Se eu a tivesse amado, poderia ter morrido. O amor é a única fraqueza que nunca consegui derrotar. Os humanos tentam fazer o amor parecer uma dádiva. Mas, quando o encontram, ele não dura para sempre e só causa destruição. Para nós, Arcanos, causa a morte eterna. Acredito que, quando *você* dominar seus poderes, vai poder tirar de mim, de forma permanente, este defeito de corresponder ao amor humano.

# 49

## *Donatella*

—**D**a próxima vez que encontrar com meu irmão, vou pôr uma coleira nele.

Lenda falou baixo, mas Tella teve a impressão de que os quadros do corredor se assustaram.

Depois de achar o bilhete deixado por Julian, Donatella foi acordar Lenda. Pelo jeito, o Mestre do Caraval não dormira muito depois do encontro deles na noite anterior. A porta estava aberta, e ele estava logo na entrada do quarto, usando uma camisa preta amarrotada, que devia ter acabado de vestir. O cabelo castanho-escuro estava todo emaranhado, os olhos exibiam olheiras em forma de meia-lua, e seus movimentos não pareciam tão precisos quanto costumavam ser.

— Eu sabia que Julian ia acabar morrendo por causa daquela garota — resmungou.

— Scarlett não é apenas *aquela garota*! É minha irmã e está arriscando a própria vida para consertar um erro que nós dois cometemos.

O Mestre do Caraval passou a mão no rosto e disse:

— Desculpe, Tella.

Então olhou de novo para ela, e suas olheiras tinham desaparecido. Só que Donatella sabia que ainda estavam ali, escondidas sob uma das ilusões do Mestre do Caraval. Lenda se preocupava com o irmão. Julian até podia não se dar conta disso, mas Tella não só já vira essa preocupação como conseguiu perceber pelo tom que Lenda falou:

— Vou encontrar os dois.

– *Vamos* encontrar os dois – corrigiu Tella. Scarlett era irmã dela. Ela havia concordado que Scarlett voltasse para a casa da Estrela Caída e pedira para a irmã roubar sangue do Arcano, para que pudesse acessar o Ruscica. E aquilo foi, claramente, uma incumbência impossível. – Antes que você me diga que é perigoso demais, fique sabendo que vou procurar minha irmã e Julian independentemente do que você disser. Se não quiser me levar com você, conheço alguém que levará.

Ela então mostrou as moedas sem sorte que havia encontrado quando acordou.

Lenda olhou feio para os discos de metal, e eles desapareceram.

– Pode já desfazer isso que você fez! Sei que ainda estão aqui, só não consigo sentir.

– E o que você vai fazer com essas coisas? – resmungou o Mestre do Caraval.

– Vou entrar em contato com o Assassino e pedir ajuda para resgatar minha irmã. Ele pode fazer Scarlett entrar e sair daquelas ruínas em um piscar de olhos.

– Você mesma falou que o Assassino é louco.

– A Estrela Caída é bem pior. E não vou ficar aqui, parada, enquanto minha irmã está em perigo. Não adoro essa ideia, mas acho que a Morte Donzela e o Assassino podem ser nossa melhor opção para conseguir tirar seu irmão e minha irmã de perto da Estrela Caída.

Lenda ficou mexendo o maxilar, e Tella se preparou para mais uma briga.

– Se realmente fizermos isso, você entra com o Assassino, pega sua irmã e sai de lá imediatamente.

– Por acaso você está mesmo concordando comigo?

As moedas reapareceram na mão da garota. Mas, pela cara que fez, o Mestre do Caraval já estava arrependido dessa decisão. Os músculos do pescoço dele estavam tensos.

– Continuo sem gostar nem um pouco de tudo isso. Mas Aiko e Nigel não viram a Morte Donzela nem o Assassino no palácio. Jovan não os viu nas ruínas, e Caspar não ouviu nenhum boato de que eles estão mancomunados com a Estrela Caída. Não quero confiar nesses dois. Mas, apesar de eu ter poder suficiente para entrar com você nas ruínas, se além de Scarlett Julian também estiver lá, será um desafio conseguir tirar nós quatro do Zoológico sem que ninguém perceba.

Apenas prometa que, se fizermos isso, você não correrá nenhum risco desnecessário, Tella.

Lenda, então, encarou Donatella – as olheiras tinham voltado. Durou apenas um segundo. Mas, naquele instante, ficou parecendo mais humano.

# 50

## *Scarlett*

Quando chegaram à porta do quarto de Scarlett, a Estrela Caída deu um sorriso luminoso para a jovem, como se os dois tivessem acabado de ter a primeira conversa sincera entre pai e filha. Scarlett deve ter atuado melhor do que pensava. Se o Arcano soubesse que a filha jamais se tornaria o motivo para ele ser invencível – que jamais dominaria seus poderes para torná-lo imune ao amor –, a teria colocado em outra gaiola.

Scarlett já estava pronta para pegar a Chave de Devaneio assim que a Estrela Caída a deixasse em seus aposentos e fosse embora. Só que, ao chegarem, o Arcano saudou outros seres místicos que já estavam na entrada: Vossas Aias. Arcanos menores, reconhecíveis pela linha vermelha que mantinha seus lábios costurados e sempre fechados.

– Ai, que ótimo! – arrulhou Anissa, de dentro de sua gaiola no meio da sala de estar. Mas, pela cara, não estava nem um pouco feliz com a chegada das Aias.

– O que elas estão fazendo aqui? – perguntou Scarlett.

A Estrela Caída sinalizou a caixa que havia trazido, pouco antes.

– Vieram ajudar você a se preparar para ser apresentada ao império.

– Também vieram se certificar de que a senhora delas saiba tudo a seu respeito – murmurou Anissa, assim que a Estrela Caída saiu. – A Rainha Morta-Viva usa Vossas Aias de espiãs. A rainhazinha e Gavriel tiveram um caso, há muito tempo. Nós, Arcanos, podemos até não amar, mas somos muito apaixonados e ciumentos. A rainha não ficou nem um pouco feliz quando descobriu que Gavriel teve uma filha com uma mortal. Suponho que tenha curiosidade ao seu respeito.

Scarlett não sabia se aquela era a maneira de a Dama Prisioneira avisá-la para não fugir naquele exato momento. Mas não fazia diferença. Vossas Aias já estavam em cima dela. Tiraram o vestido da garota com uma rapidez sobrenatural e o atiraram em cima do tapete, junto com a preciosa Chave de Devaneio, que continuava no bolso do traje.

Durante todo o processo, Scarlett fantasiou que corria até o vestido e pegava a chave. Mas, se fugisse naquele momento, a Estrela Caída ficaria sabendo imediatamente que ela havia fugido e localizaria seu paradeiro com uma rapidez maior ainda.

A melhor opção era aguentar firme até Vossas Aias irem embora. Scarlett engoliu a vergonha quando as mãos invasivas das Aias insistiram em lhe dar banho e ajudá-la a colocar as roupas de baixo. Cachearam o cabelo da garota com ferros quentes, depois o prenderam no topo da cabeça, delinearam seus olhos com *kajal*, pintaram seus lábios com laca de rubi e passaram pó dourado por toda a pele dela, até Scarlett ficar parecendo um dos Arcanos. Quando se olhou no espelho, achou que estava tão parecida com a mãe que chegava a ser impressionante.

Scarlett tremeu, porque as Aias a deixaram sozinha e foram buscar a caixa que Gavriel havia trazido.

Se tivesse sido dado por qualquer outra pessoa, o vestido que estava dentro da caixa teria sido um presente maravilhoso. O corpete dourado tinha alças fininhas, caídas nos ombros, feitas de minúsculas estrelas de diamante amarelo. Elas brilhavam na luz e projetavam fragmentos iridescentes de arco-íris por todo o recinto. A saia era tão volumosa e vermelha quanto um coração partido, menos quando ela se movimentava. Bastava Scarlett virar ou inclinar os quadris que uma explosão de ouro descia da cintura até a bainha, onde o ouro brilhava, reluzia e piscava, feito cometas minúsculos.

A garota jamais teria odiado algo tão espetacular. Não resistiu quando Vossas Aias a ajudaram a vesti-lo, torcendo para que sua tarefa estivesse completa e pudessem, por fim, se retirar. Mas, assim que Scarlett estava vestida, apareceu um novo acompanhante.

Seu rosto era belo demais para ser humano. Tinha pele negra, olhos emoldurados por cílios grossos e compridos e lábios com uma curva natural que dava a impressão de que ele estava sempre sorrindo. Seu manto verde nefasto era da cor das folhas da hera venenosa durante a Estação Quente. O manto se enroscou nos tornozelos do rapaz quando ele fez uma reverência perfeita para Scarlett, sem derrubar uma gota sequer da bebida que havia dentro do cálice cheio que ele segurava.

*Definitivamente, é outro Arcano.*

Fios adocicados de magia misturados com explosões de dourado empolgado serpenteavam em volta dele.

A Dama Prisioneira parou de se balançar. Ficou observando aquele novo e jovem Arcano com uma combinação conflitante de fascinação vermelha borbulhante e ojeriza amarela quando ele estendeu a mão livre e pegou a mão de Scarlett.

— É um prazer enorme conhecê-la, Vossa Alteza. — Os anéis do rapaz brilharam quando ele levou a mão de Scarlett aos lábios e lhe deu um beijo cavalheiresco. — Passaremos muito tempo juntos. Eu me chamo Veneno.

Scarlett puxou a mão imediatamente, recordando da família petrificada que encontrara durante o Festival do Sol.

— Pelo jeito, a garota já ouviu falar de você e não ficou entusiasmada — comentou a Dama Prisioneira, de dentro da gaiola.

— Farei com que ela mude de opinião. — Veneno sorriu, mostrando os dentes perfeitamente alinhados. — Vou me tornar o melhor amigo dela.

— Duvido — resmungou Scarlett, entredentes.

Veneno levou a mão ao coração, e as joias reluziram em seus dedos.

— Achei que talvez você fosse mais gentil do que seu pai. Se fiz algo que lhe ofendeu, por favor, me perdoe. Do contrário, esta será uma noite deveras tediosa. — Ele, então, deu o braço para Scarlett e disse: — Estou aqui para acompanhá-la até a coroação.

— Tome cuidado — advertiu a Dama Prisioneira.

— Relaxe — retrucou Veneno. — Você acha mesmo que eu faria mal à filha de Gavriel?

— O aviso não foi só para ela. — O tom de Anissa se suavizou de leve, e seus olhos ficaram daquele tom de branco perturbador. — Tortura e morte estão a caminho.

Scarlett estremeceu.

Veneno a puxou mais para perto de si e falou:

— Não tema, estrelinha. Acho que ela só está dizendo que a festa será dramática.

Sem mais cerimônias, Veneno tirou Scarlett do quarto e foi percorrendo com ela os corredores suntuosos do local. Eles desceram por uma série de passagens subterrâneas que levavam do Zoológico até o interior da Torre Dourada, no palácio imperial.

Enquanto subiam os inúmeros degraus que levavam ao alto da torre, o Arcano não parou de tagarelar. Scarlett estava com calor por causa do vestido pesado e da maquiagem cintilante. Só que Veneno ficava mais empolgado a cada lance de escadas, como se tivesse ficado animado de verdade com o aviso dado pela Dama Prisioneira.

Só parou quando estavam bem diante do cômodo onde deveriam encontrar o pai da garota.

– Eu fui sincero quando disse que quero ser seu amigo. Você pode até não gostar de mim, estrelinha. Mas, se precisar, estou à disposição.

O sorriso encantador se tornou algo perigosamente tóxico quando as portas se abriram diante deles, dando acesso ao recinto onde a Estrela Caída esperava pelos dois.

O cômodo ostentava em suas paredes tapeçarias representando guerras violentas, e a Estrela Caída demonstrava traços de ganância em tons de amarelo podre. O Arcano estava no meio de um destacamento de guardas, homens e mulheres jovens e musculosos, que deveriam ser os melhores seguranças de Valenda. Só que, comparados a Gavriel, mais pareciam crianças brincando de se fantasiar. O ar em volta do Arcano estava faiscando de eletricidade: seus olhos resplandeciam chamas, e a capa que usava fluía dos ombros feito ouro líquido.

Quando Scarlett entrou, os olhos da Estrela Caída se acenderam. Houve um piscar de surpresa rosa claro, da cor dos corações frágeis. E, por um instante tão fugidio que poderia ser apenas o nervosismo da garota lhe pregando uma peça, Scarlett pensou que a Estrela Caída enxergou Paradise. O Arcano a pegou pelo braço, desvencilhando-a de Veneno, e a levou até a sacada. Tratava a filha com tanto cuidado que ninguém diria que, há poucas horas, havia matado uma pessoa na frente dela.

Aplausos e gritos de alegria irromperam quando os dois pisaram na sacada. O pátio de vidro, lá embaixo, estava lotado de gente. Havia crianças sentadas sobre os ombros dos pais e pessoas ocupando os chafarizes e o topo das árvores – e nenhuma delas fazia a menor ideia do que realmente estava aplaudindo.

Scarlett pousou os olhos em um menininho que usava uma coroa de papel e olhava fixamente para a Estrela Caída, como se quisesse ser notado pelo Arcano. Outras crianças e adultos fitavam Scarlett do mesmo modo, admirando-a simplesmente porque ela estava com um vestido deslumbrante, em uma sacada, ao lado do homem que detinha todo o poder.

A garota teve vontade de vomitar. Não era a princesa daquela gente nem sua salvadora: era seu maior fracasso. Nem sequer estava prestando atenção no que a Estrela Caída estava dizendo até que ouviu as palavras "Paradise, a Perdida".

E, naquele momento, Scarlett aguçou os ouvidos.

— A história conhece Paradise como ladra e criminosa, mas eu a conheci como minha esposa. — Gavriel fechou os olhos e franziu o cenho, em uma demonstração de tristeza fingida. — Ela é o motivo para eu ter voltado a Valenda. Gostaria de poder dizer que vim para salvar todos vocês dos vilões que assassinaram seu último futuro imperador, mas já estava vindo para cá antes disso. Atravessei o mundo para chegar aqui assim que fiquei sabendo que um bandido que atende pelo nome de Dante Thiago Alejandro Marrero Santos seria coroado imperador. Sabia que precisava detê-lo. Esse homem não é o filho perdido de Elantine. Minha esposa, Paradise, a Perdida, é que é.

Por todo o pátio, bocas se abriram, soltando suspiros de assombro e *ahhhs*. Todos estavam ansiosos para acreditar nele, apesar de o Arcano não ter apresentado nenhuma prova real do que disse.

Os vivas da plateia se transformaram em um silêncio respeitoso, e Gavriel prometeu governar como sua falecida esposa gostaria de ter governado. Ele até fez uma voz embargada, e Scarlett pensou ter visto diversas damas desmaiarem. Pelo jeito, ninguém ficou alarmado pensando que, se aquele homem tivesse mesmo se casado com Paradise, deveria parecer muito mais velho.

— E agora — anunciou a Estrela Caída —, gostaria de lhes apresentar alguém muito especial. Paradise e eu tivemos uma única filha: Scarlett, sua nova princesa. — O Arcano colocou um diadema de rubi na cabeça da garota. — Ela é minha única herdeira. Mas, não se preocupem: pretendo governar por muito, muito tempo.

O pátio irrompeu em aplausos. Talvez, uns poucos indivíduos mais intuitivos tenham encarado as últimas palavras do Arcano como uma ameaça e não como uma promessa de prosperidade. Mas Scarlett não enxergou o rosto dessas pessoas quando a Estrela Caída acenou e Veneno se aproximou, levando nas mãos uma coroa de ouro tão pesada que boa parte dos mortais teria se curvado sob seu peso. Parecia algo simbólico – em breve, todos os seres humanos do império seriam esmagados pelos punhos do Arcano que a usaria.

Scarlett tentou se afastar dele quando saíram da sacada. Mas Gavriel deu o braço para ela e falou:

– Quero que você fique do meu lado esta noite.

Juntos, desceram todos os degraus da Torre Dourada, até chegar à sala do trono e entrar em um pesadelo disfarçado de festa.

# Scarlett

Aquele era o tipo de comemoração que entraria para os livros de história e, uma hora ou outra, iria se transformar em contos de fadas romantizados, nos quais até as partes horríveis parecem atraentes. Dali a cem anos, quem ouvisse falar da festa de coroação da Estrela Caída poderia desejar estar presente – só que boa parte dos seres humanos que realmente estavam presentes faziam cara de quem preferia não fazer parte do público de sorte que teve permissão para entrar na festa.

Scarlett não sabia como os guardas decidiram quem entrava e quem não entrava entre as pessoas que estavam no pátio. Mas imaginou que poderiam ter prometido recompensas para elas, caso sobrevivessem àquela noite. Porque, pelo jeito, apesar de todas as agressões, ninguém estava revidando.

Perto da escadaria que ela acabara de descer, Vossas Aias costuravam os lábios dos convidados com uma linha vermelha e grossa. A Noiva Abandonada, com seu véu de lágrimas, beijava todos os homens casados até as esposas começarem a chorar. O Príncipe de Copas estava lá com uma aparência devassa, mas Scarlett não o observou por tempo suficiente para descobrir o que ele estava fazendo. Talvez fosse Jacks quem estava controlando as emoções dos seres humanos, para que todos se comportassem.

A Sacerdotisa cheirava a sofrimento e ziguezagueava entre os convidados. Usava um vestido de baile formado por camadas de um tecido bem fininho, que esvoaçava quando ela se movimentava. Scarlett nunca havia falado com ela, mas Anissa contara que a voz era o talento da Sacerdotisa. O Arcano podia convencer qualquer pessoa a trair a própria mãe ou a pessoa amada e até mesmo a revelar seus mais terríveis segredos.

A jovem tentou ficar afastada da Sacerdotisa – não que houvesse muitos locais seguros ali. O trono onde Gavriel, de acordo com a tradição, deveria se sentar esguichava sangue, feito o Trono Ensanguentado dos Baralhos do Destino. Só que Scarlett não sabia se era o Trono Ensanguentado em si ou simplesmente uma réplica. Diante dele, havia um palco de cerejeira envernizada que fedia a tormento e mortificação. Era a mesma cena que vira atrás do palacete de Nicolas. Scarlett ficou assistindo ao Bufão Louco movimentar as pessoas pelo palco como se fossem marionetes. Tinham os braços e as pernas presas por fios que o Arcano controlava magicamente, criando movimentos bruscos de boneco.

Scarlett teve vontade de cortar os fios e libertar todas aquelas pessoas, só que o grupo não parecia estar correndo tanto perigo quanto o círculo em volta de Veneno: todos aparentavam nervosismo e seguravam cálices de um líquido roxo e borbulhante. A garota não sabia ao certo qual era a brincadeira. Mas recordou que Anissa avisara sobre torturas e mortes quando reparou em alguns dos mais novos objetos decorativos da sala: estátuas de pedra em tamanho real e esculturas de gelo, já derretendo, de pessoas segurando cálices em suas mãos.

Ela fincou o pé no chão, olhou para o pai e disse:

– Acho que seus Arcanos estão indo longe demais. Pensei que você queria que seu povo te adorasse.

– Eles estão só se divertindo.

– Mas eu não estou. – Ela puxou o braço, desvencilhando-se de Gavriel, e disse: – Quero que você mande parar isso.

Scarlett sabia que haveria consequências. Mas lutar contra aquilo valeria a pena.

– Isso me deixa sem vontade nenhuma de dominar meus poderes e me tornar um de seus Arcanos.

A Estrela Caída contorceu o rosto com irritação.

– Veneno, transforme-os em seres humanos de novo. Minha filha não gostou muito dessa brincadeira.

Minutos depois, a maioria das estátuas e das esculturas de gelo voltou à forma humana. Mas os horrores da noite ainda não haviam terminado.

Bem na hora que Veneno trazia a última estátua de volta à vida, Scarlett avistou um rosto bonito entre os guardas que estavam perto da porta. Pele dourada, sorriso brincalhão e olhos castanho-claros, que fitaram os dela. *Julian.*

Scarlett não conseguiu desviar o olhar. Era para ela ter feito alguma coisa para chamar a atenção e distrair os Arcanos, para que Julian pudesse fugir daquela festa maldita. Seu disfarce mantinha os seres místicos longe dele, mas isso não garantia sua segurança.

– Aquele jovem guarda – disse a Estrela Caída, acompanhando o olhar da filha. – Você o conhece? Devo trazê-lo até aqui? Talvez possamos usá-lo para você testar seus novos poderes.

– Não – respondeu Scarlett.

Mas, mais uma vez, deveria ter agido de forma diferente. Deveria ter dito qualquer outra coisa que não fosse aquela única palavra. Assim que o "não" saiu pelos seus lábios, Gavriel se dirigiu ao Arcano mais próximo: a Sacerdotisa, Sacerdotisa, da voz hipnótica.

– Traga aquele guarda que tem uma cicatriz no rosto até aqui – instruiu a Estrela Caída.

– Não, por favor – suplicou Scarlett. Mas, pelo jeito, dizer "por favor" foi tão eficiente quanto a palavra "não". Só fez a Estrela Caída dar um sorriso cruel quando a Sacerdotisa passou o braço na cintura de Julian e se aproximou, arrastando o rapaz.

– Acho que eu não deveria testar meus poderes aqui – argumentou Scarlett. – E se eu não conseguir como aconteceu há pouco? Não quero fazer você passar vergonha.

– Acho que, desta vez, isso não vai acontecer.

Gavriel, então, deu um sorriso perturbador, bem na hora que a Sacerdotisa apareceu, segurando Julian pelo braço.

Um cacho do cabelo castanho caiu na testa do rapaz. Quando a Sacerdotisa apertou os dedos no braço dele, Julian parecia muito mais novo do que o patife que Scarlett vira pela primeira vez em Trisda – e mortal em demasia.

A pele da Sacerdotisa brilhava feito mármore, e seu vestido esvoaçante fez Scarlett pensar em virgens sacrificadas. Só que a jovem tinha a impressão de que, naquele contexto, Julian é que seria sacrificado.

Mas o rapaz não se acovardou: ficou parado com uma postura reta e altiva, cercado por explosões de bravura cor de vara-de-ouro e espirais de imprudência cor de latão.

– Obrigado por me trazer até aqui – agradeceu ele. – Eu tinha mesmo esperança de tirar a nova princesa para dançar.

Um brilho de deleite acendeu os olhos da Estrela Caída.

– Antes disso, preciso que você responda a uma pergunta. – Faíscas vertiginosas se espalharam pelo ar, porque Gavriel se virou para a Sacerdotisa e pediu: – Pergunte para o rapaz de onde ele conhece minha filha.

A Sacerdotisa repetiu a pergunta e, quando falou, Scarlett só conseguiu ouvir a voz dela. Era um som de luzes faiscantes, luas cheias e desejos prestes a serem realizados.

Julian respondeu, sem hesitar:

– Ela é o amor da minha vida.

O coração de Scarlett se partiu e explodiu, tudo ao mesmo tempo.

As faíscas que cercavam a Estrela Caída se transformaram em chamas desenfreadas.

– Talvez seja por isso que você não conseguiu dominar seus poderes. Você também o ama?

A Sacerdotisa repetiu a pergunta da Estrela Caída para Scarlett. De repente, a garota só conseguia pensar em Julian. Estavam de volta ao Caraval, enroscados na cama, e ele lhe dava uma gota do próprio sangue para salvar a vida de Scarlett, que o amou naquele momento e o amava desde então. Mas não podia confessar isso para Gavriel.

– Não resista à pergunta, *auhtara*, ou vai morrer por causa dela.

Lágrimas rolaram pelo rosto de Scarlett.

– Sim, eu o amo apaixonadamente.

– Que decepcionante.

A Estrela Caída fez sinal para a Sacerdotisa, que começou a arrastar Julian para longe dali.

– Pare! – gritou Scarlett.

Ela tentou ir atrás deles.

Gavriel segurou o braço da filha. Sua mão estava de um vermelho vivo prestes a pegar fogo e a levou, à força, até o trono ensanguentado.

Uma dor lancinante sacudiu os ombros de Scarlett. Ela gritou, atraindo olhares por toda a sala do trono.

– Não pretendo feri-lo e prefiro não te ferir de novo. Mas farei isso se você não se comportar.

O calor da mão da Estrela Caída se dissipou, mas o Arcano continuou segurando o braço cheio de bolhas de Scarlett. Ele a levou de volta até o trono ensanguentado enquanto a Sacerdotisa levava Julian até o palco revoltante do Bufão Louco.

– Não quero que o rapaz nos ouça nem faça uma encenação como a que você incitou meu *presente* a fazer.

– Do que você está falando? – perguntou Scarlett.

– Acho que passamos do ponto de fingir. – A Estrela Caída pôs a boca bem perto dos ouvidos de Scarlett e explicou: – Nada do que você fez durante a última semana é segredo. Você achou mesmo que Anissa não me contaria tudo o que você estava aprontando?

*Sim. Scarlett achou.*

– Mais tarde, terei que te castigar de novo por causa disso. A menos que prove seu valor neste exato momento.

Gavriel se sentou em seu trono ensanguentado e obrigou Scarlett a se empoleirar no braço do móvel, feito um objeto decorativo. Poucos instantes atrás, ele a chamara de princesa, mas a jovem não passava de um peão. O sangue sujou as costas de seu lindo vestido, e ela ficou imaginando de que outras maneiras Anissa teria traído sua confiança. Mas aquele não era o momento de se preocupar com isso.

Todos na festa ficaram observando Julian ser levado até o palco, do outro lado da sala. Scarlett ficou tentando fazê-lo fugir com a força do pensamento, mas o rapaz devia temer pela vida dela, porque não resistiu quando o Bufão Louco e a Sacerdotisa amarraram fios em seus braços e suas pernas.

– Agora – sussurrou a Estrela Caída –, quero que você utilize seus poderes nele. Retire o amor que este rapaz tem por você e substitua por ódio. Se eu vir um ódio verdadeiro por você nos olhos do rapaz, vou permitir que ele saia vivo daqui.

– Não posso fazer isso. – A voz de Scarlett foi ficando mais trêmula a cada palavra. E não apenas porque cada parte de seu ser repelia a ideia de fazer Julian desprezá-la. – Não posso controlar emoções.

– Então ele vai morrer – declarou Gavriel, com a maior objetividade. – E, se eu perceber que você está tentando mudar meus sentimentos de alguma forma, vou atear fogo em todo este recinto e matar cada um dos seres humanos que estão aqui.

Scarlett soltou um suspiro frágil e deu uma rápida olhada em todas aquelas pessoas indefesas que estavam na sala do trono. Metade dos presentes a observava. O restante estava virado para Julian, todo amarrado feito uma marionete, em cima do palco. E, apesar disso, as cores em volta dele continuavam vivas, ferozes e repletas daquele profundo e interminável amor carmesim. Ela nunca havia sentido tanto amor na vida. Era um amor puro e desprendido, sem medo nem arrependimento. Naquele momento, Julian só queria a segurança *de Scarlett.*

E a jovem tinha que acabar com todos esses sentimentos para que ele continuasse vivendo.

Scarlett poderia ter gritado. Olhou para Julian e pronunciou as palavras "eu te amo", sem emitir som, sabendo que poderia acontecer de nunca mais dizer aquelas palavras com sinceridade. Se conseguisse dominar seus poderes, não estaria apenas removendo o amor que Julian sentia por ela. Aquilo faria dela um dos Arcanos do pai, e ela perderia a própria capacidade de amar.

Por isso, antes de tentar apagar o amor de Julian, Scarlett se permitiu senti-lo uma última vez. Permitiu que seu amor saísse de dentro dela e fosse tocar no do rapaz, assim como dois instrumentos separados podem tocar juntos, criando uma música mais bela. E foi assim que Scarlett soube como mudar o que Julian estava sentindo – como transformar a música do jovem, para que entrasse em dissonância com a dela.

Até então, Scarlett sempre tentara projetar um sentimento ou uma imagem na outra pessoa. Mas o que precisava fazer era compelir os sentimentos do próprio Julian. Precisava alcançá-los com sua magia e enroscá-los até que suas cores começassem a mudar, mudar, mudar e...

– Não! – gritou Julian, debatendo-se contra as amarras que o mantinham em cima do palco. Ele não tinha ouvido as orientações da Estrela Caída, mas sabia o que o Arcano pretendia fazer com Scarlett. Sabia que aquele ataque às suas emoções era da magia dela. E Julian havia alertado a namorada a respeito dessa magia. – Não faça isso, Carmim!

A Estrela Caída bateu palmas, e saíram faíscas das pontas de seus dedos.

Em cima do palco, lágrimas escorreram pelo rosto de Julian. Que estava resistindo a Scarlett, lutando contra os poderes dela com todas as suas forças. Só que essa mesma resistência ajudava a magia da garota a vencer. Scarlett conseguia ver que o amor de Julian estava se transformando em raiva.

E começou a tremer.

A Estrela Caída a segurou novamente, para que não caísse do braço do trono. Scarlett não sabia se estava tremendo por lutar contra Julian ou se, finalmente, conseguira acionar todos os seus poderes. Mas tinha a impressão de que não podia mais controlar o próprio corpo.

Conseguia sentir a magia que estava usando, preenchendo-a e cercando-a do mesmo modo que o amor que sentia por Julian fizera havia poucos instantes. Era uma sensação inebriante e poderosa. Sem o menor esforço, podia ver muito mais do que apenas as emoções de Julian. Viu cores por toda a sala do trono. O verde afoito de diversos Arcanos serpenteava em volta de um arco-íris de cores humanas de pavor e curiosidade mórbida. E sabia que, se quisesse, poderia distorcer todas aquelas cores, com um único pensamento. Era algo maravilhoso, de todas as formas erradas. Cada centímetro de sua pele estava arrepiado. Olhou de relance para baixo, viu que a própria pele estava brilhando e reluzindo de pó de ouro – e de magia mística dos Arcanos.

– Finalmente. – A Estrela Caída apertou o braço de Scarlett. Você está quase lá, *auhtara*.

Julian gritou novamente:

– Não faça isso, Scarlett!

Aquele nome lhe pareceu errado. Julian nunca a chamava de Scarlett. Mas ouvir aquilo não doeu tanto quanto deveria.

– Falta pouco – insistiu Gavriel. – Desprenda-se dos sentimentos que tem por ele e assuma o controle do restante de seu poder!

Scarlett se esforçou mais, e o rosto de Julian se transformou em pura fúria. Ela conseguia ver os contornos das emoções dele ficando chamuscadas, feito um objeto depois de pegar fogo.

Julian se debateu contra suas amarras.

– Você mentiu, Scarlett! Você disse que sempre escolheria ficar comigo.

O olhar febril do rapaz cruzou com o dela. Mas, pela primeira vez, não transmitiu nenhum calor.

Scarlett não estava salvando a vida de Julian. Estava destruindo o rapaz.

Sua magia falhara.

Ela não conseguia fazer aquilo.

Anissa havia dito – várias e várias vezes – que, para derrotar a Estrela Caída, Scarlett precisava se tornar aquilo que o Arcano mais queria.

Só que a Dama Prisioneira traiu a confiança da garota. E Scarlett sabia que, mesmo que aquela fosse a única maneira de superar o pai, era uma traição muito grande a tudo em que ela acreditava. Se permitisse que Gavriel a convencesse de fazer aquilo, do que mais a Estrela Caída poderia convencê-la, já que ela não mais teria o amor e, ainda por cima, seria um Arcano? Será que Gavriel ameaçaria matar Julian novamente, caso Scarlett se recusasse a remover a habilidade de amar do Arcano? E será que Scarlett conseguiria resistir à Estrela Caída – será que sentiria algum desejo de resistir?

Scarlett se apoiou em sua magia mais uma vez e desenroscou as emoções de Julian, libertando-as, até não ficarem mais emaranhadas, cheias de nós e de ódio.

O rapaz parou de se debater, e sua cabeça caiu para a frente. Mas, apesar disso, conseguiu fitar Scarlett com os mais lindos olhos castanhos que já vira na vida. Estavam vidrados e vermelhos – Julian continuava em sofrimento, mas também ainda era apaixonado por ela.

A Estrela Caída apertou o braço de Scarlett, fazendo estourar bolhas por toda a pele que o Arcano já havia queimado. Mas isso não foi suficiente para fazer a filha mudar de ideia. Gavriel podia queimá-la, torturá-la, colocá-la dentro de uma gaiola de novo, mas jamais conseguiria obrigá-la a ferir Julian.

– O que você pensa que está fazendo? – indagou o Arcano.

Scarlett sorriu para os presentes, como se isso também fizesse parte da farsa que ele a obrigara a desempenhar, mas falou baixo, sabendo que desafiá-lo em público poderia provocar, rapidamente, a morte de Julian.

– Estou propondo um novo acordo. Se quiser meus poderes, eu os entregarei para você, mas não desse jeito. Ele será libertado neste exato momento ou você não ganha nada de mim.

O trono esguichou sangue com maior rapidez, cobrindo os braços da Estrela Caída de vermelho.

– Eu poderia matá-lo só por sua desobediência.

– Só que, aí, você nunca vai pôr as mãos nos meus poderes. – Scarlett continuou sorrindo conforme mais cabeças se viravam para observá-los. Provavelmente, por curiosidade: queriam saber por que o espetáculo parara de repente. – Se não fizer isso agora, nunca mais faço mais nada por você.

– Muito bem. Vou fazer o que você pede.

A Estrela Caída fez sinal para o Bufão Louco e a Sacerdotisa desamarrarem Julian.

– Viu só, como posso ser generoso? – perguntou Gavriel. – Seu precioso amor logo estará livre. Mas, quando eu vir você de novo, espero que cumpra sua promessa. Você vai aceitar seus poderes, vai se tornar um verdadeiro imortal e tirar de mim a fraqueza que me dá a capacidade de amar. Se não conseguir, vou torturar todas as pessoas de quem você gosta até você implorar para acabar com a agonia delas e, por fim, matá-las.

## Scarlett

Scarlett não fazia ideia de quanto tempo demoraria para a Estrela Caída procurá-la, ainda naquela noite, mas não tinha a menor intenção de estar no quarto quando o Arcano chegasse. Assim que teve permissão para ir embora da festa horrenda de Gavriel, voltou correndo, pelos túneis, até seus aposentos no Zoológico.

A Dama Prisioneira pulou do poleiro de ouro em um turbilhão de tecido violeta, no instante em que Scarlett entrou.

— Que…

— Não me dirija a palavra, sua duas-caras, sua decepção em forma de mulher!

Anissa fez uma bela careta e disse:

— Eu tentei te avisar, falei que não consigo mentir.

— Já falei para não me dirigir a palavra!

Scarlett arrancou o vestido ensanguentado do corpo assim que chegou ao quarto e colocou o próprio vestido encantado. Toda a peça se aqueceu em contato com sua pele: parecia que estava com saudade dela. E aí foi ficando mais grosso e resistente, porque o tecido, de um cetim macio, se transformou em um couro maleável de vermelho flamejante. O modelo do vestido se transformou também, se ajustando no peito e no tronco e se abrindo, a partir da cintura, em uma saia godê.

— Scarlett, me escute — insistiu a Dama Prisioneira. — Não sei o que está planejando…

– Fique quieta! – Scarlett pegou a Chave de Devaneio e se dirigiu para a porta. – Se não é uma traidora, guarde suas palavras para distrair ou despistar Gavriel quando ele vier me procurar.

– Mas a tortura...

Scarlett ignorou o que Anissa falou depois disso. Enfiou a Chave de Devaneio na fechadura – pensando apenas em Julian, torcendo para que ele já estivesse bem longe do palácio –, virou o objeto mágico e abriu a porta.

De início, pensou que a chave não havia funcionado. Estava no corredor de um calabouço, muito mais fétido do que aquele em que os guardas de Lenda haviam prendido Tella. O ar tinha cheiro de água parada e de coisas que foram abandonadas e morreram ali. Atrás das grades de ferro, Scarlett viu diversos instrumentos de tortura: grelhas, suportes, correntes e cordas. Então viu Julian, pendurado do teto.

Suas pernas ficaram bambas. Ela já o vira ferido, já o vira morto, e nenhuma dessas duas coisas facilitavam a visão daquela cena.

O rapaz estava com as mãos acorrentadas por cima da cabeça, pendurado em um gancho no teto, e ficava balançando em cima de um ralo manchado de sangue. Haviam arrancado sua camisa, o peito estava vermelho e suado, e metade de seu belo rosto estava tapada por uma máscara de ferro da qual Scarlett viu apenas uma parte, porque Julian estava de cabeça baixa, como se não conseguisse mais levantá-la.

Provavelmente o pai dela havia mandado seus Arcanos prenderem o jovem assim que ele saiu da festa. Ou então Julian, sendo tolo, havia voltado para buscá-la.

– Carmim... – falou, com a voz rouca e abafada.

– Vai dar tudo certo. – Scarlett tentou parecer confiante, mas sua voz ficou embargada, e seu coração se partiu ao meio. – Eu... eu vou dar um jeito de tirar você daí.

– Não – gemeu o rapaz. – Você... você... precisa dar o fora daqui.

– Não vou sem você.

Scarlett ficou na ponta dos pés para tentar tirar Julian do gancho, mas não conseguiu alcançar. Precisava de uma escada ou de um banquinho.

Ela correu, frenética, pelo corredor. Alguns dos demais prisioneiros a chamaram, mas Scarlett os ignorou e continuou procurando, até que encontrou um banquinho, que deveria pertencer ao guarda ausente. Arrastou o banco até a cela de Julian e subiu nele.

As emoções do rapaz eram sombras cinzentas e fracas. Ele balançou enquanto Scarlett procurava o cadeado das algemas que acorrentavam seus pulsos. Claro que não havia cadeado nenhum, era uma corrente sem começo nem fim. Scarlett precisou erguer Julian para conseguir desprender as mãos dele do gancho no teto, mas o rapaz permanecia algemado.

Ele abriu os olhos e os fechou em seguida.

– Eu te amo – gemeu. – Se eu morrer.... foi...

As cores que o cercavam piscaram e desapareceram por completo.

– Não! – exclamou Scarlett. – Você não vai morrer! Vamos superar isso juntos ou não vamos superar. Não desista de mim, Julian. *Vou salvar sua vida, vou salvar sua vida, vou salvar sua vida, vou salvar sua vida.*

Scarlett ficou repetindo o mantra e usou toda a força que tinha para erguer o corpo inerte de Julian e tirá-lo do gancho. A pele dele estava gelada e empapada de suor. O rapaz se atirou em cima de Scarlett e quase derrubou os dois no chão.

– Julian. – Scarlett disse o nome dele com um tom de exigência, passou o braço por suas costas febris e o ajudou a ficar de pé. – Precisamos chegar à porta da cela, e aí posso usar a Chave de Devaneio para nos tirar daqui.

– Receio que a sua chave não vá ajudar desta vez.

Todas as grades da prisão entraram em combustão. O calabouço ficou repleto de violentas chamas vermelhas e alaranjadas, e a Estrela Caída surgiu do outro lado da cela de Julian. Veneno, com o indefectível cálice de toxinas na mão, estava ao lado de Gavriel, com um esgar entusiasmado que lhe dava uma aparência ainda mais perversa, por causa da luz do fogo.

Scarlett tentou correr até a porta, carregando Julian, sem se importar com o fato de estar em brasa. Só que a Estrela Caída chegou antes dos dois. Escancarou a porta, para que a jovem não conseguisse alcançá-la, e entrou na cela.

Gavriel havia tirado a coroa, mas ainda vestia as roupas régias encharcadas de sangue. Quando se aproximou, gotículas vermelhas sujaram as pedras do chão.

O vestido de Scarlett se transformou imediatamente. Com uma rajada de ruídos metálicos, o couro vermelho flamejante foi substituído por um vestido de baile surpreendente: uma armadura de placas de aço.

Gavriel deu risada, uma gargalhada cruel e retumbante.

– O Vestido de Vossa Majestade… Esse traje nunca gostou de mim.

– Não foi nessa roupa que a Rainha Azane se transmutou quando morreu? – perguntou Veneno. – Achei que essa aí fazia mais o tipo romântico do que guerreiro.

– Talvez ela simplesmente não goste de vocês dois – disparou Scarlett.

– De mim, tenho certeza de que ela nunca gostou. É uma pena, também. Azane poderia ter sido gloriosa. – Os dedos da Estrela Caída arderam em chamas. – Não quero ferir você.

– Então não faça isso. – Scarlett apertou o corpo de Julian, procurando outra saída com os olhos, mas só havia três paredes impenetráveis e grades em chamas diante deles. – Deixe a gente ir embora.

– Estou tentando te ajudar, *auhtara*.

O Arcano, então, deu mais um passo. E, antes que desse tempo de Scarlett escapar, pôs as mãos em chamas nas placas de aço dos ombros dela.

A jovem gritou e soltou Julian. A armadura do vestido ficou mais grossa, mas não bastou para bloquear a dor, e Scarlett não tinha forças suficientes para se desvencilhar do Arcano. Quando Gavriel a queimou, ainda na festa, não tinha sido nada se comparado com aquilo.

– Pare de resistir, estou salvando você, *auhtara*. – Os olhos dourados do Arcano, então, fitaram os dela. – Se você for embora com este rapaz debaixo do braço, terá o mesmo destino da Rainha Azane, que se transformou nesse seu vestido, e de Devaneio, que virou a chave que está em sua mão. Eles foram Arcanos que se apaixonaram por humanos e se permitiram virar mortais e morrer. Mas a magia nunca morre. Então, quando seus corpos humanos sucumbiram, a magia foi transferida para objetos. É isso que você quer?

– Se, com "isso" você quer dizer que nunca vou me transformar em algo parecido com você, sim. – Scarlett estava ofegante: o ar estava tão quente que quase não dava para respirar. Continuava tentando se desvencilhar do Arcano, mas ele a segurava com força. Scarlett só conseguiu estender a mão para trás e colocar a Chave de Devaneio na palma da mão de Julian. – Vá…

– Você não pode me pedir para te abandonar!

Julian cerrou os dentes, pegou na mão de Scarlett e a puxou com uma força que um rapaz que acabou de ser torturado não deveria ter. E ainda não bastou para libertá-la – a Estrela Caída apertou ainda mais os ombros de Scarlett, aquecendo o vestido de metal e marcando a pele da garota até ela soltar mais um grito de dor. Mas, naquele mesmo e doloroso instante, o vestido de Scarlett se transformou. No tempo de uma respiração ofegante, o traje mágico a deixou coberta apenas por uma camisola fina, enquanto se transformava em duas luvas de metal, que se grudaram nas mãos da Estrela Caída.

Em volta dos dois, as chamas das grades viraram fumaça.

Gavriel soltou um palavrão.

Scarlett tossiu, mas estava livre dele. O vestido apagara as chamas do Arcano. A jovem viu a Estrela Caída lutando contra o traje, derretendo as luvas de metal nas próprias mãos, destruindo o vestido que se sacrificara para que Scarlett e Julian conseguissem fugir.

– Detenha os dois! – berrou Gavriel, dirigindo-se a Veneno.

O Envenenador ficou na frente do cadeado, segurando seu cálice letal, prestes a derramar seu conteúdo e transformá-los em pedra ou coisa pior.

– Ao que parece, não seremos grandes amigos, afinal de contas.

Scarlett e Julian pararam de supetão, de forma ruidosa.

A Estrela Caída, enfurecida, estava bem atrás deles, ainda se debatendo com as luvas. Veneno estava na frente dos dois, prestes a transformá-los em pedra. Estavam encurralados. Scarlett se agarrou a Julian – e, de repente, todas as grades da prisão começaram a se esfarelar e se reagrupar em volta de Veneno. As grossas barras de metal afastaram o Envenenador da porta e formaram uma nova gaiola, que o prendeu lá dentro.

O ar fétido, cheio de fumaça, se tornou mágico e adocicado.

– Lenda está aqui – gemeu Julian. – Ele é que está fazendo isso.

– Use a chave agora! – vociferou Lenda.

Scarlett não conseguia enxergá-lo, mas não pensou duas vezes antes de obedecer. Foi correndo com Julian até a porta.

Só que Veneno ainda estava perto demais. Estava engaiolado, mas isso não o impediu de esparramar o conteúdo do cálice.

Julian pôs Scarlett atrás dele, impedindo que a toxina a atingisse e permitindo que o acertasse em cheio, no peito e nos braços.

– Não! – gritou Scarlett.

Então se abraçou em Julian e enfiou a Chave de Devaneio na fechadura, pensando na irmã e em segurança.

Encontrou só uma dessas duas coisas.

## Scarlett

Scarlett caiu pela porta aos berros, em um borrão de cores lancinantes. Laranja-bolha, amarelo escaldante e granada violento. Os ombros ardiam. Sentira a dor antes, mas naquele momento a dor era tudo que conseguia sentir.

– Traga panos úmidos e água gelada.

Duas mãos fortes a pegaram no colo e a carregaram até uma cama que mais parecia uma nuvem.

– Não – disse a garota, engasgada. – Cuide de Julian primeiro.

– Estou bem, Carmim.

E aí o rapaz já estava do lado dela, colocando um pano gelado em seu ombro, aliviando um pouco da ardência. E a cabeça de Scarlett caiu em travesseiros de penas, e o mundo ficou saindo de foco e voltando.

Scarlett não sabia por quanto tempo ficara inconsciente. Mas, quando recobrou a consciência, estava de volta aos seus aposentos no Zoológico, rodeada de uma nuvem rosa e dourada, cercada por colunas de mármore, afrescos perturbadores e rostos conhecidos. Só que o rosto de Julian foi o único que realmente enxergou.

A máscara horrorosa ainda tapava metade do rosto dele. Mas as correntes dos pulsos haviam sumido. Estava de pé, sem precisar de ajuda. O peito voltara a ser lisinho, sem marcas avermelhada e coberto de suor; e ele respirava sem dificuldade enquanto desdobrava o pano úmido para cobrir o pescoço e o peito de Scarlett.

– Isso é real? – perguntou ela.

– Eu é que pergunto.

Então Julian deu um beijo terno na testa de Scarlett, com o canto da boca.

– Mas… como você pode não estar ferido? – balbuciou a garota.

– Você me disse que superaríamos tudo isso juntos ou então não superaríamos. E… – Julian franziu o cenho, com uma expressão confusa – … o conteúdo do cálice de Veneno me curou.

– Gostaria que parte do líquido tivesse caído em Scarlett – comentou Tella.

Scarlett se virou para ver a irmã. Estava sentada do outro lado da cama, e suas mãos delicadas apertavam um pano gelado contra o outro ombro dela. À primeira vista, estava deslumbrante, em um vestido de baile cheio de fitas azul-escuras e de renda azul-clara. Mas, quando olhou com mais atenção, viu que os olhos de Donatella estavam inchados, e o rosto, meio vermelho: parecia que tinha passado o dia inteiro se segurando para não chorar.

– Tella? Como você veio parar aqui?

– Contei com uma ajudinha.

Ela fez um sinal com a cabeça para as colunas ao lado da janela e para os outros convidados presentes no recinto. Arcanos.

Scarlett levou um susto.

Tella estava fora de si. Estavam ali a Morte Donzela e um outro Arcano encapuzado, que parecia a mais deslocada das figuras na frente das cortinas diáfanas e esvoaçantes. Usava uma capa de lã rústica por cima dos ombros encolhidos e um capuz que escondia todo o rosto. Scarlett teve que repassar, em pensamento, a lista dos Arcanos, até lembrar do Assassino, o Arcano demente que podia viajar através do tempo e do espaço.

– Tudo bem – disse Tella, apesar de Scarlett jurar que a voz da irmã estava mais aguda do que de costume, como se estivesse tentando convencer a si mesma daquilo. – Eles querem a mesma coisa que nós.

Scarlett não queria confiar em nenhum dos dois. Mas sabia que a irmã mais nova odiava os Arcanos tanto quanto ela. Tella não teria confiado naqueles dois sem ter um bom motivo, e Veneno, pelo que ela estava entendendo, salvara a vida de Julian, atirando aquele líquido nele.

– Veneno está mancomunado com vocês dois? – perguntou Scarlett.

– Não temos nenhuma aliança com Veneno – respondeu a Morte Donzela, na mesma hora que o Assassino fez que não.

– Veneno não é mancomunado com ninguém! – gritou a Dama Prisioneira.

Scarlett se sentou na cama de supetão. Esquecera completamente que aquele Arcano traidor estava do outro lado da porta aberta.

– Precisamos sair daqui! – berrou. – Ela é uma espiã.

– É claro que sou uma espiã – disse Anissa. – Por isso que Gavriel me colocou aqui. Mas também estou do lado de vocês. – Ela pulou do poleiro em um rodopio dramático de saias cor de lavanda e se agarrou às grades da gaiola. – Quero sair dessa gaiola. Por que você acha que cortei a garganta da Estrela Caída naquele dia?

– Talvez porque estivesse entediada – sugeriu Scarlett.

Ela sabia que a Dama Prisioneira era incapaz de mentir, mas não estava nem um pouco disposta a ouvi-la.

Queria odiar todos os Arcanos. Não queria encarar nos olhos tristes da Dama Prisioneira e lembrar como foi horrível ficar com a cabeça dentro de uma gaiola parecida.

Scarlett não sabia por que o Assassino estaria disposto a ajudá-los – era o mais poderoso de todos ali e, apesar disso, as emoções cor de carvão e fuligem que serpenteavam em volta do Arcano remetiam a sentimentos de infelicidade e trauma.

– Por que você trouxe esses dois para cá, Tella? – indagou Scarlett.

– Foram eles que me trouxeram. A Morte Donzela me avisou que você estava em perigo, e o Assassino possibilitou nossa entrada aqui. Ele me trouxe até aqui para procurar por você, e Lenda foi procurar Julian. Vocês dois o viram?

– Ele nos ajudou a fugir – respondeu Julian. – Quando fomos embora, estava criando ilusões para lutar contra a Estrela Caída e mantê-lo ocupado.

O rosto de Donatella ficou branco feito papel.

– Vocês não deveriam tê-lo deixado lá – declarou ela.

– Ele sabe se virar sozinho – retrucou Julian.

– E se Lenda foi capturado e descobrirem quem ele realmente é? Vão sugar toda a magia dele. Precisamos ajudá-lo. – Donatella, então, se dirigiu ao Assassino: – Você…

– Se forem até lá para salvar a vida de uma única pessoa, nunca vão derrotar Gavriel – interrompeu Anissa. – Vocês estão apenas repetindo os mesmos erros: sacrificando um de vocês para salvar outro de vocês.

– Mas não podemos abandoná-lo!

Dito isso, o rosto de Donatella, que estava pálido, ficou vermelho, como se receasse que Lenda perdesse mais do que seus poderes. A garota parecia estar disposta a lutar contra a Estrela Caída sozinha.

Scarlett sentiu um aperto no peito. Dirigiu o olhar para o espaço vazio no chão, bem na frente da gaiola da Dama Prisioneira, onde, há poucas horas, havia um cadáver. A Estrela Caída resolvia seus problemas assassinando pessoas.

– Não vamos abandoná-lo – garantiu.

– A única maneira de vencer essa batalha é se tornar o que a Estrela Caída mais quer – insistiu Anissa, olhando nos olhos de Scarlett.

– Não posso fazer isso. Tentei. Se dominar todos os meus poderes, vou me tornar outra pessoa...

E foi aí que Scarlett se deu conta. Talvez fosse *isso* que precisava fazer. O pai queria que ela mudasse, mas também queria *outra pessoa*. Scarlett percebeu as vezes que o Arcano olhou para ela com ternura, por breves instantes. Ainda desejava Paradise, a única mulher que já havia amado. Gavriel a assassinara, mas se arrependia disso. Porque, como todos os imortais, era obsessivo e possessivo. Sentia falta de Paradise. O que a Estrela Caída mais queria era a mãe de Scarlett.

Em segundo plano, ouviu a irmã mais nova fazer uma objeção a algo que alguém disse, mas todas as palavras se transformaram em ruído de fundo, porque Scarlett estava se dando conta de como poderia derrotar aquele Arcano. Era uma ideia radical e, provavelmente, descabida. Mas, se o amor era a única fraqueza de Gavriel, a jovem precisava se tornar a única pessoa que ele já havia amado.

– Assassino, você consegue levar outras pessoas junto, quando viaja no tempo?

– E por que você precisa viajar no tempo? – perguntou Julian.

– Estamos perdendo tempo – disse Tella, quase junto da pergunta de Julian.

Scarlett mal ouviu o Assassino responder, em voz baixa:

– Sim. Mas, se voltar no tempo e fizer a menor alteração que seja, pode não conseguir mais voltar para este momento, e as pessoas que você ama jamais te verão novamente.

– E se eu voltar no tempo para roubar um vestido e observar alguém, para imitar essa pessoa?

– Pode ser que não altere nada. Só que viajar no tempo raramente sai como planejado: você pode acabar fazendo algo além de apenas roubar um vestido e observar.

– Quem você quer observar? – perguntou Donatella.

Mas, pelo tremor na voz da irmã mais nova, Scarlett percebeu que Tella já tinha uma certa noção do que ela acabara de descobrir.

– Quero voltar no tempo para ver nossa mãe.

O que Scarlett disse deveria ter parecido impossível. Mas ela estava em um recinto repleto de pessoas impossíveis – três Arcanos, um rapaz que não envelhecia e uma irmã que morrera e voltara à vida.

O plano de Scarlett era possível. Só era extremamente perigoso. Se fracassasse, a Estrela Caída poderia matá-la, assim como matou a mãe dela. Poderia colocá-la em outra gaiola ou cumprir a promessa que fizera havia pouco e torturar todos que Scarlett amava. Mas, se desse certo, a jovem poderia salvar a vida de todos e o império inteiro também.

– Sei que tudo isso parece descabido, mas realmente acredito que nossa mãe é a chave para matar a Estrela Caída. Lembra do segredo que você me contou na carta? O segredo que revelou que Gavriel amava Paradise? Posso perceber, pelo modo como ele olha para mim, de vez em quando. A Estrela Caída enxerga Paradise em mim, e isso o transforma. Se eu puder voltar no tempo para roubar algumas roupas da mãe e observá-la, acho que consigo convencê-lo de que sou ela. Se eu fizer isso, acho que Gavriel se tornará humano por tempo suficiente para conseguirmos matá-lo.

Tella fez que não. Scarlett nunca pensou que cachos loiros poderiam ter um ar de braveza. Mas os da irmã mais nova pareciam estar furiosos: pulavam em volta do rosto da garota.

– Ela já morreu, Scarlett. A Estrela Caída a matou.

– E é por isso que preciso da ajuda do Assassino. Ele pode me levar até a Estrela Caída e dizer que trouxe Paradise do passado.

Tella fechou a cara e cerrou os punhos de uma forma que fazia o pano que segurava parecer uma arma.

– Mesmo que você convença Gavriel de que é Paradise, e se ele simplesmente te matar?

– Ele não vai fazer isso. – Pelo menos, Scarlett torcia para que o Arcano não a matasse. – Não se eu conseguir convencê-lo de que sou Paradise quando estava grávida de mim.

— Tem que haver outra maneira, Carmim.

— Julian tem razão – suplicou Donatella. – Acho que você não está ouvindo o que diz. Essa ideia é pavorosa.

— Não é, não – murmurou o Assassino. – Já vi isso dar certo antes.

Todos no recinto viraram a cabeça para ele. O Arcano não saíra de perto dos pilares, ficou parado ali coletando sombras ou, quem sabe, criando sombras. Scarlett morava com um Arcano, mas o poder do Assassino era muito maior do que o da Dama Prisioneira. Quando falava alguma coisa, o recinto tremia ao som de sua voz grave e rouca.

E, apesar disso, Tella teve a audácia de olhar feio para o Arcano.

— Se você já viu tudo isso, por que não falou que era isso que precisávamos fazer?

— Pela minha experiência, os seres humanos não gostam quando digo que visitei o futuro deles e sei que vão morrer de forma muito dolorosa, a menos que façam o que eu digo. Só funciona se eu deixar que descubram isso sozinhos.

— Mas, às vezes, tem gente que precisa de uma orientação – completou a Morte Donzela.

— Eles têm razão – a voz de Anissa veio do outro cômodo.

A careta de frustração de Donatella ficou ainda mais feia.

— Essa não é nossa única opção, Scar. Estou com o Ruscica, que peguei na Biblioteca Imortal. Se conseguirmos um pouco de sangue da Estrela Caída, aí…

— Tentei conseguir o sangue dele – interrompeu Scarlett. – Esse plano não deu certo.

— Ela acabou com uma gaiola parecida com a dela.

A Dama Prisioneira apontou para a Morte Donzela com a cabeça. Todo mundo ficou em silêncio.

Por alguns momentos, Tella ficou com cara de quem havia esquecido como se discute. Julian fez cara de quem queria tirar Scarlett da cama e segurá-la no colo para sempre – mas isso teria que esperar.

— Essa é nossa melhor opção – insistiu Scarlett.

— Você só está se esquecendo de uma coisa. – A Morte Donzela inclinou a cabeça, primeiro para Julian, depois para Tella. – Se o plano der certo, e a Estrela Caída sentir amor por um instante, um de vocês terá que matá-lo. Se Scarlett tentar matar Gavriel, ele pode deixar de amá-la e não será mais humano.

– Por que você ou o Assassino não podem matá-lo? – perguntou Tella.

– A Estrela Caída queria ter certeza de que nenhum de nós jamais conseguiria matá-lo. Então, a bruxa humana que o ajudou a nos criar fez um feitiço. Se um dos Arcanos de Gavriel tentar matá-lo, morre em seu lugar.

– Então mato eu. – O sorriso diabólico de Tella poderia rivalizar com o de qualquer Arcano. – Mato aquele monstro, feliz da vida. Se ainda estiver na sala do trono, posso entrar escondida e fazer isso.

– Não vai dar certo – declarou Jacks, com seu sotaque arrastado, entrando no quarto. – Você nunca vai conseguir chegar perto dele. Mas eu consigo te deixar perto o suficiente para matá-lo.

# 54

## *Donatella*

O que você está fazendo aqui? – indagou Tella.

– Que bom te ver também, meu amor.

Jacks só tinha olhos para Donatella, encarando-a enquanto girava uma maçã preta entre os dedos compridos, como se não tivesse motivo algum para preocupação. Seu olhar indolente perscrutou as camadas elegantes do vestido dela: a garota não tinha ido à cerimônia de coroação, mas queria estar preparada, caso precisasse se infiltrar entre os convidados. O vestido era todo de fitas azul-águas-profundas misturadas com uma renda azul-celeste, que a fazia parecer um presente que, com o puxão certo, poderia ser desembrulhado com facilidade.

O Arcano, por outro lado, aparentava não ter trocado de roupa desde a terrível noite em que se viram. A camisa estava manchada de sangue. Parecia que apenas a abotoara por cima do ferimento, depois que Tella o deixara – como se ela não tivesse apunhalado o peito dele para romper o elo imortal que havia entre os dois. Donatella até achou que o Príncipe de Copas abriu mão dela com muita facilidade. Mas era óbvio que não desistira dela de fato.

– Como você nos encontrou? – perguntou Tella.

– A Estrela Caída manteve sua irmã aqui como refém por uma semana. Não é exatamente o esconderijo mais inteligente, e sempre posso te encontrar, Donatella. – Jacks deu uma mordida na maçã e a atirou no chão. A fruta bateu no mármore, fazendo barulho, rolou pelo cômodo, passou pela porta aberta e sumiu debaixo da gaiola de ouro da Dama Prisioneira. – Podemos não ter mais nosso *elo*, mas o que aconteceu entre nós nunca será completamente desfeito.

– É por isso que quero que você vá embora! – Tella se segurou para não gritar: o Príncipe de Copas sempre apreciava quando a deixava chateada. E o frágil controle que Donatella ainda tinha de suas emoções tinha sumido no mesmo instante em que ele aparecera. – Nunca mais vou confiar em você.

– Vai, sim, se quiser salvar a vida de Lenda. – Jacks, então, se encostou na coluna mais próxima e cruzou os tornozelos. – Enquanto estamos aqui conversando, Gavriel está mandando levarem Lenda para a sala do trono. Ele gosta de bichos de estimação mágicos. A Estrela Caída pretende mandar o Boticário colocá-lo em uma gaiola, que depois irá selar, como a de Anissa, para que Lenda não consiga usar todos os seus poderes nem fugir. A menos que Gavriel morra.

Tella sacudiu a cabeça. Não queria acreditar no Príncipe de Copas, mas temia que algo tivesse acontecido desde o instante em que Julian contou que Lenda tinha ajudado na fuga dele e de Scarlett. O Mestre do Caraval havia insistido para Donatella ficar com o Assassino e procurar a irmã mais velha enquanto ele tentava descobrir onde o irmão estava. Era para tê-lo encontrado e ido embora. Não era para distrair a Estrela Caída nem se fazer de mártir.

Julian soltou vários palavrões, verbalizando várias das coisas que Tella estava pensando.

Jacks deu risada ao perceber a máscara cruel que escondia metade do rosto do rapaz.

– Pelo jeito, você também recebeu a visita do Boticário e de Gavriel.

Julian olhou bem feio para o Arcano e disse:

– Posso viver com isso.

– Aí é que está – murmurou o Príncipe de Copas. – A gaiola vai aprisionar Lenda, transformando-o em bicho de estimação da Estrela Caída. Mesmo que ele morra e volte à vida, vai voltar para a gaiola. E apenas a morte definitiva de Gavriel poderá libertá-lo.

Foi quando se ouviu um ruído de algo riscando, como um fósforo se acendendo, e o Assassino desapareceu e reapareceu em um piscar de olhos. Até aquele momento, o Arcano estava perto da janela. Mas já tinha mudado de lugar e estava parado mais perto de Scarlett, segurando um amontoado de roupas de cores vivas.

– Ele está falando a verdade. Neste exato momento, o Boticário está quase terminando de construir a gaiola ao redor de Lenda.

– Então tire-o de lá antes de o Boticário terminar de fazer a gaiola – disse Tella.

O Assassino não se mexeu. Apenas as sombras grudadas nele mudaram de posição – e pareciam ter ficado ainda mais escuras.

– Se eu fizer o que você está pedindo, Gavriel saberá que fui eu e acabará com nossas chances de matá-lo.

– Viu só? – Jacks bateu palmas e completou: – Falei que vocês precisam de mim.

– Não precisamos, não – retrucou Tella.

– Precisam, sim. – O Príncipe de Copas deu um sorriso presunçoso, como se soubesse que já vencera aquela discussão. – Ouvi o plano. Vocês nunca vão conseguir entrar sem que ninguém perceba. Eu sou o único que pode ajudá-los. O Assassino estará com sua irmã. Gavriel sabe que a Morte Donzela, que ele mesmo criou, o odeia. O único jeito de chegar perto dele a ponto de conseguir matá-lo é entrar na sala do trono *comigo*. A Estrela Caída já está esperando por isso. Mandou te procurar, quer usar você para chantagear sua irmã. Vai permitir que eu entre com você.

Tella sacudiu violentamente a cabeça. Tinha que haver outra maneira. Jacks trairia sua confiança outra vez. Sempre a ajudava, cobrando um preço inesperado. *Mas sempre a ajudava.*

– E o que você ganha com isso? – perguntou Donatella. – Por que trair a confiança da Estrela Caída por nossa causa?

O Príncipe de Copas deu um sorriso cortante.

– Não é por causa de todos vocês. É só por *sua* causa. E não vou ajudar de graça. Gavriel espera que suas emoções estejam controladas pelo meu poder quando eu te entregar para ele, e não pode ser uma farsa. A Estrela Caída vai perceber. Se você quiser mesmo chegar perto de Gavriel para matá-lo, terá que permitir que eu controle suas emoções e faça você me adorar.

Donatella soltou uma risada debochada:

– Então devo acreditar que, assim que tudo isso tiver terminado, você simplesmente vai permitir que eu volte a te odiar?

– Não. Quando tudo isso terminar, suas emoções serão minhas para sempre. – Jacks falou isso com um tom desavergonhado e descarado.

– É o preço a pagar pela minha ajuda. Você ganha o direito de salvar a vida do seu Lenda *e* de matar seu monstro, e eu ganho você.

– Você está delirando! Não vou passar o resto da vida sob o seu feitiço.

– Então Lenda passará o resto de sua vida imortal dentro de uma gaiola. Você quer salvar a vida de Lenda e o império ou só você? – O Príncipe de Copas sorriu, zombeteiro, mostrando as covinhas.

– Você não sabe o que está dizendo – disse Julian.

– Não faça isso – disse Scarlett.

Só que a objeção dos dois pareceu fraca e abafada, comparada com o zumbido que Tella ouvia. Porque Jacks sabia muito bem o que estava propondo. Apesar do que a jovem havia dito, sabia que o Arcano não estava delirando. Estava determinado e disposto a fazer o que fosse preciso para conseguir o que queria. E, infelizmente, o Príncipe de Copas queria Donatella.

– Se você fizer isso – disse Tella, bem devagar –, vou te odiar para sempre.

– Não, meu amor. Se eu fizer isso, você finalmente vai deixar de me odiar.

O sorriso de Jacks sumiu. E, por um instante, o Arcano ficou parecendo o próprio desconsolo, uma casca de pessoa de rosto encovado, olhar entristecido e peito manchado de sangue. O Príncipe de Copas era um imortal que jamais poderia morrer, mas tampouco poderia viver completamente, porque as coisas que ele queria devorar o devoravam. Tella imaginou que desejar alguém sem amar essa pessoa devia ser parecido com uma fome interminável – mesmo que conseguisse se agarrar à pessoa que queria possuir, nunca bastaria, e abrir mão dessa pessoa seria ainda pior.

Tella bem que devia ter desconfiado que o que havia entre ela e o Arcano não poderia ser rompido apenas usando uma adaga. Ou, talvez, o próprio rompimento tivesse levado a isso. Talvez Jacks permitira que Tella pusesse fim ao casamento dos dois porque o elo entre eles o fizera gostar da jovem de forma genuína, que ia além de seus sentimentos imortais de obsessão, fixação, volúpia e posse. Mas, depois que o elo foi rompido, tudo o que restou foram seus impulsos egoístas.

A Senhora da Sorte alertara Donatella que, se Jacks não a amasse, a obsessão que ele tinha por ela a destruiria. Se Tella concordasse com aquele plano, seria exatamente isso que aconteceria. Se o Príncipe de

Copas controlasse as emoções da garota, Donatella só teria sentimentos que dariam prazer a ele ou que amainassem a sede – impossível de matar – que tinha dela.

Tella estava desesperada para acreditar que havia outra maneira de acabar com a Estrela Caída, mas não conseguia pensar em nenhuma. E, passando os olhos no recinto, só conseguiu enxergar os danos causados por Gavriel. Julian, com aquela meia-máscara de ferro. A Morte Donzela e a gaiola de pérolas que envolvia sua cabeça. A Dama Prisioneira transformada em um bicho de estimação humano. E então visualizou Lenda, preso em uma gaiola muito menos encantadora do que a de Anissa, usando uma máscara, como Julian, enquanto a Estrela Caída o exibia para os amigos, por toda a eternidade.

Tella respirou fundo, trêmula. Era para o Mestre do Caraval passar a eternidade com ela, não preso em uma gaiola. E, mesmo que ele jamais passasse a eternidade com ela, Donatella não podia permitir que Lenda ficasse engaiolado para sempre. E também não podia ser o motivo que impediria o grupo de matar a Estrela Caída. De início, ela quis acabar com ele por causa da mãe. Mas, depois de tudo aquilo, ia muito além disso.

Odiou admitir, mas Jacks tinha razão: sem a ajuda do Príncipe de Copas, ela jamais conseguiria se aproximar da Estrela Caída e conseguir matá-lo.

– Tella – disse Scarlett. – Você não precisa fazer isso.

– Sim… Acho que preciso.

– Meu irmão não ia querer que as coisas fossem assim – insistiu Julian. – Vamos encontrar outra maneira.

– Já tentamos de tudo, e nada funcionou. A Estrela Caída é o imperador, você está de máscara, e Lenda foi enjaulado. Tenho certeza de que ele não ia querer que eu fizesse isso – argumentou Tella. Na verdade, provavelmente, ficaria furioso com a garota. – Mas sei que ele faria o mesmo por mim se a situação fosse inversa. – Lenda tinha salvado Donatella do baralho, a salvara de Jacks e chegara o momento de Tella salvá-lo. Ela se virou para o Príncipe de Copas e perguntou: – O que você precisa de mim?

– Espere… – protestou Scarlett.

– Não tente impedi-los – alertou o Assassino. – Você não vai gostar do resultado.

Ouviu-se mais um ruído ínfimo de algo sendo riscado e, em seguida, o Assassino encapuzado já estava segurando a mão de Scarlett. Um instante depois, ambos sumiram.

Jacks estremeceu e comentou:

– Tinha esquecido o quanto isso é sempre muito bizarro.

– E quem é você para achar alguma coisa bizarra? – alfinetou Tella.

– Você vai mudar de opinião logo, logo. Agora, se não se importarem, precisamos ficar a sós.

Ao dizer isso, o Príncipe de Copas lançou um olhar para Julian e para a Morte Donzela. Julian fez cara de quem queria discutir. Mas a Morte Donzela o levou para fora do quarto, deixando Jacks e Tella praticamente sozinhos.

O Príncipe de Copas se aproximou e ficou encostado na coluna de mármore, bem na frente da garota.

Ela se levantou da cama, mas não foi até ele, sabendo que aquela poderia ser a última oportunidade de optar, conscientemente, por ficar longe do Arcano. Tella era tão governada pelos sentimentos que não sabia como tomaria suas decisões futuras depois que Jacks manipulasse suas emoções.

– Precisamos cortar a mão de novo? – indagou Donatella.

O Arcano pareceu fascinado pela ideia, mas fez que não.

– Eu só dispunha de metade de meus poderes na outra vez que mudei suas emoções. Preciso de uma conexão física forte para fazer a troca funcionar. Não sei como vai ser agora, que Lenda me devolveu todos os meus poderes. Mas, por causa do juramento que fiz a ele, preciso ter sua permissão.

– Já tem. Mas… mas… mas…

Tella ia dizer mais alguma coisa. Só que, de repente, não conseguia lembrar direito sobre o que estavam conversando. Sentia-se meio aérea, um pouco tonta: parecia que acabara de tomar meia garrafa de vinho.

Ela cambaleou, e braços gelados a envolveram. Braços de Jacks. Os dedos do Arcano estavam gelados, talvez gelados demais. E, apesar disso, o arrepio que Tella sentiu, por toda a pele, nunca foi tão maravilhoso.

Uma vozinha dentro da cabeça de Donatella a avisou que ela não deveria estar se sentindo assim, que estava esquecendo algo de que precisava se lembrar. Mas aí Jacks sussurrou em seu ouvido:

– Tudo bem, eu estou aqui.

Então virou a jovem de frente para ele. Seus lábios esboçaram um meio-sorriso, como se o Arcano estivesse com um certo receio de lhe dar um sorriso por completo. Não que o Príncipe de Copas tivesse motivo para ficar receoso. Seu esgar era feroz e ofuscante, e, de repente, Tella sentiu um desejo avassalador de se tornar a causa de todos os sorrisos de Jacks.

Por que ela estava sempre afugentando o Príncipe de Copas?

Donatella sabia que o Arcano havia mentido para ela e que a manipulara. Mas, até aí, Lenda tinha feito o mesmo. O Mestre do Caraval a rejeitou incontáveis vezes. Só de pensar, Tella se sentia confusa, tinha a sensação de que Lenda a estava dispensando, mais uma vez. Aquele homem não queria ficar com ela. Até mandou Donatella procurar outra pessoa – uma pessoa que olhasse para ela do jeito que Jacks estava olhando naquele exato momento.

Os olhos do Arcano brilhavam em tons de prata e azul. Normalmente, Tella achava que aqueles olhos eram sobrenaturais. Mas, naquele momento, lhe pareceram tão enganadoramente ternos: parecia que o Príncipe de Copas não queria nada além da felicidade dela.

– Como você está se sentindo agora, meu amor?

*Amor.* Donatella gostava quando Jacks a chamava assim. Sabia que o Príncipe de Copas não sentia amor de fato, mas não teria problema, porque Tella era capaz de sentir amor pelos dois. No início, a garota era a obsessão do Arcano, mas naquele momento Jacks era a obsessão de Donatella.

Ela deu um de seus mais belos sorrisos para o Príncipe de Copas e declarou:

– Sinto que quero passar o resto da minha vida com você.

As covinhas do sorriso de Jacks voltaram a aparecer e eram gloriosas.

– Acho que podemos fazer isso – falou o Arcano.

## Scarlett

Scarlett ficou se perguntando se o Assassino sempre mantinha o rosto escondido pelo capuz daquele manto de lá. Era irritante não ver a pessoa que a levara para o passado. Mas era tarde demais para se preocupar com isso ou com todas as outras decisões que havia tomado e que a levaram até aquele beco coberto de gelo, de muitos anos passados, na companhia de um Arcano que tinha reputação de louco.

— Vista isso — ordenou o Assassino.

Então largou um vestido nas mãos da jovem e, em seguida, lhe entregou um pesado casaco vermelho-framboesa forrado de pele grossa e dourada. O casaco ia até os joelhos, deixando à mostra boa parte da chamativa estampa do vestido, de losangos em preto e branco.

— Não seria melhor eu passar despercebida? — perguntou Scarlett.

— Vai passar.

O Assassino inclinou a cabeça encapuzada para o outro lado do beco, que parecia levar ao Bairro do Cetim. O distrito era tão chique quanto no presente, cheio de gente tão requintada quanto ele. Todos que passavam pelo beco usavam casacos vibrantes, forrados de pele tingida. Alguns até carregavam sombrinhas peludas, que pareciam ser feitas de pele de leopardo.

— Vai começar a nevar — grunhiu o Arcano. — Assim que a neve cair, sua mãe vai passar por aquela calçada. Vá atrás dela e roube suas roupas. Pode fazer o que quiser, só não mude o passado. Paradise descobriu hoje que está grávida de você. Não tem como você impedir, sem querer, sua própria concepção. Mas, se alterar o passado, outros acontecimentos de seu mundo podem deixar de ocorrer.

– O nascimento de minha irmã, por exemplo?

– Sim. Tome cuidado, princesa. Siga sua mãe e a observe até conseguir roubar o vestido que precisa para enganar Gavriel. Então fuja o mais rápido possível. Estarei te esperando embaixo do poste de luz quebrado.

Ouviu-se um ínfimo ruído de algo sendo riscado, e o Assassino sumiu.

Scarlett vestiu, às pressas, as roupas que o Arcano lhe dera. Seus ombros queimados ardiam toda vez que o tecido encostava neles, mas o vento gelado e a emoção da viagem no tempo haviam aplacado boa parte da dor.

O primeiro floco de neve caiu um instante depois, e a jovem se dirigiu à entrada do beco, onde os tijolos congelados se transformavam em ruas bem cuidadas, cobertas de flocos brancos recém-caídos, que brilhavam feito o começo de algo novo, algo que Scarlett torceu para que fosse rápido e fácil.

Quando propôs aquela ideia, imaginou que voltar no tempo para espionar a mãe e roubar o vestido dela seria algo parecido com o que fazia quando era criança e entrava de fininho no quarto de vestir de Paloma, para experimentar seus refinados sapatinhos de renda – um tanto arriscado, mas nada que pudesse causar um estrago de fato. Scarlett não mudaria o passado. Iria apenas observar a mãe, roubar um vestido e, quem sabe, um pouquinho do perfume dela. Mas era só isso.

A parte mais difícil, supostamente, seria convencer o pai, quando voltasse para o presente, de que era a Paradise do passado. Ver a mãe caminhando pela rua coberta de neve não deveria fazer o mundo de Scarlett estremecer nem a fazer esquecer como respirar. Pelo contrário: ver a mãe no papel de Paradise, a criminosa, deveria aplacar parte da culpa que Scarlett carregava consigo.

Só que, ao seguir a mãe pela rua, Scarlett a viu, pela primeira vez, não como ela era em suas lembranças ou em sua imaginação. Scarlett viu Paradise como a mulher que sua irmã mais nova sempre acreditou que ela era.

Paradise desfilava pela rua com uma saia de um tom tão puro de branco que fazia a neve que acabara de cair parecer cinzenta. Sorria para todos por quem passava, inclinando a cabeça para cumprimentar as pessoas e balançando o chapéu vermelho de penas. Aquelas pessoas provavelmente não sabiam que aquela mulher era uma criminosa. Ou gostavam tanto dela que quem sabia de alguma coisa guardava segredo. Paradise mais parecia a imagem do amor, caso o amor pudesse se olhar no espelho – exalava uma felicidade contagiante e uma beleza radiante.

Entrou em uma modista chique, que tinha um belo toldo roxo na entrada, e Scarlett nem pensou duas vezes antes de entrar atrás dela. Dentro da loja, em um canto, havia um mostruário de chapéus importados, e a jovem correu para lá, na esperança de que ninguém a notasse. Não que precisasse se preocupar com isso. No mesmo instante, os olhos das mulheres da loja se dirigiram para Paradise. Só havia três mulheres lá dentro, mas a mãe de Scarlett chamou a atenção delas, feito uma rainha que manda em seus súditos.

A senhora que estava arrumando o mostruário de fitas deixou um rolo cair. Uma mulher rechonchuda, que já estava se preparando para ir para a parte dos fundos da loja, se virou de repente. E a jovem que rodopiava na frente do espelho congelou.

– Oi, Minerva – disse Paradise, chamando a mulher, que já estava de saída. – Minha encomenda está pronta?

– Não faço ideia do que você está falando, querida.

– Faz, sim. Gavriel encomendou um vestido para mim. Era para ser surpresa, mas eu descobri e pretendo surpreendê-lo. – Paradise, então, levou a mão ao peito, em um gesto exagerado, fazendo Scarlett recordar um pouco de Tella. – Vou usar o vestido hoje à noite, para pedir Gavriel em casamento.

– Você vai pedir um homem em casamento? – gritou a garota que estava rodopiando na frente do espelho. – Que avançado.

– Prefiro ser avançada a ser retrógrada. – Paradise falava muito mais rápido do que Scarlett: parecia que queria aproveitar o máximo possível de cada instante de sua vida, uma conclusão que Scarlett tirou de sua postura. – Na área em que eu trabalho, não é raro a vida ser curta. Por isso, não quero perder nem um segundo esperando por um pedido que eu mesma posso fazer, com toda a facilidade. E também tenho quase certeza de que ele vai dizer "sim".

Depois desse comentário, Paradise deu uma piscadela.

Apesar de estar atrás do expositor de chapéus, Scarlett conseguia ver que a cabeça da jovem rodopiante estava explodindo de tantos pensamentos. O breve diálogo que teve com a mãe acabara de esfacelar sua visão de mundo, abrindo uma porta que ela nem sequer sabia que existia.

– Mas… – completou Paradise –, se ele tiver medo de se casar ou de mim, então será o momento de partir para o próximo.

– De partir para Marcello Dragna? – perguntou a senhora que arrumava as fitas. – Ele é muito bonito e rico.

– Case você com ele. – Paradise deu risada. – Provavelmente, será muito mais feliz com você do que comigo. Marcello só *acha* que é capaz de me segurar. Aposto que quer me domesticar, como se eu fosse um tigre enjaulado do circo, para poder me exibir para os amigos dele.

– Bem parecido com o que você está tentando fazer com Gavriel – provocou Minerva.

– Não. Gosto de Gavriel fora da jaula e não tenho nenhum amigo para quem exibi-lo. Tirando você, Minerva.

A modista resmungou algumas palavras, mas falou tão baixo que Scarlett não conseguiu ouvir. Depois saiu de fininho, pela porta por onde estava prestes a passar quando Paradise entrou na butique, para ressurgir segundos depois, trazendo um modelito que era extravagante demais para ser chamado de "vestido". Era um torvelinho cor de creme, preto e cor-de-rosa claro e escuro, com rajadas de flores, rendas e folhas de ouro esparsas. As mangas compridas estavam presas a um corpete ornamentado, justo até o quadril, de onde se abria a saia, feita de camadas de babados que terminavam em uma cauda de flores douradas e rosa claras, com folhas de renda preta.

Não tinha nada a ver com a ideia que Scarlett fazia do amor, mas a jovem era capaz de entender que poderia ser a ideia que a mãe e Gavriel tinham desse sentimento.

Paradise soltou um suspiro de assombro e falou:

– Ficou sublime.

– Todas essas camadas podem ser facilmente removidas com um rápido puxão, se você precisar fugir.

– Ou se eu quiser me divertir um pouquinho com Gavriel – brincou Paradise.

A garota que rodopiava ficou vermelha feito uma framboesa, a senhora que arrumava as fitas caiu na gargalhada, mas Minerva nem sequer esboçou um sorriso. Fez uma cara desconfiada, e desconfiança era o que Scarlett estava sentindo.

A jovem sabia que a mãe se casaria com Marcello Dragna e não com Gavriel. Mas, apesar disso, quando a conversa entre as mulheres chegou ao fim, todo o diálogo deixou Scarlett com uma sensação profunda e pesada de pavor. O mau pressentimento permaneceu com ela quando saiu da loja, logo depois de Paradise, e a seguiu até outro beco coberto de gelo.

Scarlett não tinha nenhum amor por Marcello. Mas, por mais que o odiasse, se Paradise nunca tivesse se casado com ele, Tella jamais teria nascido. A jovem apressou o passo porque a mãe virou a esquina e sumiu.

Scarlett sabia que não devia interferir. O Assassino tinha avisado para ela não mudar...

De repente, Scarlett bateu as costas na parede de tijolos de um beco sem saída, porque Paradise a dominou e pôs uma adaga em sua garganta.

Respirou com dificuldade, tensa. Ver Paradise daquela maneira era como olhar em um espelho ameaçador. Aquela era a mãe que Scarlett esperava encontrar desde o início. Mas não conseguia se sentir triunfante por causa disso: se aquele encontro ao acaso desse errado, poderia destruir todo o futuro que Scarlett conhecia ou pôr fim à própria vida.

— O que uma menina linda feito você pensa que está fazendo, seguindo...

Paradise parou de falar de supetão. Estava reparando na semelhança entre as duas, apesar de sua reação ter sido aproximar ainda mais a lâmina da adaga da garganta de Scarlett.

— Quem é você? Por que está tentando ficar parecida comigo? — Paradise fez essas perguntas falando ainda mais rápido do que na butique. — Você tem dez segundos para me contar, senão vou cortar sua garganta e fugir antes que seu corpo caia na neve. Um. Dois. Três.

— Não vou te fazer mal — disse Scarlett.

— Reposta errada. — Paradise, então, deu um sorriso cruel. — Quatro. Cinco.

— Estou aqui porque sua família está em perigo.

— Não tenho família — falou Paradise, meio cantarolando. — Sete. Oito.

— Tem, sim, no futuro.

Paradise nem se dignou a responder.

— Nove.

— Você tem uma filha. Está grávida dela neste exato momento!

Paradise parou de contar.

– Como você sabe disso? Só contei para uma pessoa, e ele jamais diria nada a ninguém. – Então olhou bem para Scarlett, espremendo os olhos, que se arregalaram em seguida. – Onde você conseguiu esses brincos?

Ela soltou a caixa que estava segurando e encostou nas próprias orelhas, onde havia um par igual da joia escarlate.

– Eram seus. Você me falou que meu pai te deu porque escarlate era sua cor preferida. E o nome que você escolheu para mim significa essa cor.

Paradise foi cambaleando para trás, mas continuou brandindo a adaga. Uma névoa cinzenta rodopiou em volta dela: estava confusa, mas não tinha mais sentimentos de hostilidade. Apesar de, por fora, continuar com a expressão severa.

– Você também vai mudar seu nome para Paloma – prosseguiu Scarlett. – Vai abandonar essa identidade e se transformar em algo muito próximo de uma lenda.

Paradise sorriu sutilmente ao ouvir o comentário, mas o sorriso não mudou seu olhar, como sempre acontecia com os sorrisos de Scarlett.

– Certo, digamos que eu acredite em você. Por que está aqui?

*Para salvar o mundo. Deter um monstro. Ver você.*

– Só vim aqui para roubar um vestido.

Paradise deu risada, baixando um pouco mais a guarda.

– Então você é uma péssima ladra, não devo ter te criado muito bem.

Scarlett se sentiu tentada a contar a verdade, a contar para Paradise que ela foi uma péssima mãe, que abandonou as filhas quando as meninas mais precisavam dela e nunca mais voltou. Mas Paradise ainda não era essa mulher, e Scarlett ficou em dúvida se um dia, de fato, fora.

Em algum momento de sua vida, Scarlett passou a acreditar que a mãe não a amava ou que não amava ninguém de verdade. Se amasse as filhas, não as teria abandonado nem magoado – ninguém magoa a pessoa que ama. Mas, até Scarlett aparecer, a mãe estava explodindo de tanto amor. Estava tão plena de amor que ia pedir um homem em casamento. Mas não fez isso. No mundo de Scarlett, Paloma traiu o homem, e a garota se perguntou se Paradise não havia feito tudo isso porque a amava.

Naquele exato momento, Scarlett conseguia enxergar o amor se apoderando das emoções de Paradise, que não parava de olhar para os brincos e para o rosto da filha. Naquela cronologia, as duas tinham acabado de se conhecer, mas Paradise já estava optando por amar Scarlett.

A filha não conseguia entender direito. Quando amava, amava ferozmente. Mas nunca amava com tanta facilidade e não esperava que o sentimento brotasse de forma tão natural em Paradise.

Ficou óbvio que Scarlett não sabia quem a mãe realmente era. Mas sabia de certas coisas a respeito dela, sim.

— Você foi a melhor mãe que pôde – afirmou Scarlett. – Sacrificou tudo por mim e pela minha irmã.

— Você tem uma irmã? – O rosto de Paradise se iluminou, e ela ficou parecendo ainda mais hipnotizante. Scarlett desejou que Tella pudesse ver como a mãe ficou feliz ao saber que teria uma segunda filha. – Mal posso esperar para contar para seu pai.

— Não! Você não pode contar. Faça o que quiser, menos contar para ele.

Mais uma vez, Scarlett quase deixou por isso mesmo. O Assassino a avisara para não interferir no passado, mas talvez Scarlett fizesse parte do passado desde o início. Talvez não estivesse ali apenas para roubar um vestido nem para ver uma mãe que nunca conseguiu compreender. Talvez estivesse ali para ajudar a mãe a tomar as decisões que Scarlett, até aquele momento, nunca tinha entendido. E que agora compreendia.

Se Paradise se casasse com Gavriel, e Scarlett fosse criada pelos dois, o futuro mudaria: Tella jamais nasceria, e as chances de, em pouco tempo, todos os Arcanos serem libertados das cartas, eram grandes.

— Gavriel não é quem você pensa – declarou Scarlett.

Paradise deu um passo brusco para trás, e sua expressão voltou a ficar mais carregada.

Só que Scarlett não parou por aí. Das duas, uma: ou estava enganada e já mudara o futuro de um modo irreparável ou tinha razão e precisava insistir, impedir que a mãe cometesse um erro irreversível.

— Não sei quanto posso te contar ou se poderia estar contando. Mas você não vai se casar com Gavriel. Ele não será o pai da sua segunda filha. Gavriel é um Arcano. É a Estrela Caída e estava preso dentro do Baralho do Destino que você roubou da Imperatriz Elantine. Ele quer encontrar o baralho para poder libertar todos os Arcanos e comandar o império. Você vai impedi-lo de fazer isso: vai aprisioná-lo, mais uma vez, dentro de uma carta. Mas, depois, você terá que se esconder, porque a igreja dele, a Igreja da Estrela Caída, vai te perseguir por ter fugido com as cartas. E é por isso que você vai se casar com Marcello Dragna e ir embora com ele.

Paradise deu risada, mas não foi um riso de quem achava graça, como há poucos instantes.

– Não. Eu jamais me casaria com Marcello.

– Mas vai se casar – insistiu Scarlett.

E foi aí que a garota se deu conta de que, de todos os absurdos impossíveis que acabara de contar para a mãe, aquele foi o único que Paradise comentou. E isso fez Scarlett pensar que, lá no fundo, a mãe já tinha ciência dos verdadeiros objetivos e da verdadeira identidade de Gavriel.

Tentou decifrar as cores da mãe. Eram emoções conflitantes, que lutavam entre si, mas Scarlett viu que Paradise estava apaixonada e em dúvida. E que, apesar da calma que demonstrava, ficara apavorada com o que a filha acabara de dizer.

– Desculpe – falou Scarlett.

– Por que você está pedindo desculpas?

– Porque sei que você o ama.

– Criminosos não amam.

– Se isso fosse verdade, acho que eu não estaria aqui. Mas estou. Estou aqui porque você fez de tudo para cuidar de mim, da filha que carrega na barriga neste exato momento. E, em parte, é por isso que você é tão impressionante. Você vai abandonar Valenda, mas até hoje as pessoas da cidade contam histórias a seu respeito. Até a Imperatriz Elantine falou de você antes de morrer. Contou para minha irmã que, quando você ama, faz isso com a mesma ferocidade com que vive sua vida. Você estava disposta a fazer qualquer coisa para proteger as pessoas que ama, mesmo que isso as magoasse ou que você ficasse magoada com isso.

E foi aí que Scarlett se deu conta: ela era igualzinha. Tudo o que acabara de dizer causaria a Paradise, a Tella e a ela mesma incontáveis dores. Mas, se a mãe optasse por outro caminho, o futuro mudaria: tudo o que era importante para Scarlett se perderia, e Gavriel talvez jamais fosse derrotado.

Paradise estava sacudindo a cabeça, como se assim fosse conseguir organizar suas emoções confusas.

– E eu que pensei que você só estava aqui para roubar um vestido.

– Como você mesma disse, não sou lá muito boa ladra.

– Acho que posso ter me enganado.

Paradise se abaixou, pegou a caixa da butique e ofereceu-a para Scarlett.

– Pode ficar. Depois dessa história, você merece.

– Isso quer dizer que você acredita em mim?

– Não sei. Mas acho que não ficarei noiva hoje à noite – respondeu Paradise, com um tom displicente e petulante.

Um comentário muito parecido com o que Tella faria, quando fingia que não estava sentindo nada.

– Desculpe – repetiu Scarlett.

– Você não precisa ficar pedindo desculpas. Mas tem algo que pode fazer por mim. –Paradise deu um sorriso trêmulo para a filha. – Experimente o vestido. Não o provei hoje, e quero saber se teria ficado tão fabuloso quanto estou imaginando. Fico de olho no outro beco, para me certificar de que ninguém indesejado vai aparecer.

Assim que terminou de falar, Paradise virou a esquina correndo.

Scarlett teve vontade de protestar: não queria tirar a roupa em um beco gelado, mais uma vez. Mas, depois de tudo o que dissera para Paradise, era o mínimo que podia fazer pela mãe. Seria a última coisa que a mãe lhe pediria na vida. E acabaria sendo também a última coisa que Paradise lhe diria.

Quando Scarlett terminou de pôr o vestido e virou a esquina, a mãe não estava mais lá.

Segurou a bainha do vestido e correu até o fim do beco, na esperança de alcançar Paradise. Olhou a rua de cima a baixo, e só viu todas aquelas pessoas de casacos coloridos caminhando pela neve que caía. Paradise poderia estar entre eles, mas Scarlett não a viu. Só avistou um poste de luz quebrado e uma adaga jogada no chão.

A mãe de Scarlett tinha, mais uma vez, fugido. A garota não chegou a se surpreender e não se permitiu ficar magoada. Não daquela vez. Paradise até podia ser sua mãe, mas também era apenas uma jovem grávida que acabara de ficar sabendo que teria que tomar uma decisão terrível. Scarlett não podia recriminá-la por ter fugido, e talvez não devesse tê-la recriminado, tanto tempo atrás. Scarlett amava Tella e Julian apesar de suas imperfeições: estava na hora de começar a amar a mãe do mesmo jeito.

E, quando o Assassino apareceu, segundos depois, Scarlett imaginou que era daquele jeito que as coisas deveriam ser desde o início, e que a mãe realmente fizera tudo o que estava ao seu alcance. Paradise tinha fugido de Scarlett havia poucos instantes, mas a garota acreditou que, quando voltasse para o futuro, nada teria mudado.

– Conseguiu fazer tudo o que precisava? – perguntou o Arcano.

– Quase. – Scarlett pegou a adaga que a mãe deixara cair. Era uma peça branca com uma pedra em forma de estrela no cabo. Scarlett se perguntou se a arma fora um presente de Gavriel. Em seguida, a usou para cortar a mecha de cabelo branco que ganhara no Caraval. Há poucos meses, Scarlett tinha pensado que aquela mechinha fora um preço tão alto a pagar... Mas não era nada comparado ao que a mãe sacrificara. – Agora sim.

Assim que disse isso, o Assassino pegou na sua mão. E, em seguida, ambos estavam na corte à luz de velas da Estrela Caída.

## 56

## *Scarlett*

Tella sempre foi mais dramática do que Scarlett. Quando era menina, brincava de ser sereia, pirata e assassina de aluguel, ao passo que Scarlett só tentava garantir a segurança da irmã. Scarlett não era atriz. Mas estava na hora de fazer a maior encenação de sua vida. Precisava encarnar Paradise, a Perdida, senão poderia não sobreviver àquela noite.

A jovem obrigou os músculos do rosto a ficarem com a expressão tensa que a mãe fizera quando puxou a adaga para a própria filha. Em seguida, começou a se debater, tentando se desvencilhar do Assassino, que a arrastava, passando pelo palco abandonado do Bufão Louco, por mesas com comida mordiscada e cálices largados pelo chão. A festa tinha acabado. Mas, talvez, Veneno tivesse transformado todas as criadas em pedra, porque o local estava uma bagunça.

A Estrela Caída se recostava em seu trono ensanguentado, brincando com as chamas nas pontas dos dedos, enquanto gotas vermelhas pingavam em seus ombros: parecia que o Arcano já estava entediado com seu reino.

Os seres humanos haviam sumido da festa, mas alguns Arcanos ainda estavam presentes.

Scarlett avistou Jacks, parado perto da base do trono, conversando com Veneno, como se os dois fossem amigos de longa data. Ela se esforçou para não prestar muita atenção em Jacks ou na irmã. Scarlett estava fingindo ser Paradise, e a jovem Paradise não sabia quem Tella era nem ficaria preocupada com os olhares de adoração que a jovem lançava para Jacks. À primeira vista, as emoções de Donatella pareciam ser de um tom eufórico de rosa. Mas piscavam a cada poucos segundos, com pinceladas apodrecidas de um amarelo amarronzado. Parecia que estavam infectadas: Tella havia sacrificado demais. Pelo jeito, nem percebeu que Scarlett estava ali e tampouco reparou em Lenda, preso em uma gaiola de ferro, à esquerda do trono.

A gaiola macabra onde o Mestre do Caraval se encontrava era muito menor e mais inclemente do que a da Dama Prisioneira e tinha um arremedo de balanço, coberto de pontas afiadas. Lenda parecia arrasado e não conseguia tirar os olhos do rosto encantado de Donatella. Pela expressão, estava gritando para ela, mas devia haver algum tipo de encantamento em sua prisão – assim como havia na gaiola de Anissa – que enfraquecia seus poderes, porque Scarlett não viu nenhuma ilusão, e a voz de Lenda não atravessava as grades da gaiola.

– É melhor você se debater um pouco mais – sussurrou o Assassino.

Estavam quase chegando ao trono.

Scarlett se desvencilhou do Arcano e gritou:

– Me solte!

Em seguida, brandiu a adaga branca que Paloma deixou cair.

A Estrela Caída finalmente reparou nela. Seu olhar ia do Assassino encapuzado para Scarlett, e os olhos dourados se arregalaram ao reparar no vestido que a jovem usava – o vestido que ele havia comprado para Paradise –, cheio de nuances cor de creme, pretas, cor-de-rosa claro e escuro e flores, rendas e folhas de ouro esparsas. As chamas nas pontas dos dedos do Arcano se apagaram. O sangue parou de esguichar do trono, e, por um instante, o recinto ficou no mais completo silêncio.

– O que você fez? – sussurrou Gavriel.

Então parou de fitar os olhos de Scarlett e olhou feio para o Assassino. Mas a garota não poderia dizer com certeza se ele estava chateado porque acreditava que ela era mesmo Paradise ou se achava que era Scarlett.

– Fui buscá-la no passado para você – respondeu o Assassino.

Então empurrou Scarlett para a frente, com a mão espalmada.

Como Paradise não teria cambaleado, Scarlett também não cambaleou. Deu um passo firme para a frente, depois se encolheu e fez cara de nojo. Paradise era freguesa das lojas do Bairro do Cetim e gostava de coisas bonitas. Podia até ter sido uma criminosa, mas ficaria revoltada com o trono ensanguentado onde Gavriel estava sentado.

– Por que você está sentado nessa coisa? E quem é essa gente? – Scarlett falou depressa, como a mãe falara com ela, e fez questão de torcer o nariz quando olhou em volta. Mas não se deixou ficar por muito tempo com a expressão desconcertada: Paradise escondia suas verdadeiras emoções. – O que está havendo aqui, Gavriel?

A Estrela Caída a olhou nos olhos, os olhos dourados piscando feito as chamas de um fósforo prestes a provocar um incêndio de grandes proporções. Parecia que o Arcano estava vendo um fantasma. A farsa estava dando certo: Gavriel acreditou que Scarlett era Paradise. Mas, pelo jeito, o Arcano não estava apaixonado por ela.

Gavriel se dirigiu ao Assassino falando com os dentes cerrados, e cercado de emoções turbulentas, que se contorciam.

– Pode me fazer o favor de explicar por que você trouxe esta mulher para cá? – Quando disse "esta mulher", apertou o braço do trono com tanta força que as juntas dos dedos ficaram brancas. – A última notícia que tive é que você não queria saber de mim.

– Mudei de ideia, mas achei que você não ficaria satisfeito só com isso – respondeu o Assassino, curto e grosso. – E foi por isso que trouxe a mulher de presente.

– Não sou presente de ninguém!

O Assassino ignorou o que Scarlett disse, a pegou pelo braço de novo e a empurrou para perto do trono.

– Solte a garota! – vociferou Gavriel.

O Assassino soltou o braço de Scarlett e prosseguiu:

– Ela está grávida de sua filha. Fiquei sabendo que você teve suas dificuldades com a garota. Achei que poderia dar um jeito nisso, se você mesmo pudesse criá-la.

– Quê… – balbuciou Scarlett. – Como ele sabe disso? Não contei para ninguém que estou grávida, só para você.

Scarlett, então, fitou os olhos do Arcano mais uma vez, tentando recordar da expressão que a mãe fizera quando falou de Gavriel, na butique. Mas somente imitar um olhar amoroso não bastaria para obrigar a Estrela Caída a amá-la. E, naquele exato momento, se ele a amava ou deixava de amar não a preocupava tanto quanto a possibilidade de o Arcano fazer algo precipitado: matar todos que estavam na sala do trono, por exemplo. O fogo ainda não se extinguira dos olhos da Estrela Caída.

– Saiam daqui, todos vocês! – ordenou Gavriel, e todos os demais Arcanos obedeceram.

Veneno logo se dirigiu à porta mais próxima. O Assassino fez uma mesura e deu as costas. Scarlett nem havia reparado que Vossas Aias ainda estavam ali, e elas se evaporaram feito fumaça. Jacks, que estava mais perto do trono, começou a levar Tella pelo braço, mas a garota parou quando se aproximou da irmã. Virou o rosto de repente para ela, e seus olhos castanho-claros recobraram o foco: parecia que fora arrancada de um sonho, bruscamente.

– Espere... – Donatella puxou o braço do Príncipe de Copas e declarou: – É minha mãe. Ela está viva...

– Tire ela daqui! – berrou a Estrela Caída.

O trono ardeu em chamas, aquecendo todo o recinto.

Jacks puxou Tella pela cintura, mas ela continuou resistindo.

– Não... Mãe!

– O que está acontecendo aqui, Gavriel? – perguntou Scarlett, em uma tentativa de fazer o Arcano voltar a prestar atenção nela e se esquecer de Donatella. Que, pelo jeito, não estava seguindo o roteiro. – Do que esta garota está falando?

– Não dê ouvidos a ela.

A Estrela Caída desceu do trono em chamas, deixando um rastro de sangue. Só que o rastro quase parecia um rio tranquilo, comparado às emoções que o atacavam. Normalmente, os sentimentos ardentes do Arcano se acendiam feito faíscas que queriam atear fogo em tudo o que estava perto. Mas aquelas emoções pareciam queimá-lo, atingindo ombros e braços feito as pontas farpadas de um chicote.

Gavriel não estava bravo com Scarlett nem com o Assassino nem com Tella: estava furioso consigo mesmo. Suas emoções entraram em erupção quando Scarlett apareceu, mas pegaram fogo quando Tella disse "viva". O Arcano realmente tinha se arrependido de ter matado Paradise.

Só que aquilo não bastou para obrigá-lo a amar Scarlett naquele momento.

Quando a Estrela Caída amou Paradise, no passado, ela também o amava. E Scarlett não o amava nem um pouco. Talvez fosse disso que realmente precisava.

Achou que poderia conseguir. Trouxera a irmã de volta à vida com amor. Era uma pessoa amorosa. Conhecia as cores do amor e as formas que essas cores assumiam. Conhecia a sensação de lutar pelo amor e perdê-lo e de dar amor sem esperar nada em troca. Talvez fosse por isso que o plano não estava funcionando. Não queria dar seu amor para Gavriel.

A jovem testemunhara, por diversas ocasiões, a Estrela Caída fazendo coisas terríveis. Ocasiões demais. E, apesar de ele estar bravo só consigo mesmo naquele exato momento, a emoção era tão forte que fez Scarlett pensar que o Arcano poderia fazer algo pavoroso muito em breve. Com ela ou com a irmã, que ainda estava perigosamente perto de Gavriel.

Scarlett precisava achar um jeito de mudar os sentimentos da Estrela Caída. Tentou, mais uma vez, encontrar uma faísca de amor pelo Arcano. Tampouco queria amar a mãe, mas Paradise merecia mais seu amor. Ou, quem sabe, ninguém merecesse amor. Talvez o amor fosse sempre um presente, mas era muito mais difícil dá-lo para a Estrela Caída porque o Arcano passara toda a sua existência lutando contra esse sentimento. Gavriel via o amor como uma doença e não como uma cura.

– Vai dar tudo certo. Vou cuidar de você e vou garantir que nossa filha seja absolutamente extraordinária.

Então deu um sorriso para Scarlett, mostrando todos os dentes, em uma demonstração da mais pura avidez sobre-humana, sem um pingo de amor.

O plano da jovem não estava dando certo.

# 57

## *Donatella*

Tella deveria ter se esforçado mais para impedir que a irmã pusesse aquele plano em prática.

A Estrela Caída estava com uma cara quase entediada quando Donatella entrou na sala do trono, na companhia de Jacks. Mas, depois que Scarlett chegou, fingindo ser Paradise, parecia que uma palavra errada poderia fazê-lo atear fogo em todo o recinto. Os olhos de Gavriel bruxuleavam, feito chamas. E foi o jeito que olhou para Scarlett, com uma espécie de instinto de proteção apavorante, que fez Tella perceber que o Arcano poderia trancafiar a irmã naquela torre com a mesma facilidade que poderia incendiar Scarlett, caso ela dissesse qualquer coisa de que ele não gostasse.

Os braços e pernas de Donatella tremiam de pânico. Jacks a abraçou mais apertado e a puxou mais para perto de si. No entanto, nem mesmo o toque tranquilizador do Príncipe de Copas foi capaz de acalmá-la por completo. Se não fizesse algo logo, ela temia que assistiria à história se repetir, só que com a Estrela Caída e a irmã mais velha.

– Tella – sussurrou Jacks. – Não temos como salvá-la. O plano de sua irmã não vai funcionar. Precisamos sair daqui antes que Gavriel desconte sua raiva em você.

Um raio de medo intenso atingiu Donatella em cheio: o Príncipe de Copas tinha razão. Estaria muito mais segura se fosse embora com ele. Jacks jamais permitiria que algo acontecesse com Tella. O Arcano protegeria aquela garota até o fim dos tempos. Só que Donatella não podia largar a irmã e deixá-la lutando contra a Estrela Caída sozinha. Scarlett jamais venceria. Mesmo que Gavriel não a matasse, não parecia que, um dia, a amaria. Já que não podia matar a Estrela Caída, pelo menos podia ajudar a irmã a sair dali.

– Confie em mim, Jacks. Tive uma ideia.

Era uma péssima ideia, mas muitas de suas ideias mais bem-sucedidas também eram péssimas.

– Mãe! – gritou Donatella. – Ele não vai cuidar de você.

Em seguida, desvencilhou-se do Príncipe de Copas e pulou, ficando entre Scarlett e Gavriel.

Os olhos da Estrela Caída ficaram vermelhos, e, mais uma vez, chamas eclodiram.

## Scarlett

No instante em que Tella pulou no meio de Scarlett e Gavriel, as mãos do Arcano arderam em chamas, criando um arco de faíscas e de fumaça preta, porque ele tentou pegar os delicados ombros de Donatella.

Scarlett nem sequer pensou: simplesmente tirou a irmã da frente e se atirou diante da Estrela Caída.

Faíscas voaram.

Tella gritou.

Scarlett também pode ter gritado. Gavriel foi de encontro a ela, e as mãos da Estrela Caída queimaram os ombros da jovem, ombros esses que o Arcano já havia queimado, naquela mesma noite. Scarlett só conseguia sentir dor. E, aí, em vez de queimá-la, os braços de Gavriel a seguraram.

– Paradise… – murmurou a Estrela Caída. As chamas nos dedos de Gavriel se apagaram e, pela primeira vez desde que Scarlett conhecia o Arcano, ele estava com uma expressão apavorada. Franziu o cenho, juntando bem as sobrancelhas, e seus olhos estavam injetados, de vermelho. – Não tive intenção de machucar você.

– E por acaso também não teve a intenção de assassiná-la? – declarou Tella, em tom de acusação.

Gavriel soltou Scarlett, e seus dedos se acenderam de novo: bolas de fogo incandescentes se formaram na palma de suas mãos.

– Pare com isso! – gritou Scarlett. – Paradise não ia querer que você ferisse a filha dela *nem* a sua filha.

A Estrela Caída dirigiu imediatamente os olhos para Scarlett. As chamas em seus dedos ficaram cor de piche, o mesmo tom da traição.

O Arcano percebeu o lapso da garota – sabia que ela não era a *sua* Paradise. Mas Scarlett, por sua vez, não tinha certeza de ter cometido um lapso. Sua encenação não conseguira suscitar nenhum sentimento de amor. Então, talvez, estivesse na hora de parar de encenar.

A jovem deu um passo na direção do Arcano, com o olhar fixo nos olhos magoados de Gavriel e não nas mãos dele, que a haviam queimado múltiplas vezes naquela noite. Não conseguia pensar em autopreservação – era algo muito parecido com medo – e recordou do que a mãe havia escrito, explicando que o medo fortalecia o poder dos Arcanos.

Scarlett decidiu que não sentiria medo. O medo era um veneno para o amor. E o amor era um veneno para o medo. Não conseguia ter forças para amar Gavriel. Mas tinha forças para ficar em uma posição de vulnerabilidade e isso, quem sabe, poderia atingi-lo.

– Sei que você tem medo do amor. Sei que esse sentimento já te feriu no passado e que você acredita que o amor é uma arma. Você vê o amor como uma doença, mas se tornou a própria doença. O seu medo de amar está te destruindo e destrói todos em quem você encosta. E isso não te faz mais poderoso, apenas faz o mundo que te cerca mais trágico. – Scarlett, então, estendeu a mão, sinalizando toda a sala do trono, em seu estado catastrófico: o palco medonho, a gaiola horrorosa e o trono, que ainda ardia em chamas furiosas. – Você me falou que não amava Paradise, mas sei que amava.

O Arcano não mexeu um músculo. Mas tampouco a atacou.

– Você amava minha mãe, e sei que ela te amava. O Assassino voltou no tempo, sim. Ele me levou para ver Paradise, que estava explodindo de tanto amor por você. Ela não desejaria que nada disso acontecesse e não gostaria que você fizesse as coisas que fez.

Gavriel baixou os olhos e os pousou em um rombo na manga de Scarlett, na pele destruída por baixo do tecido, queimada e cheia de bolhas, onde ele havia encostado.

A jovem respirou fundo, trêmula, e forçou mais um passo na direção do Arcano.

– Eu te perdoo – declarou ela.

Pelo piscar de olhos mais longo da vida de Scarlett, a expressão da Estrela Caída permaneceu indecifrável. Mas as chamas que ardiam em suas mãos mudaram do tom de piche para cinza, a cor do arrependimento. Crepitaram e lamberam os dedos do Arcano. Aquele era o único ruído que se ouvia na sala do trono, até que a voz de Gavriel soou, mais suave que qualquer coisa que Scarlett ouvira na vida:

— Eu amava Paradise, sim. Eu a amava tanto que isso me assustava e, depois dela, nunca mais me permiti amar novamente. — Uma lágrima dourada escorreu pelo rosto da Estrela Caída. — Eu gostaria de poder desfazer o que fiz com ela.

Mais uma lágrima caiu, seguida por outra e, depois, mais uma.

Scarlett não sabia se todas aquelas lágrimas eram pela mãe dela. Os olhos do Arcano eram poços sem fundo de dor, parecia que seu pai estava, finalmente, sentindo o peso de todas as coisas inenarráveis que havia feito.

As chamas que ardiam em seus dedos se apagaram.

A próxima lágrima que Gavriel verteu foi transparente, e não dourada. Uma lágrima humana, bela, a última coisa que o Arcano fez antes de Tella apunhalar seu coração.

— Não! — gritou Scarlett.

Então caiu no chão com Gavriel. Tella acertara o coração do Arcano, que morria rapidamente. Era isso que Scarlett queria, mas gostaria de jamais ter sido obrigada a querer tal coisa.

A Estrela Caída contorceu os lábios, formando uma expressão desolada demais para ser chamada de "sorriso". E falou:

— Você sabe, tão bem quanto eu, que não mereço sua tristeza…

Com as últimas forças, Gavriel pegou a adaga branca que a garota deixara cair no chão. Seus dedos mal conseguiam produzir faíscas. Mas, de alguma maneira, conseguiu derreter rapidamente a lâmina da adaga, até ela se transformar em uma chama grosseira. A lâmina em forma de chama reluzia com uma cor que Scarlett jamais vira na vida. Se tivesse que descrevê-la, diria que tinha a aparência da magia, fazendo-a lembrar do que Gavriel havia dito no calabouço, sobre os Arcanos que transferiram seus poderes para objetos.

A Estrela Caída colocou a adaga na mão de Scarlett e falou:

— Quando eu morrer… isso vai libertar quem eu aprisionei… Use-a do jeito que eu não usa…

E aí a Estrela Caída morreu.

E Scarlett chorou. Chorou por todos os horrores que Gavriel fora durante a vida e chorou por todas as maravilhas que o Arcano poderia ter sido.

## Donatella

Tella tinha a sensação de que o mundo inteiro deveria ter parado – ou tê-la aplaudido. Acabara de matar a Estrela Caída. Aniquilara o monstro que assassinou sua mãe.

E também quase morreu. Ainda conseguia sentir o cheiro de fumaça e de queimado das chamas que poderiam tê-la carbonizado. As mãos tremiam, e o coração batia disparado. Mas Jacks já estava ao seu lado, passando um braço gelado e reconfortante em seus ombros e a puxando mais para perto de si.

– Está tudo bem, meu amor.

"Tudo bem, nada", disse a vozinha dentro da cabeça da garota. A mesma vozinha irritante insistia para Donatella se afastar do Príncipe de Copas – que havia certas verdades a respeito do Arcano que Tella optara por esquecer. Mas ela não queria lembrar. Gostava da mentira sedutora que era Jacks. Gostava dos joguinhos cruéis, dos sorrisos debochados e do fato de ele sempre mordê-la quando os dois se beijavam. A sala do trono até podia estar parecendo uma página arrancada de um livro de terror, mas Jacks era o Príncipe de Copas de Donatella e havia transformado tudo em um final de conto de fadas. A garota se aconchegou no Arcano, e o mundo ficou enevoado.

– Eu consegui – disse Tella, com um certo tom de descrença.

– Claro que conseguiu, meu amor. Mas precisamos sair daqui agora.

Jacks a abraçou mais apertado e a afastou de Scarlett. Donatella vira que a irmã caíra no chão junto com a Estrela Caída e não havia levantado ainda. Continuava encolhida junto ao corpo sem vida de Gavriel.

– Espere, minha irmã...

– Olhe para mim, Donatella. – Jacks, então, virou a jovem de frente para ele. – Você ainda quer passar o resto da vida comigo?

O Arcano fez a pergunta como se essa fosse a única coisa no mundo que tivesse alguma importância. Nunca na vida Donatella sentiu uma pergunta carregada de tanto poder, apesar de o Príncipe de Copas estar com um ar quase impotente quando a fez. Jacks era uma confusão de cabelos dourados, olhos azuis cor de sal do mar e lábios mordidos, belos como só as coisas feridas sabem ser – e Tella queria o Arcano exatamente como ele era. Queria o Jacks fragmentado, caótico e completamente indomável. E esse sentimento era tão avassalador quanto o sentimento que Donatella percebia que o Príncipe de Copas tinha quando a beijava – aquela sensação de que nada bastaria, jamais, mesmo que Tella se entregasse completamente para o Príncipe de Copas.

– Você é a única coisa que quero neste exato momento.

Um fantasma do sorriso de Jacks voltou aos lábios do Arcano e, apesar disso, parecia ser muito mais verdadeiro do que qualquer outro sorriso que o Príncipe de Copas já lhe dera. Ele parecia feliz. Apesar da morte, da destruição e da fumaça que pairavam no ar, Jacks brilhava como nunca Donatella o vira brilhar.

– Você também é tudo o que eu quero. Mas temos que ir embora agora, senão pode acontecer de alguém tentar nos impedir de ficar juntos.

Dito isso, Jacks soltou os ombros de Donatella e segurou a mão dela. Em seguida, foi arrastando a garota pela desastrosa sala do trono, como se a vida dos dois dependesse de sair dali. O Príncipe de Copas passou correndo pelo palco abandonado do Bufão Louco, por poças de vinho derramado e por um espelho que dava a impressão de ter uma pessoa aprisionada dentro dele. E mal parou para abrir as enormes portas que levavam ao cintilante pátio de vidro.

A noite tomara conta de tudo, e estrelas piscantes reinavam lá de cima, refletidas no chão de vidro, enquanto...

– Tella!

A voz de Lenda atravessou a noite, tão alta que o céu se assustou, e Donatella ficou com o estômago embrulhado.

Então fechou os olhos, como se assim pudesse desfazer o efeito que Lenda causava nela. Não queria mais ficar com aquele homem. Não conseguira nem olhar para o Mestre do Caraval enquanto ele estava preso em uma gaiola: bastou olhar para Lenda que sentimentos que Donatella nem sequer sabia que tinha entraram em erupção. Odiava Lenda. Odiava tudo nele. Mas, sabe-se lá por que, o som de sua voz grave ainda a deixava toda confusa.

– Não pare de andar – disse Jacks.

O Arcano puxou Tella pela mão, aninhando a jovem na lateral de seu corpo. Donatella tentou convencer seus pés a correrem com Jacks. A irem para onde o Príncipe de Copas fosse. Era aquele o rapaz que Donatella queria seguir até os confins do mundo. Mas seu corpo a traiu com Lenda, mais uma vez. As pernas não se mexiam, e os dedos dos pés se fincaram nos sapatinhos, parecia que estavam grudados no chão.

O Príncipe de Copas puxou a mão de Donatella com mais força e apertou os dedos dela com sua mão gelada. Só que Tella não conseguia tirar os olhos de Lenda, que se aproximava.

O Mestre do Caraval parecia o final de uma história de amor fadada ao fracasso. As roupas em tons escuros estavam rasgadas, o peito tinha queimaduras recentes, e os olhos, que um dia foram cheios de estrelas, estavam arrasados, escurecidos, com fissuras de um cinza desesperado e dolorosas linhas vermelhas serpenteando pela parte branca.

Tella ficou com um nó na garganta. Aquilo não deveria doer nela. Odiava aquele homem – odiava Lenda por causa de todos os meses que ele brincara com os sentimentos dela. Mesmo assim, ele ainda tinha um pedaço de seu coração. "Sempre vai ter", disse a vozinha em sua cabeça. Mas Tella ignorou aquela voz. Queria pegar seu coração de volta e entregá-lo por completo para Jacks.

– Por que você não consegue nos deixar em paz? – gritou. – Será que já não me atormentou o suficiente?

Então Lenda encarou Donatella bem dentro dos olhos dela, com o olhar bem aberto e suplicante.

Só que Tella estava cansada de ceder aos encantos dele.

– Pode desfazer o que você fez com ela! – urrou Lenda, dirigindo-se a Jacks.

– Ele não fez nada – retrucou Donatella. – É você que não para de me fazer mal!

– Acho que essa foi a maneira dela de pedir que você vá embora – interveio o Príncipe de Copas.

O Arcano deu um sorriso de desdém e apertou sutilmente a mão de Tella. Não precisava mais segurá-la com tanta força – sabia que ela lhe pertencia.

– Tella, escute – implorou Lenda. – Você pode lutar e resistir ao que Jacks fez com você.

– Só quero lutar por Jacks! E quero que você vá embora!

A garota, então, se desvencilhou do Príncipe de Copas, pronta para enxotar Lenda de uma vez por todas. Mas, assim que Donatella soltou a mão de Jacks, o Arcano sumiu, e o mundo inteiro mudou. A magia tomou conta do ar, densa e adocicada. O chão de vidro do pátio se transformou em degraus lustrosos de pedra da lua, sob os pés de Donatella, e a torre dourada atrás de Lenda desapareceu e foi substituída por uma nova ilusão. Um templo de um branco reluzente e teto abobadado, com duas asas abertas: o Templo das Estrelas. No céu, fogos de artifícios de um vermelho radiante se confundiam com a maior quantidade de estrelas que Tella já vira na vida, recriando o instante em que Lenda a abandonara, logo depois de salvar sua vida.

O coração da jovem parou de bater por completo. Donatella ainda conseguia enxergar o olhar sem emoção que Lenda lhe dirigira naquela noite, e a frieza de sua voz, quando disse que não era o herói da história dela. Mas, naquele momento, os olhos do Mestre do Caraval brilhavam feito as estrelas novamente, repletos de partículas de ouro que cintilavam em meio à noite. Estava olhando para Donatella como a olhava na pintura da parede de seu quarto, como se jamais quisesse abandoná-la, como se a idolatrasse, como se quisesse, sim, ser o herói da história dela.

– Desfaça a ilusão! – exclamou Tella, porque não conseguia suportar ver aquilo. Nem Lenda. Ele não era o herói daquela história. E Donatella jamais quis um herói. Ela era a heroína de sua própria história e estava na hora de se salvar de Lenda. – Faça o pátio e Jacks reaparecerem.

O Mestre do Caraval franziu o cenho, e o sentimento que seus olhos transmitiam se intensificou. Houve uma época em que aquele olhar cintilante poderia ter convencido Tella de que Lenda lhe daria o mundo. Mas Jacks era o mundo de Donatella, e não havia espaço para Lenda naquele mundo. Sendo sincera, nunca houve espaço para Lenda – ele era avassalador demais.

– Sei que você acha que quer ficar com Jacks, mas ele está controlando os seus sentimentos – insistiu o Mestre do Caraval. Sua voz foi ficando mais baixa e mais grave a cada palavra. – Você tem que lutar contra isso.

– Você só está com ciúme! Não quer ficar comigo e não quer que ninguém mais fique. – Então Tella tentou dar um empurrão no peito dele, para afugentá-lo de uma vez por todas. – Por favor, pare de me torturar. Pode me soltar e me deixar em paz.

Os cantos da boca de Lenda se ergueram lentamente.

– Você é que está me segurando, Tella.

– Não... Eu...

Donatella olhou para baixo e viu os próprios dedos agarrados na camisa esfarrapada dele.

Duas mãos quentes enlaçaram seus ombros, e Lenda a fez ficar parada ali.

O coração da garota disparou. Ela precisava mesmo se desvencilhar daquele abraço. Mas não conseguia se mexer. Seu corpo estava recordando de uma época em que o Mestre do Caraval não chegava tão perto dela, quando não encostava um dedo em Tella. E tudo o que Donatella queria era que Lenda a tocasse. E, naquele momento, Lenda a abraçava como se pretendesse ficar ao lado dela por muito, muito tempo.

O sorriso do Mestre do Caraval ficou mais largo:

– Não tenho ciúme de Jacks. Sei que os sentimentos que você tem por ele não são verdadeiros. E, se pensa que não quero ficar com você, está muito enganada. Quero ficar com você há muito tempo e nunca vou deixar de querer.

O Mestre do Caraval abraçou Donatella mais apertado e a puxou ainda mais para perto, até que Tella ficou prensada no peito dele.

Ela estava com a respiração rasa e ofegante, saindo em minúsculos suspiros furiosos. E, por mais que Donatella tentasse empurrá-lo e afugentá-lo, não conseguia. Quando pensava em Jacks, seu coração se acalmava, mas ficava ansiando por bater disparado e bem forte, como Lenda o fazia bater. Porque o Mestre do Caraval não possuía só um pedaço do coração de Tella: o coração da garota era todo dele.

*Não!*

Donatella tentou afugentar o pensamento, tentou se lembrar de Jacks e de como se sentia quando estava com o Arcano. Mas, naquele momento, só conseguia sentir Lenda, porque ele estava acariciando suas costas com uma daquelas mãos quentes e maravilhosas.

— Você ainda quer saber por que eu te deixei sozinha na escadaria naquela noite?

Tella queria responder que não, mas, sabe-se lá como, o que escapou de seus lábios foi a palavra "sim".

As palmas das mãos do Mestre do Caraval se aqueceram, e a mão que estava no ombro de Donatella foi para o pescoço, se enroscando em seus cabelos. Então ele ergueu o rosto dela, fazendo com que ela o olhasse nos olhos, que ainda estavam vidrados, bem escuros, com partículas de ouro que mais pareciam cacos de estrelas. Tella tentou acreditar que odiava aqueles olhos.

Os olhos de Jacks eram lindos. Eram os olhos de Jacks que Donatella adorava. Só que os olhos de Lenda haviam capturado os da garota, e ela não conseguia desviar o olhar. Tentou se convencer de que os olhos do Mestre do Caraval eram apenas mais uma ilusão, assim como todos aqueles sentimentos que ameaçavam se apossar dela. Donatella fechou os olhos, mas não adiantou nada. Só a fez ficar ainda mais envolvida pela voz grave de Lenda:

— Desculpe por ter te abandonado naquela noite. Foi errado ter ido embora e ter te magoado. Foi errado ter me assustado e fugido quando me dei conta de que estava me apaixonando por você.

Tella abriu os olhos de repente, e as palavras saíram de sua boca antes que ela pudesse impedi-las.

— Você falou que era incapaz de amar.

— Eu achei que fosse.

Lenda, então, tirou a mão do cabelo de Donatella e segurou o rosto dela, como se jamais tivesse tocado em algo tão precioso.

— Não posso dizer que compreendo o amor nem que sei amar direito, porque nunca amei ninguém. Mas amo tudo em você, Donatella Dragna. Tudo. — Lenda acariciou o rosto de Tella. — Amo os segredos que você não me contou e as mentiras que contou e das quais tentou se safar. Amo sua teimosia e sua persistência. Amo o fato de você sempre fingir que nem liga quando eu te visito em sonho. Amo o fato de você nunca deixar de lutar pelo que quer nem pelas pessoas que ama, mesmo quando essas pessoas não merecem. Eu te amo, não pretendo deixar de te amar e espero que, bem lá no fundo, você ainda me ame.

O Mestre do Caraval, então, foi baixando o rosto, bem devagar, avisando que, se Donatella não quisesse beijá-lo, teria que se desvencilhar dele.

Só que Donatella não queria mais se desvencilhar de Lenda e nem sabia se conseguiria. O amor, realmente, é um outro tipo de magia. A garota tremia da cabeça aos pés. E a tremedeira a ajudava a se livrar dos últimos resquícios do feitiço que Lenda quebrara quando disse que a amava. *Ele a amava!* Os braços e as pernas de Tella tremeram ainda mais, de um certo maravilhamento, só de pensar.

Como não tinha forças para falar, tentou dizer que o amava com um beijo, quando Lenda por fim encostou os lábios quentes nos dela. Eram lábios tão perfeitos, tão macios, tão doces e delicados. Era para Donatella estar dizendo para Lenda que o amava, mas tinha a sensação de que ele é que repetia essas palavras, cada vez que pressionava os lábios voluptuosos nos seus, como se não estivesse com a menor pressa, como se os dois tivessem todo o tempo do…

Tella empurrou Lenda abruptamente. Era a última coisa que queria fazer. Amava Lenda, sabia que amava. Queria que o Mestre do Caraval a beijasse até ela se esquecer de respirar. Queria ficar naquele abraço por toda a eternidade, mas Lenda não teria uma eternidade se Donatella não abrisse mão dele naquele exato momento.

Ele cerrou os dentes, e aquela expressão torturada voltou ao seu rosto.

– O que foi?

– É melhor você ir embora. – Tella não reconheceu a própria voz, parecia que estava travando uma batalha consigo mesma a cada palavra que pronunciava. Queria ser egoísta, queria ficar com Lenda. Ela o amava. E foi por isso que o empurrou com força, para que fosse embora. – Você precisa sair de perto de mim antes que fique desse jeito.

– Tarde demais.

– Não é, não.

Tella deu mais um empurrão nele.

Lenda nem sequer deu um passo para trás, nos degraus de pedra da lua.

Donatella lhe deu as costas e já ia começar a correr. Se Lenda não queria ir embora, ela iria. Mas, antes que conseguisse avançar um centímetro, o Mestre do Caraval a segurou pelo pulso e a puxou de volta, prendendo-a em seus braços.

– Tella...

– Me solte. – Donatella já conseguia ver a transformação em Lenda. Podia ver isso no sorriso, que ficou repleto de amor e iluminou todo o rosto dele. Tentou puxar os braços de Lenda, mas foi uma tentativa sem a menor convicção. Sempre achou o Mestre do Caraval bonito. Mas o jeito como ele a olhava naquele exato momento era absolutamente tudo. – Se você não me soltar, não vou mais conseguir resistir.

– Que bom, porque não quero brigar com você nem resistir. Só quero te amar. – Lenda, então, ergueu Tella de leve e deu mais um beijinho em seus lábios. – A escolha é minha, e eu escolho você, Donatella. Não preciso de imortalidade. Você é a minha eternidade.

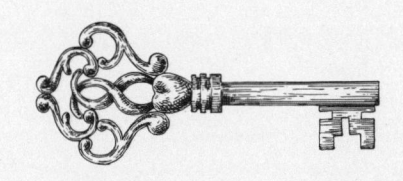

# O VERDADEIRO FINAL

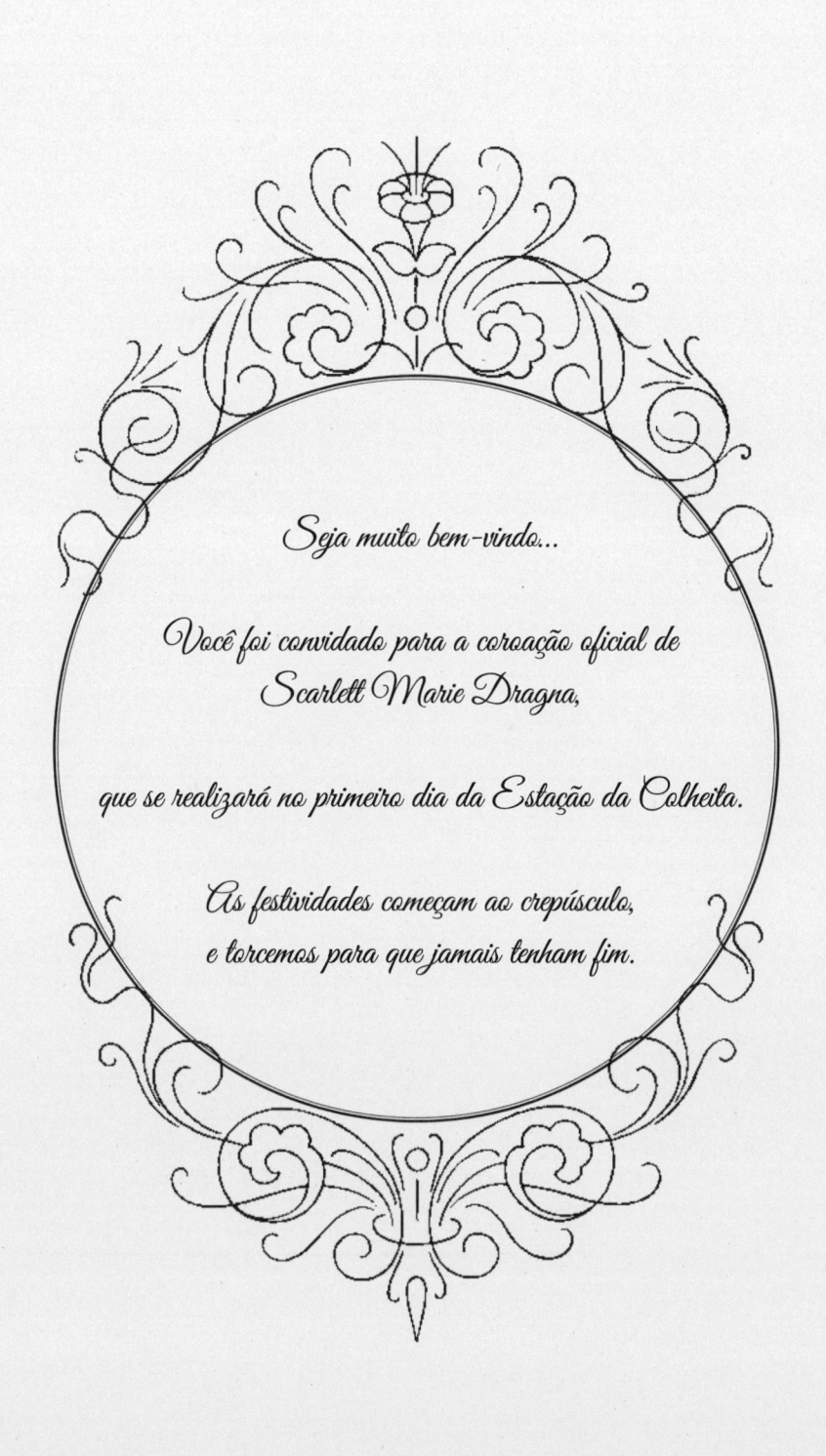

Seja muito bem-vindo...

Você foi convidado para a coroação oficial de
Scarlett Marie Dragna,

que se realizará no primeiro dia da Estação da Colheita.

As festividades começam ao crepúsculo,
e torcemos para que jamais tenham fim.

# Scarlett

Qualquer pessoa teria pensado que o vestido era perfeito. Mas jamais existiria outro vestido perfeito para Scarlett. Nenhum traje jamais poderia substituir o vestido místico. Mas a obra de arte que usava era encantadora – uma peça inteiramente justa, tirando a parte de trás, que tinha uma cauda que fluía atrás da jovem, mais branca do que a neve intocada, bordada com rosas de seda vermelha. Combinava com o manto todo coberto de pétalas de flores que Veneno enviara como presente de coroação. O manto era glorioso e extravagante. E, por mais que Scarlett ficasse parecendo uma verdadeira imperatriz com ele, não conseguiu vesti-lo.

Veneno devolvera todos os que havia transformado em pedra à forma humana e chegara a uma trégua com Scarlett. Mas, como tinha se passado apenas uma noite desde que a Estrela Caída fora imperador, Valenda ainda desconfiava de tudo que viesse dos Arcanos. E, como Scarlett era filha de Arcano, a cidade também duvidava dela – apesar de a jovem jamais ter manifestado todos os seus poderes.

– Você está um espetáculo – disse Tella.

Donatella sorria mais do que um gato que acabou de caçar um passarinho. Estava bem atrás da irmã no reflexo do espelho folheado a ouro que combinava com tudo na suíte imperial – até as cortinas tinham folhas de ouro costuradas entre os painéis de voal. E tudo aquilo era de Scarlett, que, boa parte do tempo, só pensava em usar a Chave de Devaneio e sumir, fugindo daquela enorme responsabilidade.

Mas sabia que a chave não tinha sido entregue em suas mãos com esse objetivo.

– O império inteiro vai se apaixonar tão perdidamente por você que Julian vai ficar com ciúme – disse Tella.

Scarlett deu uma risadinha.

– Ele já está com ciúme. Acha, de verdade, que Veneno tem uma quedinha por mim.

– E Veneno tem mesmo uma quedinha por você. Por que você acha que ele chegou a uma trégua tão rápido?

– Talvez porque o apelido da minha irmã seja "a Caça-Arcanos".

Donatella ficou corada de orgulho.

– Você acha que vou ganhar um cartaz de "Procurada" com direito a foto e esse título embaixo?

– Você não é criminosa. É uma heroína.

– Sim, mas sempre quis ter meu cartaz de "Procurada". – Tella deu risada, mas sua expressão ficou melancólica.

Na hora, Scarlett adivinhou que ela estava pensando na mãe das duas, de novo.

– Você acredita que a nossa mãe era mesmo filha da Imperatriz Elantine? – perguntou Scarlett.

– Não sei se um dia teremos certeza disso, mas gosto de pensar que sim. Quando a Imperatriz Elantine comentou sobre Paradise, falou dela com um tom terno e arrependido. –Donatella foi até a parede de janelões, abriu as cortinas e olhou a multidão, que já se apinhava no pátio de vidro, para assistir à cerimônia programada para aquela noite. – Sempre teremos a possibilidade de pedir para o Assassino nos levar para o passado, para vê-la de novo e ter certeza.

– Quem sabe...

Mas Scarlett duvidava disso. Depois da morte da Estrela Caída, o Assassino sumira, assim como a maioria dos Arcanos. Veneno foi o único que ficou em Valenda, e Scarlett estava torcendo para que o Envenenador não tivesse uma quedinha por ela. O afeto desses seres místicos tinha tendência a se tornar uma obsessão mortal, como acontecera com Jacks e Tella. Ainda bem que ninguém avistou o Príncipe de Copas depois que o amor de Lenda quebrou o feitiço que o Arcano havia lançado em Donatella.

Scarlett não sabia se Jacks havia fugido, com alguns outros Arcanos, para os reinos do norte, onde, segundo boatos, seres místicos viviam tranquilamente. Com a morte da Estrela Caída, os Arcanos criados por Gavriel não eram mais imortais, mas eram atemporais. Poderiam viver vidas muito mais longas do que as dos seres humanos, mas também poderiam morrer se dessem motivo para as pessoas irem atrás deles.

Scarlett pediria para seus espiões darem uma olhada nisso assim que fosse coroada imperatriz oficialmente. Mas ainda queria localizar os Arcanos mais cruéis, como o Bufão Louco, o Rei Assassinado e a Rainha Morta-Viva, para que enfrentassem a Justiça e pagassem pelo que fizeram. E, para o bem da irmã, também queria garantir que Jacks jamais voltasse para Valenda.

– Com licença, Vossa Alteza. – A voz seca da criada foi seguida por uma batida delicada na porta. – O senhor Julian está aqui para vê-la.

– Pode deixá-lo entrar.

Scarlett foi até o outro lado do cômodo com uma velocidade que, provavelmente, era imprópria para uma imperatriz. Mas não conseguiu evitar, assim como não pôde evitar de sorrir quando Julian entrou. Com um simples toque da adaga da mãe, que agora estava imbuída da magia da Estrela Caída, tinha retirado a máscara de ferro mística do rosto do rapaz. Nem dava para perceber que Julian a usara um dia. O jovem estava com uma aparência alinhada e moderna no fraque que mandara fazer para a coroação. Scarlett gostou principalmente do colete cinza e da risca de giz vermelha, que combinava com as flores de seu vestido.

Tella fechou as cortinas com um puxão dramático e declarou:

– Acho que está na hora de eu ir embora.

– Não precisa – disse Scarlett.

– Tudo bem. Tenho certeza de que vocês dois gostariam de ficar se olhando desse jeito apaixonado a sós, e preciso escrever uma carta para Lenda.

Julian deu um sorriso constrangido para Tella e falou:

– Acho que meu irmão está no palácio.

– Eu sei. Mas prefiro escrever uma carta para ele.

Tella foi até a porta aos pulinhos, com um sorriso travesso, que provavelmente deixaria Scarlett preocupada. Mas a jovem estava tão distraída por Julian que não conseguia se preocupar com mais nada.

Assim que Donatella saiu, Julian se aproximou de Scarlett lentamente. Fitou os contornos justos do vestido branco dela, partindo dos quadris e subiu os olhos, bem devagar, até o diadema de ouro que ela usaria antes de ser coroada oficialmente.

— Não sabia se você ia ter tempo para mim hoje.

— Sou uma pessoa muito importante.

— Eu sei – disse o rapaz, com um ar solene.

— Só estou brincando, Julian.

Scarlett bateu no braço dele de brincadeira. Julian aproveitou a oportunidade para segurar a mão dela.

— Você está deslumbrante – completou o rapaz, puxando-a mais para perto de si. – Mas acho que está faltando uma coisa neste vestido.

Julian então levantou a casaca, que estava dobrada sobre o braço, revelando um presente na palma de sua mão. Era uma caixinha pequena e estreita, enfeitada com um laço vermelho simples, e Scarlett pensou que o próprio Julian havia feito aquele embrulho.

— Eu te falei que não precisava me dar presente nenhum.

Mas, quando abriu a caixinha, seu sorriso ficou ainda mais largo.

Era um par de luvas costuradas grosseiramente, que iam só até os pulsos. Por um instante, Scarlett pensou que era a maneira de Julian pedi-la em casamento. Luvas eram um presente simbólico que os cavalheiros davam para as damas que queriam pedir em casamento. Mas essa tradição estava em desuso, e aquelas luvas não pareciam ser luvas comuns. Quando a jovem encostou nelas, começaram a se transformar. Mudaram como seu vestido místico costumava fazer, e as luvas brancas e simples, com pontos grosseiros, se transformaram em luvas longas e elegantes, de renda, em um tom de rubi bem escuro.

— Onde você as encontrou? – perguntou Scarlett, suspirando.

— Voltei ao calabouço e achei alguns trapos de tecido do seu vestido e costurei.

— Foi você que costurou?

Um sorriso constrangido.

— Não queria que mais ninguém encostasse nelas.

Scarlett segurou as luvas perto do peito. Se já não amasse Julian, teria se apaixonado por ele naquele momento. Ele tentava passar uma imagem de patife, mas era a pessoa mais carinhosa que Scarlett já conhecera na vida.

— Sabe, aquele vestido sempre gostou mais de você do que de qualquer outra pessoa.

– É claro que sim. – Ele deu um sorriso irônico e completou: – Estava refletindo os seus sentimentos.

No passado, Scarlett até poderia ter protestado, mas não queria negar.

– Obrigada, esse é o mais perfeito dos presentes.

– Que bom que você gostou. – Julian ainda sorria, mas um sorriso um tanto acanhado, e ele massageou a nuca antes de falar: – Sabe... luvas já foram um presente simbólico.

– Sim – deixou escapar Scarlett.

Julian ergueu as sobrancelhas.

– Mas nem fiz o pedido ainda.

– Seja qual for o pedido, a resposta é sim.

Scarlett abraçou o pescoço de Julian.

A reação de Julian foi enlaçar a cintura de Scarlett, bem apertado.

– E se eu pedir metade do seu reino?

– Vou responder que pode ficar com o reino inteiro. Tudo que é meu é seu, Julian.

– Até isso? – perguntou ele, encostando nos lábios de Scarlett.

– Principalmente. – E, para provar, Scarlett deu um beijo na boca de Julian. – Agora você também é meu.

Então ele se afastou só um pouquinho, para dar um sorriso malicioso, e declarou:

– Eu sempre fui seu, Carmim.

BIS

# *Lenda*

Lenda não acreditava em finais.

Durante boa parte de sua vida imortal, acreditou que seu mundo desmoronaria caso se apaixonasse e se tornasse humano. Só que, em vez disso, seu mundo se tornou mais precioso, principalmente no que se referia a ela.

Segurou o riso ao reler a carta. Tella não gostaria nem um pouco se ficasse sabendo que ele estava rindo. Só que Donatella era uma das raras pessoas das quais Lenda achava graça.

E esse era um dos muitos motivos pelos quais ele a amava.

Ano 1, Dinastia Scarlett

Caro Mestre-Lenda do Caraval,

Não acredito mais que o senhor seja um mentiroso, um canalha nem um vilão. Mas fico me perguntando se poderia se tornar essas coisas novamente, porque preciso muito de sua ajuda.

Minha irmã está prestes a se tornar imperatriz, o que, por consequência, fará de mim princesa. Sei que o senhor pode achar que isso não é um problema, mas garanto que é. Não nasci para ficar perambulando por um palácio nem para ser seguida por guardas aonde quer que eu vá. Mas não quero prejudicar a imagem de minha irmã me comportando mal: prometi para ela que não vou mais causar nenhum escândalo. Sendo assim, preciso que o senhor, por favor, cause um escândalo por mim, Lenda. Peço que me sequestre e me leve para viver uma nova aventura.

Sei que não será um sequestro de verdade se eu pedir para o senhor me levar daqui, mas acho que será divertido fingir. Também acho que pode render um jogo bem interessante e sei o quanto o senhor gosta de jogos.

Para sempre sua,
Donatella Dragna

# Relação de termos e Arcanos

BARALHOS DO DESTINO: Método de previsão do futuro. Os Baralhos do Destino contêm trinta e duas cartas, que formam um conjunto de dezesseis imortais, oito lugares e oito objetos.

ARCANOS: De acordo com os mitos, os Arcanos retratados nas cartas dos Baralhos do Destino já foram seres mágicos de carne e osso. Supostamente, teriam governado um quarto do mundo, séculos atrás, até desaparecerem de maneira misteriosa.

ARCANOS MAIORES
O Rei Assassinado
A Rainha Morta-Viva
O Príncipe de Copas
A Morte Donzela
A Estrela Caída
A Senhora da Sorte
O Assassino
O Envenenador/Veneno

ARCANOS MENORES
O Bufão Louco
A Dama Prisioneira
A Sacerdotisa, Sacerdotisa
Vossas Aias
A Noiva Abandonada

Caos
A Criada Grávida
O Boticário

OBJETOS MÍSTICOS
A Coroa Despedaçada
O Vestido de Vossa Majestade
A Carta em Branco
O Trono Ensanguentado
O Aráculo
O Mapa de Tudo
O Fruto Imaculado
A Chave de Devaneio

LUGARES MÍSTICOS
A Torre Perdida
O Pomar Fantástico
O Zoológico
A Biblioteca Imortal
O Castelo da Meia-Noite
O Imaginarium
O Mercado Desaparecido
O Fogo Eterno

MOEDAS SEM SORTE: Têm o poder mágico de rastrear pessoas. Na época em que os Arcanos ainda reinavam sobre a Terra, se um desses seres místicos ficasse obcecado por algum ser humano, colocava, discretamente, uma moeda sem sorte na bolsa ou no bolso da pessoa, para poder seguir seus passos aonde quer que ela fosse. As moedas sem sorte eram consideradas objetos de mau agouro.

ALCARA: Antiga cidade-sede do governo dos Arcanos, que hoje recebe o nome de Valenda e é a capital do Império Meridiano.

RUSCICA: Livro guardado na Biblioteca Imortal, capaz de revelar toda a história de uma pessoa ou de um Arcano, desde que receba sangue da pessoa ou do Arcano em questão.

# AGRADECIMENTOS

Ao longo da série *Caraval*, falo muito de sonhos que se tornam realidade. Acho que – pelo menos em parte – isso se deve ao fato de que escrever esta série foi um dos meus sonhos que se tornaram realidade, sério mesmo. Ainda tenho a impressão de que é um milagre eu poder ganhar a vida escrevendo livros e agradeço a Deus todos os dias por esse milagre.

Adorei poder escrever esta série e compartilhá-la com outras pessoas. Mas jamais teria conseguido escrever sozinha. Preciso agradecer a um grupo de pessoas fundamentais. Esses agradecimentos podem ser mais simples do que aqueles que escrevi nos volumes anteriores – enquanto os escrevo, tenho a sensação de que já gastei todas as minhas palavras no livro –, mas minha gratidão a todas as pessoas citadas a seguir são do fundo do meu coração.

Mil obrigadas, Sarah Dotts Barley, Jenny Bent, Pai, Mãe, Allison, Matt Garber, Matt Moores, Ida Olson, Stacey Lee, Kristin Dwyer, Adrienne Young, Kerri Maniscalco, Katie Nelson, Julie Dao, Liz Briggs, Amanda Roelofs, Patricia Cave, Bob Miller, Amy Einhorn, Rebecca Soler, Liz Catalano, Nancy Trypuc, Donna Noetzel, Cristina Gilbert, Katherine Turro, Jordan Forney, Vincent Stanley e Emily Walters – e a todos da Flatiron Books, da Macmillan Audio, da Macmillan Library e do Departamento Comercial da Macmillan – Molly Ker Hawn, Kate Howard, Lily Cooper, Melissa Cox, Thorne Ryan e a todos da Hodder and Stoughton, Erin Fitzsimmons, Anissa de Gomery, Kristen

Williams, Lauren (do blogue FictionTea) e aos serviços de assinatura de livros FairyLoot e OwlCrate.

Se você está lendo estes agradecimentos, também quero te agradecer – por ter escolhido este livro, entrado neste mundo e por ter continuado comigo ao longo de toda a série. Sou muito agradecida a cada leitor, a cada blogueiro, a cada perfil sobre livros no Instagram, a cada vendedor de livraria, a cada bibliotecário e a cada professor que apoiou a série. Foi uma das maiores alegrias da minha vida dividir esses personagens e suas histórias com vocês.

Este livro foi composto com tipografia Adobe Garamond Pro e
impresso em papel Off-White 70 g/m² na Formato Artes Gráficas.